LOS VERBOS CONJUGADOS

J. B. XURIGUERA

LOS
VERBOS
CONJUGADOS

EDITORIAL CLARET
Barcelona

Decimotercera edición

Cubierta: Ernest Puig
Editorial Claret, S.A.
Roger de Llúria, 5 – 08010 Barcelona
Impreso en A&M Grafic, S.L.
ISBN: 84-7263-305-5
Depósito legal: B.27.345-1998

PRÓLOGO

Hemos considerado oportuna y necesaria la publicación de un libro que comprendiese la conjugación completa de los verbos de la lengua castellana. Nuestro deseo es que las siguientes páginas puedan ser un instrumento de trabajo rápido, correcto y fácil, y nos sentiremos satisfechos si hemos logrado este resultado.

El verbo ocupa en la Gramática un lugar de primer orden, y es en la frase el movimiento, la acción y el espíritu. Es la parte más variable de la oración y, sin duda, la que ofrece más dificultades en el momento de escribir. A pesar de poder adquirir, con el estudio intensivo, cierto dominio en el conocimiento de los verbos, siempre llega al hablar o escribir una duda, un problema para resolver. La vida moderna, compleja de por sí, hace indispensable tener al alcance de la mano el juego completo de las conjugaciones.

Ofrecemos en nuestras últimas páginas el Índice alfabético de todos los verbos extraídos del Diccionario de la Lengua española (edición de 1980), tanto regulares como irregulares, defectivos e impersonales, a la derecha de cada uno de los cuales figura un número que traslada al lector con rapidez a la página donde se halla la conjugación entera del verbo que se busca, o bien de un verbo de idéntica conjugación, y nos ofrece allí el cuadro de todas sus formas verbales. Aclarar una duda es aquí un juego sencillo y fácil.

Para los verbos regulares existen en la lengua castellana tres clases de conjugaciones, según terminen los infinitivos en *ar* (amar), *er* (temer) o *ir* (partir), y se han elegido estos tres modelos que ilustran el gran número de ellos que nos ofrece el Diccionario de la Real Academia. Presentamos también los llamados auxiliares *haber* y *ser*.

Los verbos conocidos como defectivos *(abolir)* son, como es sabido, aquellos que carecen de algunos de los tiempos y personas. Ofrecemos a nuestros lectores las formas válidas de *abarse, soler*, etc.

Ofrecemos en nuestras conjugaciones el gran número de verbos que poseen dos participios, uno regular y otro irregular, y los presentamos en páginas separadas pero por riguroso orden alfabético, con el fin de no prestar confusión ni servir de modelo para los verbos de idéntica conjugación pero que no tienen los dos participios antes aludidos.

Los verbos llamados irregulares, es decir, los que alteran al conjugarse algunos, en parte o todos sus tiempos, respecto a la desinencia o la radical, son también abundantes y en ellos reside la necesidad de estudiarlos detalladamente.

Sólo se han omitido los verbos contenidos en el Diccionario de la Lengua Española que van acompañados de las indicaciones: "voces anticuadas y desusadas", casi innecesarios hoy ya sea por pertenecer exclusivamente al vocabulario de la Edad Media, o bien que se usaron después pero que hoy no se emplean ya. Por ejemplo, no hemos puesto *desencasar*, que significa *desencajar*, que ya figura; o *desencentrar* por *descentrar; sostituir* por *substituir; subjectar* por *sujetar; subjuzgar* por *sojuzgar*, etc. Pero hemos conservado, en cambio, los americanismos para presentar el cuadro en toda su extensión y riqueza.

Nos parece útil repetir aquí que no constituyen irregularidad alguna aquellos verbos que se ven sujetos a las mutaciones a que obliga, a veces, la Ortografía. Así no dejan de ser regulares los verbos que cambian, en algunas de sus personas, la *g* en *gu* o *j*, la *z* o *qu* en *c*, la *i* en *y*, etc. Ejemplos: *lleguemos*, de *llegar; elijo*, de *elegir; sigo*, de *seguir; almorcé*, de *almorzar; leyó, oyó*, de *leer* u *oír*.

Tampoco son verbos irregulares los que diptongan algunas voces *(niego*, de *negar; entiende*, de *entender)*; intercalan *(conozca*, de *conocer; nazca*, de *nacer)*; debilitan *(ríes*, de *reír; ciñes*, de *ceñir)*; o apocopan unas voces *(gruñó*, de *gruñir)*.

Para saber con exactitud si un verbo es o no es regular, nos bastará comprobar si son regulares los tiempos *presente, indefinido* y *futuro imperfecto* del Modo Indicativo. Si estos tres tiempos no tienen irregularidad alguna, podemos asegurar que es un verbo regular.

Para confeccionar el presente libro nos ha sido de gran utilidad el "Esbozo de una nueva Gramática de la Lengua española" de la Comisión de Gramática de la Real Academia Española (Espasa-Calpe, S.A., 1979).

Hemos procurado que el manejo de este libro fuera fácil, rápido y seguro. No en balde estamos en la época de la velocidad. La práctica que llevamos desde hace varios años en estudios similares, nos hace esperar que la presente obra sobre la conjugación completa de los verbos de la Lengua castellana será recibida por nuestros lectores como la solución definitiva al problema que nos ocupa.

J.B. X.

INDICE DE CUADROS de conjugaciones

Abarse (defect.)	14	Conocer	74
Abolir (defect.)	16	Consumir	76
Abrir	18	Contraer	78
Absorber	20	Convencer	80
Abstraer	22	Convertir	82
Acaecer (defect.)	24	Corregir	84
Adquirir	26	Corromper	86
Adscribir	28	Cubrir	88
Afligir	30	Dar	90
Alentar	32	Decir	92
Almorzar	34	Descalzar	94
Amar	36	Desosar	96
Andar	38	Despertar	98
Aparecer	40	Difundir	100
Asir	42	Discernir	102
Asumir	44	Disolver	104
Atender	46	Divertir	106
Bendecir	48	Dormir	108
Caber	50	Elegir	110
Caer	52	Empeller	112
Ceñir	54	Enjugar	114
Circuncidar	56	Entender	116
Circunscribir	58	Erguir	118
Cocer	60	Errar	120
Compeler	62	Escribir	122
Complacer	64	Estar	124
Comprender	66	Excluir	126
Comprimir	68	Eximir	128
Concluir	70	Expeler	130
Confundir	72	Expresar	132

Expulsar	134	Placer	202
Extender	136	Poder	204
Extinguir	138	Poner	206
Fijar	140	Poseer	208
Freír	142	Predecir	210
Gruñir	144	Prender	212
Haber	146	Presumir	214
Hacer	148	Pretender	216
Hartar	150	Propender	218
Huir	152	Proscribir	220
Imprimir	154	Prostituir	222
Incurrir	156	Proveer	224
Infundir	158	Pudrir (o podrir)	226
Injertar	160	Querer	228
Inmiscuir	162	Raer	230
Inscribir	164	Rarefacer	232
Inserir	166	Recluir	234
Insertar	168	Reducir	236
Invertir	170	Reír	238
Ir	172	Relucir	240
Jugar	174	Roer	242
Juntar	176	Saber	244
Leer	178	Salir	246
Manifestar	180	Salpresar	248
Manumitir	182	Salvar	250
Morir	184	Satisfacer	252
Mover	186	Sentir	254
Mullir	188	Sepultar	256
Nacer	190	Ser	258
Negar	192	Servir	260
Oír	194	Soler (defect.)	262
Omitir	196	Soltar	264
Oprimir	198	Substituir	266
Partir	200	Sujetar	268

Suprimir	270
Suspender	272
Tañer	274
Temer	276
Tener	278
Teñir	280
Torcer	282
Traer	284
Unir	286
Usucapir (defect.)	288
Valer	290
Vender	292
Venir	294
Ver	296
Vestir	298
Volar	300
Volver	302
Yacer	304

CUADROS
DE
CONJUGACIONES

*(carece de
cuadro flexivo)*

INFINITIVO

Simple
abarse

*(carece de
cuadro flexivo)*

IMPERATIVO

—

ábate   abaos

—

INDICATIVO

Presente	*Pretérito perfecto*	
—	he	abolido
—	has	"
—	ha	"
abolimos	hemos	"
abolís	habéis	"
—	han	"

Pretérito imperfecto	*Pret. pluscuamperfecto*	
abolía	había	abolido
abolías	habías	"
abolía	había	"
abolíamos	habíamos	"
abolíais	habíais	"
abolían	habían	"

Pretérito indefinido	*Pretérito anterior*	
abolí	hube	abolido
aboliste	hubiste	"
abolió	hubo	"
abolimos	hubimos	"
abolisteis	hubisteis	"
abolieron	hubieron	"

Futuro imperfecto	*Futuro perfecto*	
aboliré	habré	abolido
abolirás	habrás	"
abolirá	habrá	"
aboliremos	habremos	"
aboliréis	habréis	"
abolirán	habrán	"

INFINITIVO	GERUNDIO	PARTICIPIO
Simple	*Simple*	abolido
abolir	aboliendo	
Compuesto	*Compuesto*	
haber abolido	habiendo abolido	

CONDICIONAL (o POTENCIAL)

Simple	*Perfecto*	
aboliría	habría	abolido
abolirías	habrías	,,
aboliría	habría	,,
aboliríamos	habríamos	,,
aboliríais	habríais	,,
abolirían	habrían	,,

SUBJUNTIVO

Presente	*Pretérito perfecto*	
	haya	abolido
	hayas	,,
(carece)	haya	,,
	hayamos	,,
	hayáis	,,
	hayan	,,

Pretérito imperfecto	*Pret. pluscuamperfecto*	
aboliera o aboliese	hubiera o -iese	abolido
abolieras o abolieses	hubieras o -ieses	,,
aboliera o aboliese	hubiera o -iese	,,
aboliéramos o aboliésemos	hubiéramos o -iésemos	,,
abolierais o abolieseis	hubierais o -ieseis	,,
abolieran o aboliesen	hubieran o -iesen	,,

Futuro imperfecto	*Futuro perfecto*	
aboliere	hubiere	abolido
abolieres	hubieres	,,
aboliere	hubiere	,,
aboliéremos	hubiéremos	,,
aboliereis	hubiereis	,,
abolieren	hubieren	,,

IMPERATIVO

	—	
—	abolid	
—		

INDICATIVO

Presente	*Pretérito perfecto*	
abro	he	abierto
abres	has	”
abre	ha	”
abrimos	hemos	”
abrís	habéis	”
abren	han	”

Pretérito imperfecto	*Pret. pluscuamperfecto*	
abría	había	abierto
abrías	habías	”
abría	había	”
abríamos	habíamos	”
abríais	habíais	”
abrían	habían	”

Pretérito indefinido	*Pretérito anterior*	
abrí	hube	abierto
abriste	hubiste	”
abrió	hubo	”
abrimos	hubimos	”
abristeis	hubisteis	”
abrieron	hubieron	”

Futuro imperfecto	*Futuro perfecto*	
abriré	habré	abierto
abrirás	habrás	”
abrirá	habrá	”
abriremos	habremos	”
abriréis	habréis	”
abrirán	habrán	”

INFINITIVO	GERUNDIO	PARTICIPIO
Simple	*Simple*	abierto
abrir	abriendo	
Compuesto	*Compuesto*	
haber abierto	habiendo abierto	

CONDICIONAL (o POTENCIAL)

Simple	*Perfecto*	
abriría	habría	abierto
abrirías	habrías	"
abriría	habría	"
abriríamos	habríamos	"
abriríais	habríais	"
abrirían	habrían	"

SUBJUNTIVO

Presente	*Pretérito perfecto*	
abra	haya	abierto
abras	hayas	"
abra	haya	"
abramos	hayamos	"
abráis	hayáis	"
abran	hayan	"

Pretérito imperfecto	*Pret. pluscuamperfecto*	
abriera o abriese	hubiera o -iese	abierto
abrieras o abrieses	hubieras o -ieses	"
abriera o abriese	hubiera o -iese	"
abriéramos o abriésemos	hubiéramos o -iésemos	"
abrierais o abrieseis	hubierais o -ieseis	"
abrieran o abriesen	hubieran o -iesen	"

Futuro imperfecto	*Futuro perfecto*	
abriere	hubiere	abierto
abrieres	hubieres	"
abriere	hubiere	"
abriéremos	hubiéremos	"
abriereis	hubiereis	"
abrieren	hubieren	"

IMPERATIVO

	abramos
abre	abrid
abra	abran

INDICATIVO

Presente
absorbo
absorbes
absorbe

absorbemos
absorbéis
absorben

Pretérito perfecto
he   absorbido
has   "
ha   "

hemos   "
habéis   "
han   "

Pretérito imperfecto
absorbía
absorbías
absorbía

absorbíamos
absorbíais
absorbían

Pret. pluscuamperfecto
había   absorbido
habías   "
había   "

habíamos "
habíais   "
habían   "

Pretérito indefinido
absorbí
absorbiste
absorbió

absorbimos
absorbisteis
absorbieron

Pretérito anterior
hube   absorbido
hubiste   "
hubo   "

hubimos   "
hubisteis "
hubieron "

Futuro imperfecto
absorberé
absorberás
absorberá

absorberemos
absorberéis
absorberán

Futuro perfecto
habré   absorbido
habrás   "
habrá   "

habremos "
habréis   "
habrán   "

INFINITIVO	GERUNDIO	PARTICIPIO
Simple	*Simple*	absorbido
absorber	absorbiendo	(o absorto)
Compuesto	*Compuesto*	
haber absorbido	habiendo absorbido	

CONDICIONAL (o POTENCIAL)

Simple	*Perfecto*	
absorbería	habría	absorbido
absorberías	habrías	"
absorbería	habría	"
absorberíamos	habríamos	"
absorberíais	habríais	"
absorberían	habrían	"

SUBJUNTIVO

Presente	*Pretérito perfecto*	
absorba	haya	absorbido
absorbas	hayas	"
absorba	haya	"
absorbamos	hayamos	"
absorbáis	hayáis	"
absorban	hayan	"

Pretérito imperfecto	*Pret. Pluscuamperfecto*	
absorbiera o absorbiese	hubiera o -iese	absorbido
absorbieras o absorbieses	hubieras o -ieses	"
absorbiera o absorbiese	hubiera o -iese	"
absorbiéramos o absorbiésemos	hubiéramos o -iésemos	"
absorbierais o absorbieseis	hubierais o -ieseis	"
absorbieran o absorbiesen	hubieran o -iesen	"

Futuro imperfecto	*Futuro perfecto*	
absorbiere	hubiere	absorbido
absorbieres	hubieres	"
absorbiere	hubiere	"
absorbiéremos	hubiéremos	"
absorbiereis	hubiereis	"
absorbieren	hubieren	"

IMPERATIVO

		absorbamos
	absorbe	absorbed
	absorba	absorban

INDICATIVO

Presente		*Pretérito perfecto*	
abstraigo		he	abstraído
abstraes		has	”
abstrae		ha	”
abstraemos		hemos	”
abstraéis		habéis	”
abstraen		han	”

Pretérito imperfecto		*Pret. pluscuamperfecto*	
abstraía		había	abstraído
abstraías		habías	”
abstraía		había	”
abstraíamos		habíamos	”
abstraíais		habíais	”
abstraían		habían	”

Pretérito indefinido		*Pretérito anterior*	
abstraje		hube	abstraído
abstrajiste		hubiste	”
abstrajo		hubo	”
abstrajimos		hubimos	”
abstrajisteis		hubisteis	”
abstrajeron		hubieron	”

Futuro imperfecto		*Futuro perfecto*	
abstraeré		habré	abstraído
abstraerás		habrás	”
abstraerá		habrá	”
abstraeremos		habremos	”
abstraeréis		habréis	”
abstraerán		habrán	”

INFINITIVO	GERUNDIO	PARTICIPIO
Simple	*Simple*	abstraído
abstraer	abstrayendo	(o abstracto)
Compuesto	*Compuesto*	
haber abstraído	habiendo abstraído	

CONDICIONAL (o POTENCIAL)

Simple	*Perfecto*	
abstraería	habría	abstraído
abstraerías	habrías	,,
abstraería	habría	,,
abstraeríamos	habríamos	,,
abstraeríais	habríais	,,
abstraerían	habrían	,,

SUBJUNTIVO

Presente	*Pretérito perfecto*	
abstraiga	haya	abstraído
abstraigas	hayas	,,
abstraiga	haya	,,
abstraigamos	hayamos	,,
abstraigáis	hayáis	,,
abstraigan	hayan	,,

Pretérito imperfecto	*Pret. Pluscuamperfecto*	
abstrajera o abstrajese	hubiera o -iese	abstraído
abstrajeras o abstrajeses	hubieras o -ieses	,,
abstrajera o abstrajese	hubiera o -iese	,,
abstrajéramos o abstrajésemos	hubiéramos o -iésemos	,,
abstrajerais o abstrajeseis	hubierais o -ieseis	,,
abstrajeran o abstrajesen	hubieran o -iesen	,,

Futuro imperfecto	*Futuro perfecto*	
abstrajere	hubiere	abstraído
abstrajeres	hubieres	,,
abstrajere	hubiere	,,
abstrajéremos	hubiéremos	,,
abstrajereis	hubiereis	,,
abstrajeren	hubieren	,,

IMPERATIVO

	abstraigamos
abstrae	abstraed
abstraiga	abstraigan

24 ACAECER (defectivo)

INDICATIVO

Presente	*Préterito perfecto*
—	—
—	—
acaece	ha acaecido
—	—
—	—
acaecen	han "

Pretérito imperfecto	*Pret. pluscuamperfecto*
—	—
acaecía	había acaecido
—	—
—	—
acaecían	habían "

Pretérito indefinido	*Pretérito anterior*
—	—
acaeció	hubo acaecido
—	—
acaecieron	hubieron "

Futuro imperfecto	*Futuro perfecto*
—	—
acaecerá	habrá acaecido
—	—
acaecerán	habrán "

INFINITIVO	GERUNDIO	PARTICIPIO
Simple	*Simple*	acaecido
acaecer	acaeciendo	
Compuesto	*Compuesto*	
haber acaecido	habiendo acaecido	

CONDICIONAL (o POTENCIAL)

Simple	*Perfecto*
—	—
—	—
acaecería	habría acaecido
—	—
—	—
acaecerían	habrían "

SUBJUNTIVO

Presente	*Pretérito perfecto*
—	—
—	—
acaezca	haya acaecido
—	—
—	—
acaezcan	hayan "

Pretérito imperfecto	*Pret. pluscuamperfecto*
—	—
—	—
acaeciera o acaeciese	hubiera o hubiese acaecido
—	—
—	—
acaecieran o acaeciesen	hubieran o hubiesen "

Futuro imperfecto	*Futuro perfecto*
—	—
—	—
acaeciere	hubiere acaecido
—	—
—	—
acaecieren	hubieren "

IMPERATIVO

—	—
acaezca	acaezcan

INDICATIVO

Presente	*Pretérito perfecto*	
adquiero	he	adquirido
adquieres	has	"
adquiere	ha	"
adquirimos	hemos	"
adquirís	habéis	"
adquieren	han	"

Pretérito imperfecto	*Pret. pluscuamperfecto*	
adquiría	había	adquirido
adquirías	habías	"
adquiría	había	"
adquiríamos	habíamos	"
adquiríais	habíais	"
adquirían	habían	"

Pretérito indefinido	*Pretérito anterior*	
adquirí	hube	adquirido
adquiriste	hubiste	"
adquirió	hubo	"
adquirimos	hubimos	"
adquiristeis	hubisteis	"
adquirieron	hubieron	"

Futuro imperfecto	*Futuro perfecto*	
adquiriré	habré	adquirido
adquirirás	habrás	"
adquirirá	habrá	"
adquiriremos	habremos	"
adquiriréis	habréis	"
adquirirán	habrán	"

INFINITIVO	GERUNDIO	PARTICIPIO
Simple	*Simple*	adquirido
adquirir	adquiriendo	
Compuesto	*Compuesto*	
haber adquirido	habiendo adquirido	

CONDICIONAL (o POTENCIAL)

Simple	*Perfecto*	
adquiriría	habría	adquirido
adquirirías	habrías	"
adquiriría	habría	"
adquiriríamos	habríamos	"
adquiriríais	habríais	"
adquirirían	habrían	"

SUBJUNTIVO

Presente	*Pretérito perfecto*	
adquiera	haya	adquirido
adquieras	hayas	"
adquiera	haya	"
adquiramos	hayamos	"
adquiráis	hayáis	"
adquieran	hayan	"

Pretérito imperfecto	*Pret. pluscuamperfecto*	
adquiriera o adquiriese	hubiera o -iese	adquirido
adquirieras o adquirieses	hubieras o -ieses	"
adquiriera o adquiriese	hubiera o -iese	"
adquiriéramos o adquiriésemos	hubiéramos o -iésemos	"
adquirierais o adquirieseis	hubierais o -ieseis	"
adquirieran o adquiriesen	hubieran o -iesen	"

Futuro imperfecto	*Futuro perfecto*	
adquiriere	hubiere	adquirido
adquirieres	hubieres	"
adquiriere	hubiere	"
adquiriéremos	hubiéremos	"
adquiriereis	hubiereis	"
adquirieren	hubieren	"

IMPERATIVO

	adquiramos
adquiere	adquirid
adquiera	adquieran

INDICATIVO

Presente	*Pretérito perfecto*
adscribo	he adscrito
adscribes	has "
adscribe	ha "
adscribimos	hemos "
adscribís	habéis "
adscriben	han "

Pretérito imperfecto	*Pret. pluscuamperfecto*
adscribía	había adscrito
adscribías	habías "
adscribía	había "
adscribíamos	habíamos "
adscribíais	habíais "
adscribían	habían "

Pretérito indefinido	*Pretérito anterior*
adscribí	hube adscrito
adscribiste	hubiste "
adscribió	hubo "
adscribimos	hubimos "
adscribisteis	hubisteis "
adscribieron	hubieron "

Futuro imperfecto	*Futuro perfecto*
adscribiré	habré adscrito
adscribirás	habrás "
adscribirá	habrá "
adscribiremos	habremos "
adscribiréis	habréis "
adscribirán	habrán "

INFINITIVO	GERUNDIO	PARTICIPIO
Simple	*Simple*	adscrito
adscribir	adscribiendo	(o adscripto)
Compuesto	*Compuesto*	
haber adscrito	habiendo adscrito	

CONDICIONAL (o POTENCIAL)

Simple	*Perfecto*	
adscribiría	habría	adscrito
adscribirías	habrías	"
adscribiría	habría	"
adscribiríamos	habríamos	"
adscribiríais	habríais	"
adscribirían	habrían	"

SUBJUNTIVO

Presente	*Pretérito perfecto*	
adscriba	haya	adscrito
adscribas	hayas	"
adscriba	haya	"
adscribamos	hayamos	"
adscribáis	hayáis	"
adscriban	hayan	"

Pretérito imperfecto	*Pret. pluscuamperfecto*	
adscribiera o adscribiese	hubiera o -iese	adscrito
adscribieras o adscribieses	hubieras o -ieses	"
adscribiera o adscribiese	hubiera o -iese	"
adscribiéramos o adscribiésemos	hubiéramos o -iésemos	"
adscribierais o adscribieseis	hubierais o -ieseis	"
adscribieran o adscribiesen	hubieran o -iesen	"

Futuro imperfecto	*Futuro perfecto*	
adscribiere	hubiere	adscrito
adscribieres	hubieres	"
adscribiere	hubiere	"
adscribiéremos	hubiéremos	"
adscribiereis	hubiereis	"
adscribieren	hubieren	"

IMPERATIVO

	adscribamos
adscribe	adscribid
adscriba	adscriban

INDICATIVO

Presente	Pretérito perfecto
aflijo	he afligido
afliges	has "
aflige	ha "
afligimos	hemos "
afligís	habéis "
afligen	han "

Pretérito imperfecto	Pret. pluscuamperfecto
afligía	había afligido
afligías	habías "
afligía	había "
afligíamos	habíamos "
afligíais	habíais "
afligían	habían "

Pretérito indefinido	Pretérito anterior
afligí	hube afligido
afligiste	hubiste "
afligió	hubo "
afligimos	hubimos "
afligisteis	hubisteis "
afligieron	hubieron "

Futuro imperfecto	Futuro perfecto
afligiré	habré afligido
afligirás	habrás "
afligirá	habrá "
afligiremos	habremos "
afligiréis	habréis "
afligirán	habrán "

INFINITIVO	GERUNDIO	PARTICIPIO
Simple	*Simple*	afligido
afligir	afligiendo	(o aflicto)
Compuesto	*Compuesto*	
haber afligido	habiendo afligido	

CONDICIONAL (o POTENCIAL)

Simple	*Perfecto*	
afligiría	habría	afligido
afligirías	habrías	"
afligiría	habría	"
afligiríamos	habríamos	"
afligiríais	habríais	"
afligirían	habrían	"

SUBJUNTIVO

Presente	*Pretérito perfecto*	
aflija	haya	afligido
aflijas	hayas	"
aflija	haya	"
aflijamos	hayamos	"
aflijáis	hayáis	"
aflijan	hayan	"

Pretérito imperfecto	*Pret. pluscuamperfecto*	
afligiera o afligiese	hubiera o -iese	afligido
afligieras o afligieses	hubieras o -ieses	"
afligiera o afligiese	hubiera o -iese	"
afligiéramos o afligiésemos	hubiéramos o -iésemos	"
afligierais o afligieseis	hubierais o -ieseis	"
afligieran o afligiesen	hubieran o -iesen	"

Futuro imperfecto	*Futuro perfecto*	
afligiere	hubiere	afligido
afligieres	hubieres	"
afligiere	hubiere	"
afligiéremos	hubiéremos	"
afligiereis	hubiereis	"
afligieren	hubieren	"

IMPERATIVO

	aflijamos
aflige	afligid
aflija	aflijan

INDICATIVO

Presente
aliento
alientas
alienta
alentamos
alentáis
alientan

Pretérito perfecto
he   alentado
has   "
ha   "
hemos   "
habéis "
han   "

Pretérito imperfecto
alentaba
alentabas
alentaba
alentábamos
alentabais
alentaban

Pret. pluscuamperfecto
había   alentado
habías   "
había   "
habíamos "
habíais   "
habían   "

Pretérito indefinido
alenté
alentaste
alentó
alentamos
alentasteis
alentaron

Pretérito anterior
hube   alentado
hubiste   "
hubo   "
hubimos   "
hubisteis "
hubieron "

Futuro imperfecto
alentaré
alentarás
alentará
alentaremos
alentaréis
alentarán

Futuro perfecto
habré   alentado
habrás   "
habrá   "
habremos "
habréis "
habrán   "

INFINITIVO	GERUNDIO	PARTICIPIO
Simple	*Simple*	alentado
alentar	alentando	
Compuesto	*Compuesto*	
haber alentado	habiendo alentado	

CONDICIONAL (o POTENCIAL)

Simple	Perfecto	
alentaría	habría	alentado
alentarías	habrías	”
alentaría	habría	”
alentaríamos	habríamos	”
alentaríais	habríais	”
alentarían	habrían	”

SUBJUNTIVO

Presente	Pretérito perfecto	
aliente	haya	alentado
alientes	hayas	”
aliente	haya	”
alentemos	hayamos	”
alentéis	hayáis	”
alienten	hayan	..

Pretérito imperfecto	Pret. pluscuamperfecto	
alentara o alentase	hubiera o -iese	alentado
alentaras o alentases	hubieras o -ieses	”
alentara o alentase	hubiera o -iese	”
alentáramos o alentásemos	hubiéramos o -iésemos	”
alentarais o alentaseis	hubierais o -ieseis	”
alentaran o alentasen	hubieran o -iesen	”

Futuro imperfecto	Futuro perfecto	
alentare	hubiere	alentado
alentares	hubieres	”
alentare	hubiere	”
alentáremos	hubiéremos	”
alentareis	hubiereis	”
alentaren	hubieren	”

IMPERATIVO

	alentemos
alienta	alentad
aliente	alienten

INDICATIVO

Presente	*Pretérito perfecto*	
almuerzo	he	almorzado
almuerzas	has	"
almuerza	ha	"
almorzamos	hemos	"
almorzáis	habéis	"
almuerzan	han	"

Pretérito imperfecto	*Pret. pluscuamperfecto*	
almorzaba	había	almorzado
almorzabas	habías	"
almorzaba	había	"
almorzábamos	habíamos	"
almorzabais	habíais	"
almorzaban	habían	"

Pretérito indefinido	*Pretérito anterior*	
almorcé	hube	almorzado
almorzaste	hubiste	"
almorzó	hubo	"
almorzamos	hubimos	"
almorzasteis	hubisteis	"
almorzaron	hubieron	"

Futuro imperfecto	*Futuro perfecto*	
almorzaré	habré	almorzado
almorzarás	habrás	"
almorzará	habrá	"
almorzaremos	habremos	"
almorzaréis	habréis	"
almorzarán	habrán	"

INFINITIVO	GERUNDIO	PARTICIPIO
Simple	*Simple*	almorzado
almorzar	almorzando	
Compuesto	*Compuesto*	
haber almorzado	habiendo almorzado	

CONDICIONAL (o POTENCIAL)

Simple	*Perfecto*	
almorzaría	habría	almorzado
almorzarías	habrías	"
almorzaría	habría	"
almorzaríamos	habríamos	"
almorzaríais	habríais	"
almorzarían	habrían	"

SUBJUNTIVO

Presente	*Pretérito perfecto*	
almuerce	haya	almorzado
almuerces	hayas	"
almuerce	haya	"
almorcemos	hayamos	"
almorcéis	hayáis	"
almuercen	hayan	"

Pretérito imperfecto	*Pret. pluscuamperfecto*	
almorzara o almorzase	hubiera o -iese	almorzado
almorzaras o almorzases	hubieras o -ieses	"
almorzara o almorzase	hubiera o -iese	"
almorzáramos o almorzásemos	hubiéramos o -iésemos	"
almorzarais o almorzaseis	hubierais o -ieseis	"
almorzaran o almorzasen	hubieran o -iesen	"

Futuro imperfecto	*Futuro perfecto*	
almorzare	hubiere	almorzado
almorzares	hubieres	"
almorzare	hubiere	"
almorzáremos	hubiéremos	"
almorzareis	hubiereis	"
almorzaren	hubieren	"

IMPERATIVO

	almorcemos
almuerza	almorzad
almuerce	almuercen

INDICATIVO

Presente
amo
amas
ama

amamos
amáis
aman

Pretérito perfecto
he amado
has "
ha "

hemos "
habéis "
han "

Pretérito imperfecto
amaba
amabas
amaba

amábamos
amabais
amaban

Pret. pluscuamperfecto
había amado
habías "
había "

habíamos "
habíais "
habían "

Pretérito indefinido
amé
amaste
amó

amamos
amasteis
amaron

Pretérito anterior
hube amado
hubiste "
hubo "

hubimos "
hubisteis "
hubieron "

Futuro imperfecto
amaré
amarás
amará

amaremos
amaréis
amarán

Futuro perfecto
habré amado
habrás "
habrá "

habremos "
habréis "
habrán "

INFINITIVO	GERUNDIO	PARTICIPIO
Simple	*Simple*	amado
amar	amando	
Compuesto	*Compuesto*	
haber amado	habiendo amado	

* Este verbo modelo lleva la desinencia señalada con negrita.

CONDICIONAL (o POTENCIAL)

Simple
amaría
amarías
amaría
amaríamos
amaríais
amarían

Perfecto
habría amado
habrías "
habría "
habríamos "
habríais "
habrían "

SUBJUNTIVO

Presente
ame
ames
ame
amemos
améis
amen

Pretérito perfecto
haya amado
hayas "
haya "
hayamos "
hayáis "
hayan "

Pretérito imperfecto
amara o amase
amaras o amases
amara o amase
amáramos o amásemos
amarais o amaseis
amaran o amasen

Pret. pluscuamperfecto
hubiera o -iese amado
hubieras o -ieses "
hubiera o -iese "
hubiéramos o -iésemos "
hubierais o -ieseis "
hubieran o -iesen "

Futuro imperfecto
amare
amares
amare
amáremos
amareis
amaren

Futuro perfecto
hubiere amado
hubieres "
hubiere "
hubiéremos "
hubiereis "
hubieren "

IMPERATIVO

amemos
ama amad
ame amen

* Este verbo modelo lleva la desinencia señalada con negrita.

INDICATIVO

Presente	*Pretérito perfecto*	
ando	he	andado
andas	has	,,
anda	ha	,,
andamos	hemos	,,
andáis	habéis	,,
andan	han	,,

Pretérito imperfecto	*Pret. pluscuamperfecto*	
andaba	había	andado
andabas	habías	,,
andaba	había	,,
andábamos	habíamos	,,
andabais	habíais	,,
andaban	habían	,,

Pretérito indefinido	*Pretérito anterior*	
anduve	hube	andado
anduviste	hubiste	,,
anduvo	hubo	,,
anduvimos	hubimos	,,
anduvisteis	hubisteis	,,
anduvieron	hubieron	,,

Futuro imperfecto	*Futuro perfecto*	
andaré	habré	andado
andarás	habrás	,,
andará	habrá	,,
andaremos	habremos	,,
andaréis	habréis	,,
andarán	habrán	,,

INFINITIVO	GERUNDIO	PARTICIPIO
Simple	*Simple*	andado
andar	andando	
Compuesto	*Compuesto*	
haber andado	habiendo andado	

CONDICIONAL (o POTENCIAL)

Simple	*Perfecto*	
andaría	habría	andado
andarías	habrías	,,
andaría	habría	,,
andaríamos	habríamos	,,
andaríais	habríais	,,
andarían	habrían	,,

SUBJUNTIVO

Presente	*Pretérito perfecto*	
ande	haya	andado
andes	hayas	,,
ande	haya	,,
andemos	hayamos	,,
andéis	hayáis	,,
anden	hayan	,,

Pretérito imperfecto	*Pret. pluscuamperfecto*	
anduviera o anduviese	hubiera o -iese	andado
anduvieras o anduvieses	hubieras o -ieses	,,
anduviera o anduviese	hubiera o -iese	,,
anduviéramos o anduviésemos	hubiéramos o -iésemos	,,
anduvierais o anduvieseis	hubierais o -ieseis	,,
anduvieran o anduviesen	hubieran o -iesen	,,

Futuro imperfecto	*Futuro perfecto*	
anduviere	hubiere	andado
anduvieres	hubieres	,,
anduviere	hubiere	,,
anduviéremos	hubiéremos	,,
anduviereis	hubiereis	,,
anduvieren	hubieren	,,

IMPERATIVO

	andemos
anda	andad
ande	anden

INDICATIVO

Presente	*Pretérito perfecto*	
aparezco	he	aparecido
apareces	has	"
aparece	ha	"
aparecemos	hemos	"
aparecéis	habéis	"
aparecen	han	"

Pretérito imperfecto	*Pret. pluscuamperfecto*	
aparecía	había	aparecido
aparecías	habías	"
aparecía	había	"
aparecíamos	habíamos	"
aparecíais	habíais	"
aparecían	habían	"

Pretérito indefinido	*Pretérito anterior*	
aparecí	hube	aparecido
apareciste	hubiste	"
apareció	hubo	"
aparecimos	hubimos	"
aparecisteis	hubisteis	"
aparecieron	hubieron	"

Futuro imperfecto	*Futuro perfecto*	
apareceré	habré	aparecido
aparecerás	habrás	"
aparecerá	habrá	"
apareceremos	habremos	"
apareceréis	habréis	"
aparecerán	habrán	"

INFINITIVO	GERUNDIO	PARTICIPIO
Simple	*Simple*	aparecido
aparecer	apareciendo	
Compuesto	*Compuesto*	
haber aparecido	habiendo aparecido	

CONDICIONAL (o POTENCIAL)

Simple	*Perfecto*	
aparecería	habría	aparecido
aparecerías	habrías	"
aparecería	habría	"
apareceríamos	habríamos	"
apareceríais	habríais	"
aparecerían	habrían	"

SUBJUNTIVO

Presente	*Pretérito perfecto*	
aparezca	haya	aparecido
aparezcas	hayas	"
aparezca	haya	"
aparezcamos	hayamos	"
aparezcáis	hayáis	"
aparezcan	hayan	"

Pretérito imperfecto	*Pret. pluscuamperfecto*	
apareciera o apareciese	hubiera o -iese	aparecido
aparecieras o aparecieses	hubieras o -ieses	"
apareciera o apareciese	hubiera o -iese	"
apareciéramos o apareciésemos	hubiéramos o -iésemos	"
aparecierais o aparecieseis	hubierais o -ieseis	"
aparecieran o apareciesen	hubieran o -iesen	"

Futuro imperfecto	*Futuro perfecto*	
apareciere	hubiere	aparecido
aparecieres	hubieres	"
apareciere	hubiere	"
apareciéremos	hubiéremos	"
apareciereis	hubiereis	"
aparecieren	hubieren	"

IMPERATIVO

	aparezcamos
aparece	apareced
aparezca	aparezcan

INDICATIVO

Presente	*Pretérito perfecto*	
asgo	he	asido
ases	has	”
ase	ha	”
asimos	hemos	”
asís	habéis	”
asen	han	”

Pretérito imperfecto	*Pret. pluscuamperfecto*	
asía	había	asido
asías	habías	”
asía	había	”
asíamos	habíamos	”
asíais	habíais	”
asían	habían	”

Pretérito indefinido	*Pretérito anterior*	
así	hube	asido
asiste	hubiste	”
asió	hubo	”
asimos	hubimos	”
asisteis	hubisteis	”
asieron	hubieron	”

Futuro imperfecto	*Futuro perfecto*	
asiré	habré	asido
asirás	habrás	”
asirá	habrá	”
asiremos	habremos	”
asiréis	habréis	”
asirán	habrán	”

INFINITIVO	GERUNDIO	PARTICIPIO
Simple	*Simple*	asido
asir	asiendo	
Compuesto	*Compuesto*	
haber asido	habiendo asido	

CONDICIONAL (o POTENCIAL)

Simple	*Perfecto*	
asiría	habría	asido
asirías	habrías	"
asiría	habría	"
asiríamos	habríamos	"
asiríais	habríais	"
asirían	habrían	"

SUBJUNTIVO

Presente	*Pretérito perfecto*	
asga	haya	asido
asgas	hayas	"
asga	haya	"
asgamos	hayamos	"
asgáis	hayáis	"
asgan	hayan	"

Pretérito imperfecto	*Pret. pluscuamperfecto*	
asiera o asiese	hubiera o -iese	asido
asieras o asieses	hubieras o -ieses	"
asiera o asiese	hubiera o -iese	"
asiéramos o asiésemos	hubiéramos o -iésemos	"
asierais o asieseis	hubierais o -ieseis	"
asieran o asiesen	hubieran o -iesen	"

Futuro imperfecto	*Futuro perfecto*	
asiere	hubiere	asido
asieres	hubieres	"
asiere	hubiere	"
asiéremos	hubiéremos	"
asiereis	hubiereis	"
asieren	hubieren	"

IMPERATIVO

	asgamos
ase	asid
asga	asgan

INDICATIVO

Presente
asumo
asumes
asume

asumimos
asumís
asumen

Pretérito perfecto

he	asumido
has	"
ha	"
hemos	"
habéis	"
han	"

Pretérito imperfecto
asumía
asumías
asumía

asumíamos
asumíais
asumían

Pret. pluscuamperfecto

había	asumido
habías	"
había	"
habíamos	"
habíais	"
habían	"

Pretérito indefinido
asumí
asumiste
asumió

asumimos
asumisteis
asumieron

Pretérito anterior

hube	asumido
hubiste	"
hubo	"
hubimos	"
hubisteis	"
hubieron	"

Futuro imperfecto
asumiré
asumirás
asumirá

asumiremos
asumiréis
asumirán

Futuro perfecto

habré	asumido
habrás	"
habrá	"
habremos	"
habréis	"
habrán	"

INFINITIVO	GERUNDIO	PARTICIPIO
Simple	*Simple*	asumido
asumir	asumiendo	(o asunto)
Compuesto	*Compuesto*	
haber asumido	habiendo asumido	

CONDICIONAL (o POTENCIAL)

Simple	*Perfecto*	
asumiría	habría	asumido
asumirías	habrías	,,
asumiría	habría	,,
asumiríamos	habríamos	,,
asumiríais	habríais	,,
asumirían	habrían	,,

SUBJUNTIVO

Presente	*Pretérito perfecto*	
asuma	haya	asumido
asumas	hayas	,,
asuma	haya	,,
asumamos	hayamos	,,
asumáis	hayáis	,,
asuman	hayan	,,

Pretérito imperfecto	*Pret. pluscuamperfecto*	
asumiera o asumiese	hubiera o -iese	asumido
asumieras o asumieses	hubieras o -ieses	,,
asumiera o asumiese	hubiera o -iese	,,
asumiéramos o asumiésemos	hubiéramos o -iésemos	,,
asumierais o asumieseis	hubierais o -ieseis	,,
asumieran o asumiesen	hubieran o -iesen	,,

Futuro imperfecto	*Futuro perfecto*	
asumiere	hubiere	asumido
asumieres	hubieres	,,
asumiere	hubiere	,,
asumiéremos	hubiéremos	,,
asumiereis	hubiereis	,,
asumieren	hubieren	,,

IMPERATIVO

	asumamos
asume	asumid
asuma	asuman

INDICATIVO

Presente	*Pretérito perfecto*	
atiendo	he	atendido
atiendes	has	"
atiende	ha	"
atendemos	hemos	"
atendéis	habéis	"
atienden	han	"

Pretérito imperfecto	*Pret. pluscuamperfecto*	
atendía	había	atendido
atendías	habías	"
atendía	había	"
atendíamos	habíamos	"
atendíais	habíais	"
atendían	habían	"

Pretérito indefinido	*Pretérito anterior*	
atendí	hube	atendido
atendiste	hubiste	"
atendió	hubo	"
atendimos	hubimos	"
atendisteis	hubisteis	"
atendieron	hubieron	"

Futuro imperfecto	*Futuro perfecto*	
atenderé	habré	atendido
atenderás	habrás	"
atenderá	habrá	"
atenderemos	habremos	"
atenderéis	habréis	"
atenderán	habrán	"

INFINITIVO	GERUNDIO	PARTICIPIO
Simple	*Simple*	atendido
atender	atendiendo	(o atento)
Compuesto	*Compuesto*	
haber atendido	habiendo atendido	

CONDICIONAL (o POTENCIAL)

Simple	*Perfecto*	
atendería	habría	atendido
atenderías	habrías	,,
atendería	habría	,,
atenderíamos	habríamos	,,
atenderíais	habríais	,,
atenderían	habrían	,,

SUBJUNTIVO

Presente	*Pretérito perfecto*	
atienda	haya	atendido
atiendas	hayas	,,
atienda	haya	,,
atendamos	hayamos	,,
atendáis	hayáis	,,
atiendan	hayan	,,

Pretérito imperfecto	*Pret. pluscuamperfecto*	
atendiera o atendiese	hubiera o -iese	atendido
atendieras o atendieses	hubieras o -ieses	,,
atendiera o atendiese	hubiera o -iese	,,
atendiéramos o atendiésemos	hubiéramos o -iésemos	,,
atendierais o atendieseis	hubierais o -ieseis	,,
atendieran o atendiesen	hubieran o -iesen	,,

Futuro imperfecto	*Futuro perfecto*	
atendiere	hubiere	atendido
atendieres	hubieres	,,
atendiere	hubiere	,,
atendiéremos	hubiéremos	,,
atendiereis	hubiereis	,,
atendieren	hubieren	,,

IMPERATIVO

	atendamos
atiende	atended
atienda	atiendan

INDICATIVO

Presente		*Pretérito perfecto*	
bendigo		he	bendecido
bendices		has	"
bendice		ha	"
bendecimos		hemos	"
bendecís		habéis	"
bendicen		han	"

Pretérito imperfecto		*Pret. pluscuamperfecto*	
bendecía		había	bendecido
bendecías		habías	"
bendecía		había	"
bendecíamos		habíamos	"
bendecíais		habíais	"
bendecían		habían	"

Pretérito indefinido		*Pretérito anterior*	
bendije		hube	bendecido
bendijiste		hubiste	"
bendijo		hubo	"
bendijimos		hubimos	"
bendijisteis		hubisteis	"
bendijeron		hubieron	"

Futuro imperfecto		*Futuro perfecto*	
bendeciré		habré	bendecido
bendecirás		habrás	"
bendecirá		habrá	"
bendeciremos		habremos	"
bendeciréis		habréis	"
bendecirán		habrán	"

INFINITIVO	GERUNDIO	PARTICIPIO
Simple	*Simple*	bendecido
bendecir	bendiciendo	(o bendito)
Compuesto	*Compuesto*	
haber bendecido	habiendo bendecido	

CONDICIONAL (o POTENCIAL)

Simple	*Perfecto*	
bendeciría	habría	bendecido
bendecirías	habrías	"
bendeciría	habría	"
bendeciríamos	habríamos	"
bendeciríais	habríais	"
bendecirían	habrían	"

SUBJUNTIVO

Presente	*Pretérito perfecto*	
bendiga	haya	bendecido
bendigas	hayas	"
bendiga	haya	"
bendigamos	hayamos	"
bendigáis	hayáis	"
bendigan	hayan	"

Pretérito imperfecto	*Pret. pluscuamperfecto*	
bendijera o bendijese	hubiera o -iese	bendecido
bendijeras o bendijeses	hubieras o -ieses	"
bendijera o bendijese	hubiera o -iese	"
bendijéramos o bendijésemos	hubiéramos o -iésemos	"
bendijerais o bendijeseis	hubierais o -ieseis	"
bendijeran o bendijesen	hubieran o -iesen	"

Futuro imperfecto	*Futuro perfecto*	
bendijere	hubiere	bendecido
bendijeres	hubieres	"
bendijere	hubiere	"
bendijéremos	hubiéremos	"
bendijereis	hubiereis	"
bendijeren	hubieren	"

IMPERATIVO

	bendigamos
bendice	bendecid
bendiga	bendigan

INDICATIVO

Presente	*Pretérito perfecto*	
quepo	he	cabido
cabes	has	"
cabe	ha	"
cabemos	hemos	"
cabéis	habéis	"
caben	han	"

Pretérito imperfecto	*Pret. pluscuamperfecto*	
cabía	había	cabido
cabías	habías	"
cabía	había	"
cabíamos	habíamos	"
cabíais	habíais	"
cabían	habían	"

Pretérito indefinido	*Pretérito anterior*	
cupe	hube	cabido
cupiste	hubiste	"
cupo	hubo	"
cupimos	hubimos	"
cupisteis	hubisteis	"
cupieron	hubieron	"

Futuro imperfecto	*Futuro perfecto*	
cabré	habré	cabido
cabrás	habrás	"
cabrá	habrá	"
cabremos	habremos	"
cabréis	habréis	"
cabrán	habrán	"

INFINITIVO	GERUNDIO	PARTICIPIO
Simple	*Simple*	cabido
caber	cabiendo	
Compuesto	*Compuesto*	
haber cabido	habiendo cabido	

CONDICIONAL (o POTENCIAL)

Simple	*Perfecto*	
cabría	habría	cabido
cabrías	habrías	”
cabría	habría	”
cabríamos	habríamos	”
cabríais	habríais	”
cabrían	habrían	”

SUBJUNTIVO

Presente	*Pretérito perfecto*	
quepa	haya	cabido
quepas	hayas	”
quepa	haya	”
quepamos	hayamos	”
quepáis	hayáis	”
quepan	hayan	”

Pretérito imperfecto	*Pret. pluscuamperfecto*	
cupiera o cupiese	hubiera o -iese	cabido
cupieras o cupieses	hubieras o -ieses	”
cupiera o cupiese	hubiera o -iese	”
cupiéramos o cupiésemos	hubiéramos o -iésemos	”
cupierais o cupieseis	hubierais o -ieseis	”
cupieran o cupiesen	hubieran o -iesen	”

Futuro imperfecto	*Futuro perfecto*	
cupiere	hubiere	cabido
cupieres	hubieres	”
cupiere	hubiere	”
cupiéremos	hubiéremos	”
cupiereis	hubiereis	”
cupieren	hubieren	”

IMPERATIVO

	quepamos
cabe	cabed
quepa	quepan

INDICATIVO

Presente
caigo
caes
cae

caemos
caéis
caen

Pretérito perfecto
he   caído
has   ,,
ha   ,,

hemos   ,,
habéis   ,,
han   ,,

Pretérito imperfecto
caía
caías
caía

caíamos
caíais
caían

Pret. pluscuamperfecto
había   caído
habías   ,,
había   ,,

habíamos   ,,
habíais   ,,
habían   ,,

Pretérito indefinido
caí
caíste
cayó

caímos
caísteis
cayeron

Pretérito anterior
hube   caído
hubiste   ,,
hubo   ,,

hubimos   ,,
hubisteis   ,,
hubieron   ,,

Futuro imperfecto
caeré
caerás
caerá

caeremos
caeréis
caerán

Futuro perfecto
habré   caído
habrás   ,,
habrá   ,,

habremos   ,,
habréis   ,,
habrán   ,,

INFINITIVO	GERUNDIO	PARTICIPIO
Simple	*Simple*	caído
caer	cayendo	
Compuesto	*Compuesto*	
haber caído	habiendo caído	

CONDICIONAL (o POTENCIAL)

Simple	*Perfecto*	
caería	habría	caído
caerías	habrías	"
caería	habría	"
caeríamos	habríamos	"
caeríais	habríais	"
caerían	habrían	"

SUBJUNTIVO

Presente	*Pretérito perfecto*	
caiga	haya	caído
caigas	hayas	"
caiga	haya	"
caigamos	hayamos	"
caigáis	hayáis	"
caigan	hayan	"

Pretérito imperfecto	*Pret. pluscuamperfecto*	
cayera o cayese	hubiera o -iese	caído
cayeras o cayeses	hubieras o -ieses	"
cayera o cayese	hubiera o -iese	"
cayéramos o cayésemos	hubiéramos o -iésemos	"
cayerais o cayeseis	hubierais o -ieseis	"
cayeran o cayesen	hubieran o -iesen	"

Futuro imperfecto	*Futuro perfecto*	
cayere	hubiere	caído
cayeres	hubieres	"
cayere	hubiere	"
cayéremos	hubiéremos	"
cayereis	hubiereis	"
cayeren	hubieren	"

IMPERATIVO

	caigamos
cae	caed
caiga	caigan

INDICATIVO

Presente	*Pretérito perfecto*	
ciño	he	ceñido
ciñes	has	"
ciñe	ha	"
ceñimos	hemos	"
ceñís	habéis	"
ciñen	han	"

Pretérito imperfecto	*Pret. pluscuamperfecto*	
ceñía	había	ceñido
ceñías	habías	"
ceñía	había	"
ceñíamos	habíamos	"
ceñíais	habíais	"
ceñían	habían	"

Pretérito indefinido	*Pretérito anterior*	
ceñí	hube	ceñido
ceñiste	hubiste	"
ciñó	hubo	"
ceñimos	hubimos	"
ceñisteis	hubisteis	"
ciñeron	hubieron	"

Futuro imperfecto	*Futuro perfecto*	
ceñiré	habré	ceñido
ceñirás	habrás	"
ceñirá	habrá	"
ceñiremos	habremos	"
ceñiréis	habréis	"
ceñirán	habrán	"

INFINITIVO	GERUNDIO	PARTICIPIO
Simple	*Simple*	ceñido
ceñir	ciñendo	
Compuesto	*Compuesto*	
haber ceñido	habiendo ceñido	

CONDICIONAL (o POTENCIAL)

Simple	*Perfecto*	
ceñiría	habría	ceñido
ceñirías	habrías	"
ceñiría	habría	"
ceñiríamos	habríamos	"
ceñiríais	habríais	"
ceñirían	habrían	"

SUBJUNTIVO

Presente	*Pretérito perfecto*	
ciña	haya	ceñido
ciñas	hayas	"
ciña	haya	"
ciñamos	hayamos	"
ciñáis	hayáis	"
ciñan	hayan	"

Pretérito imperfecto	*Pret. pluscuamperfecto*	
ciñera o ciñese	hubiera o -iese	ceñido
ciñeras o ciñeses	hubieras o -ieses	"
ciñera o ciñese	hubiera o -iese	"
ciñéramos o ciñésemos	hubiéramos o -iésemos	"
ciñerais o ciñeseis	hubierais o -ieseis	"
ciñeran o ciñesen	hubieran o -iesen	"

Futuro imperfecto	*Futuro perfecto*	
ciñere	hubiere	ceñido
ciñeres	hubieres	"
ciñere	hubiere	"
ciñéremos	hubiéremos	"
ciñereis	hubiereis	"
ciñeren	hubieren	"

IMPERATIVO

	ciñamos
ciñe	ceñid
ciña	ciñan

INDICATIVO

Presente
circuncido
circuncidas
circuncida
circuncidamos
circuncidáis
circuncidan

Pretérito perfecto
he circuncidado
has "
ha "
hemos "
habéis "
han "

Pretérito imperfecto
circuncidaba
circuncidabas
circuncidaba
circuncidábamos
circuncidabais
circuncidaban

Pret. pluscuamperfecto
había circuncidado
habías "
había "
habíamos "
habíais "
habían "

Pretérito indefinido
circuncidé
circuncidaste
circuncidó
circuncidamos
circuncidasteis
circuncidaron

Pretérito anterior
hube circuncidado
hubiste "
hubo "
hubimos "
hubisteis "
hubieron "

Futuro imperfecto
circuncidaré
circuncidarás
circuncidará
circuncidaremos
circuncidaréis
circuncidarán

Futuro perfecto
habré circuncidado
habrás "
habrá "
habremos "
habréis "
habrán "

INFINITIVO	GERUNDIO	PARTICIPIO
Simple	*Simple*	circuncidado
circuncidar	circuncidando	(o circunciso)
Compuesto	*Compuesto*	
haber circuncidado	habiendo circuncidado	

CONDICIONAL (o POTENCIAL)

Simple	*Perfecto*	
circuncidaría	habría	circuncidado
circuncidarías	habrías	„
circuncidaría	habría	„
circuncidaríamos	habríamos	„
circuncidaríais	habríais	„
circuncidarían	habrían	„

SUBJUNTIVO

Presente	*Pretérito perfecto*	
circuncide	haya	circuncidado
circuncides	hayas	„
circuncide	haya	„
circuncidemos	hayamos	„
circuncidéis	hayáis	„
circunciden	hayan	„

Pretérito imperfecto	*Pret. pluscuamperfecto*	
circuncidara o circuncidase	hubiera o -iese	circuncidado
circuncidaras o circuncidases	hubieras o -ieses	„
circuncidara o circuncidase	hubiera o -iese	„
circuncidáramos o -ásemos	hubiéramos o -iésemos	„
circuncidarais o circuncidaseis	hubierais o -ieseis	„
circuncidaran o circuncidasen	hubieran o -iesen	„

Futuro imperfecto	*Futuro perfecto*	
circuncidare	hubiere	circuncidado
circuncidares	hubieres	„
circuncidare	hubiere	„
circuncidáremos	hubiéremos	„
circuncidareis	hubiereis	„
circuncidaren	hubieren	„

IMPERATIVO

	circuncidemos
circuncida	circuncidad
circuncide	circunciden

INDICATIVO

Presente	*Pretérito perfecto*	
circunscribo	he	circunscrito
circunscribes	has	"
circunscribe	ha	"
circunscribimos	hemos	"
circunscribís	habéis	"
circunscriben	han	"

Pretérito imperfecto	*Pret. pluscuamperfecto*	
circunscribía	había	circunscrito
circunscribías	habías	"
circunscribía	había	"
circunscribíamos	habíamos	"
circunscribíais	habíais	"
circunscribían	habían	"

Pretérito indefinido	*Pretérito anterior*	
circunscribí	hube	circunscrito
circunscribiste	hubiste	"
circunscribió	hubo	"
circunscribimos	hubimos	"
circunscribisteis	hubisteis	"
circunscribieron	hubieron	"

Futuro imperfecto	*Futuro perfecto*	
circunscribiré	habré	circunscrito
circunscribirás	habrás	"
circunscribirá	habrá	"
circunscribiremos	habremos	"
circunscribiréis	habréis	"
circunscribirán	habrán	"

INFINITIVO	GERUNDIO	PARTICIPIO
Simple	*Simple*	circunscrito
circunscribir	circunscribiendo	(o circunscripto)
Compuesto	*Compuesto*	
haber circunscrito	habiendo circunscrito	

CONDICIONAL (o POTENCIAL)

Simple	*Perfecto*	
circunscribiría	habría	circunscrito
circunscribirías	habrías	"
circunscribiría	habría	"
circunscribiríamos	habríamos	"
circunscribiríais	habríais	"
circunscribirían	habrían	"

SUBJUNTIVO

Presente	*Pretérito perfecto*	
circunscriba	haya	circunscrito
circunscribas	hayas	"
circunscriba	haya	"
circunscribamos	hayamos	"
circunscribáis	hayáis	"
circunscriban	hayan	"

Pretérito imperfecto	*Pret. pluscuamperfecto*	
circunscribiera o circunscribiese	hubiera o -iese	circunscrito
circunscribieras o -ieses	hubieras o -ieses	"
circunscribiera o circunscribiese	hubiera o -iese	"
circunscribiéramos o -iésemos	hubiéramos o -iésemos	"
circunscribierais o -ieseis	hubierais o -ieseis	"
circunscribieran o -iesen	hubieran o -iesen	"

Futuro imperfecto	*Futuro perfecto*	
circunscribiere	hubiere	circunscrito
circunscribieres	hubieres	"
circunscribiere	hubiere.	"
circunscribiéremos	hubiéremos	"
circunscribiereis	hubiereis	"
circunscribieren	hubieren	"

IMPERATIVO

	circunscribamos
circunscribe	circunscribid
circunscriba	circunscriban

INDICATIVO

Presente	*Pretérito perfecto*
cuezco	he cocido
cueces	has "
cuece	ha "
cocemos	hemos "
cocéis	habéis "
cuecen	han "

Pretérito imperfecto	*Pret. pluscuamperfecto*
cocía	había cocido
cocías	habías "
cocía	había "
cocíamos	habíamos "
cocíais	habíais "
cocían	habían "

Pretérito indefinido	*Pretérito anterior*
cocí	hube cocido
cociste	hubiste "
coció	hubo "
cocimos	hubimos "
cocisteis	hubisteis "
cocieron	hubieron "

Futuro imperfecto	*Futuro perfecto*
coceré	habré cocido
cocerás	habrás "
cocerá	habrá "
coceremos	habremos "
coceréis	habréis "
cocerán	habrán "

INFINITIVO	GERUNDIO	PARTICIPIO
Simple	*Simple*	cocido
cocer	cociendo	(o cocho)
Compuesto	*Compuesto*	
haber cocido	habiendo cocido	

CONDICIONAL (o POTENCIAL)

Simple	*Perfecto*	
cocería	habría	cocido
cocerías	habrías	”
cocería	habría	”
coceríamos	habríamos	”
coceríais	habríais	”
cocerían	habrían	”

SUBJUNTIVO

Presente	*Pretérito perfecto*	
cuezca	haya	cocido
cuezcas	hayas	”
cuezca	haya	”
cozcamos	hayamos	”
cozcáis	hayáis	”
cuezcan	hayan	”

Pretérito imperfecto	*Pret. pluscuamperfecto*	
cociera o cociese	hubiera o -iese	cocido
cocieras o cocieses	hubieras o -ieses	”
cociera o cociese	hubiera o -iese	”
cociéramos o cociésemos	hubiéramos o -iésemos	”
cocierais o cocieseis	hubierais o -ieseis	”
cocieran o cociesen	hubieran o -iesen	”

Futuro imperfecto	*Futuro perfecto*	
cociere	hubiere	cocido
cocieres	hubieres	”
cociere	hubiere	”
cociéremos	hubiéremos	”
cociereis	hubiereis	”
cocieren	hubieren	”

IMPERATIVO

	cozcamos
cuece	coced
cuezca	cuezcan

INDICATIVO

Presente	*Pretérito perfecto*	
compelo	he	compelido
compeles	has	”
compele	ha	”
compelemos	hemos	”
compeléis	habéis	”
compelen	han	”

Pretérito imperfecto	*Pret. pluscuamperfecto*	
compelía	había	compelido
compelías	habías	”
compelía	había	”
compelíamos	habíamos	”
compelíais	habíais	”
compelían	habían	”

Pretérito indefinido	*Pretérito anterior*	
compelí	hube	compelido
compeliste	hubiste	”
compelió	hubo	”
compelimos	hubimos	”
compelisteis	hubisteis	”
compelieron	hubieron	”

Futuro imperfecto	*Futuro perfecto*	
compeleré	habré	compelido
compelerás	habrás	”
compelerá	habrá	”
compeleremos	habremos	”
compeleréis	habréis	”
compelerán	habrán	”

INFINITIVO	GERUNDIO	PARTICIPIO
Simple	*Simple*	compelido
compeler	compeliendo	(o compulso)
Compuesto	*Compuesto*	
haber compelido	habiendo compelido	

CONDICIONAL (o POTENCIAL)

Simple	*Perfecto*	
compelería	habría	compelido
compelerías	habrías	"
compelería	habría	"
compeleríamos	habríamos	"
compeleríais	habríais	"
compelerían	habrían	"

SUBJUNTIVO

Presente	*Pretérito perfecto*	
compela	haya	compelido
compelas	hayas	"
compela	haya	"
compelamos	hayamos	"
compeláis	hayáis	"
compelan	hayan	"

Pretérito imperfecto	*Pret. pluscuamperfecto*	
compeliera o compeliese	hubiera o -iese	compelido
compelieras o compelieses	hubieras o -ieses	"
compeliera o compeliese	hubiera o -iese	"
compeliéramos o -iésemos	hubiéramos o -iésemos	"
compelierais o compelieseis	hubierais o -ieseis	"
compelieran o compeliesen	hubieran o -iesen	"

Futuro imperfecto	*Futuro perfecto*	
compeliere	hubiere	compelido
compelieres	hubieres	"
compeliere	hubiere	"
compeliéremos	hubiéremos	"
compeliereis	hubiereis	"
compelieren	hubieren	"

IMPERATIVO

	compelamos
compele	compeled
compela	compelan

INDICATIVO

Presente	*Pretérito perfecto*	
complazco	he	complacido
complaces	has	"
complace	ha	"
complacemos	hemos	"
complacéis	habéis	"
complacen	han	"

Pretérito imperfecto	*Pret. pluscuamperfecto*	
complacía	había	complacido
complacías	habías	"
complacía	había	"
complacíamos	habíamos	"
complacíais	habíais	"
complacían	habían	"

Pretérito indefinido	*Pretérito anterior*	
complací	hube	complacido
complaciste	hubiste	"
complació	hubo	"
complacimos	hubimos	"
complacisteis	hubisteis	"
complacieron	hubieron	"

Futuro imperfecto	*Futuro perfecto*	
complaceré	habré	complacido
complacerás	habrás	"
complacerá	habrá	"
complaceremos	habremos	"
complaceréis	habréis	"
complacerán	habrán	"

INFINITIVO	GERUNDIO	PARTICIPIO
Simple	*Simple*	complacido
complacer	complaciendo	
Compuesto	*Compuesto*	
haber complacido	habiendo complacido	

CONDICIONAL (o POTENCIAL)

Simple	*Perfecto*	
complacería	habría	complacido
complacerías	habrías	"
complacería	habría	"
complaceríamos	habríamos	"
complaceríais	habríais	"
complacerían	habrían	"

SUBJUNTIVO

Presente	*Pretérito perfecto*	
complazca	haya	complacido
complazcas	hayas	"
complazca	haya	"
complazcamos	hayamos	"
complazcáis	hayáis	"
complazcan	hayan	"

Pretérito imperfecto	*Pret. pluscuamperfecto*	
complaciera o complaciese	hubiera o -iese	complacido
complacieras o complacieses	hubieras o -ieses	"
complaciera o complaciese	hubiera o -iese	"
complaciéramos o -iésemos	hubiéramos o -iésemos	"
complacierais o complacieseis	hubierais o -ieseis	"
complacieran o complaciesen	hubieran o -iesen	"

Futuro imperfecto	*Futuro perfecto*	
complaciere	hubiere	complacido
complacieres	hubieres	"
complaciere	hubiere	"
complaciéremos	hubiéremos	"
complaciereis	hubiereis	"
complacieren	hubieren	"

IMPERATIVO

	complazcamos	
complace	complaced	
complazca	complazcan	

INDICATIVO

Presente		*Pretérito perfecto*	
comprendo		he	comprendido
comprendes		has	"
comprende		ha	"
comprendemos		hemos	"
comprendéis		habéis	"
comprenden		han	"

Pretérito imperfecto		*Pret. pluscuamperfecto*	
comprendía		había	comprendido
comprendías		habías	"
comprendía		había	"
comprendíamos		habíamos	"
comprendíais		habíais	"
comprendían		habían	"

Pretérito indefinido		*Pretérito anterior*	
comprendí		hube	comprendido
comprendiste		hubiste	"
comprendió		hubo	"
comprendimos		hubimos	"
comprendisteis		hubisteis	"
comprendieron		hubieron	"

Futuro imperfecto		*Futuro perfecto*	
comprenderé		habré	comprendido
comprenderás		habrás	"
comprenderá		habrá	"
comprenderemos		habremos	"
comprenderéis		habréis	"
comprenderán		habrán	"

INFINITIVO	GERUNDIO	PARTICIPIO
Simple	*Simple*	comprendido
comprender	comprendiendo	(o comprenso)
Compuesto	*Compuesto*	
haber comprendido	habiendo comprendido	

CONDICIONAL (o POTENCIAL)

Simple	*Perfecto*	
comprendería	habría	comprendido
comprenderías	habrías	"
comprendería	habría	"
comprenderíamos	habríamos	"
comprenderíais	habríais	"
comprenderían	habrían	"

SUBJUNTIVO

Presente	*Pretérito perfecto*	
comprenda	haya	comprendido
comprendas	hayas	"
comprenda	haya	"
comprendamos	hayamos	"
comprendáis	hayáis	"
comprendan	hayan	"

Pretérito imperfecto	*Pret. pluscuamperfecto*	
comprendiera o comprendiese	hubiera o -iese	comprendido
comprendieras o comprendieses	hubieras o -ieses	"
comprendiera o comprendiese	hubiera o -iese	"
comprendiéramos o -iésemos	hubiéramos o -iésemos	"
comprendierais o -ieseis	hubierais o -ieseis	"
comprendieran o -iesen	hubieran o -iesen	"

Futuro imperfecto	*Futuro perfecto*	
comprendiere	hubiere	comprendido
comprendieres	hubieres	"
comprendiere	hubiere	"
comprendiéremos	hubiéremos	"
comprendiereis	hubiereis	"
comprendieren	hubieren	"

IMPERATIVO

	comprendamos
comprende	comprended
comprenda	comprendan

INDICATIVO

Presente
comprimo
comprimes
comprime

comprimimos
comprimís
comprimen

Pretérito imperfecto
comprimía
comprimías
comprimía

comprimíamos
comprimíais
comprimían

Pretérito indefinido
comprimí
comprimiste
comprimió

comprimimos
comprimisteis
comprimieron

Futuro imperfecto
comprimiré
comprimirás
comprimirá

comprimiremos
comprimiréis
comprimirán

Pretérito perfecto
he   comprimido
has   "
ha   "

hemos   "
habéis   "
han   "

Pret. pluscuamperfecto
había   comprimido
habías   "
había   "

habíamos   "
habíais   "
habían   "

Pretérito anterior
hube   comprimido
hubiste   "
hubo   "

hubimos   "
hubisteis   "
hubieron   "

Futuro perfecto
habré   comprimido
habrás   "
habrá   "

habremos   "
habréis   "
habrán   "

INFINITIVO	GERUNDIO	PARTICIPIO
Simple	*Simple*	comprimido
comprimir	comprimiendo	(o compreso)
Compuesto	*Compuesto*	
haber comprimido	habiendo comprimido	

CONDICIONAL (o POTENCIAL)

Simple	*Perfecto*	
comprimiría	habría	comprimido
comprimirías	habrías	"
comprimiría	habría	"
comprimiríamos	habríamos	"
comprimiríais	habríais	"
comprimirían	habrían	"

SUBJUNTIVO

Presente	*Pretérito perfecto*	
comprima	haya	comprimido
comprimas	hayas	"
comprima	haya	"
comprimamos	hayamos	"
comprimáis	hayáis	"
compriman	hayan	"

Pretérito imperfecto	*Pret. pluscuamperfecto*	
comprimiera o comprimiese	hubiera o -iese	comprimido
comprimieras o comprimieses	hubieras o -ieses	"
comprimiera o comprimiese	hubiera o -iese	"
comprimiéramos o -iésemos	hubiéramos o -iésemos	"
comprimierais o comprimieseis	hubierais o -ieseis	"
comprimieran o comprimiesen	hubieran o -iesen	"

Futuro imperfecto	*Futuro perfecto*	
comprimiere	hubiere	comprimido
comprimieres	hubieres	"
comprimiere	hubiere	"
comprimiéremos	hubiéremos	"
comprimiereis	hubiereis	"
comprimieren	hubieren	"

IMPERATIVO

	comprimamos
comprime	comprimid
comprima	compriman

INDICATIVO

Presente	*Pretérito perfecto*	
concluyo	he	concluido
concluyes	has	"
concluye	ha	"
concluimos	hemos	"
concluís	habéis	"
concluyen	han	"

Pretérito imperfecto	*Pret. pluscuamperfecto*	
concluía	había	concluido
concluías	habías	"
concluía	había	"
concluíamos	habíamos	"
concluíais	habíais	"
concluían	habían	"

Pretérito indefinido	*Pretérito anterior*	
concluí	hube	concluido
concluiste	hubiste	"
concluyó	hubo	"
concluimos	hubimos	"
concluisteis	hubisteis	"
concluyeron	hubieron	"

Futuro imperfecto	*Futuro perfecto*	
concluiré	habré	concluido
concluirás	habrás	"
concluirá	habrá	"
concluiremos	habremos	"
concluiréis	habréis	"
concluirán	habrán	"

INFINITIVO	GERUNDIO	PARTICIPIO
Simple	*Simple*	concluido
concluir	concluyendo	(o concluso)
Compuesto	*Compuesto*	
haber concluido	habiendo concluido	

CONDICIONAL (o POTENCIAL)

Simple	*Perfecto*	
concluiría	habría	concluido
concluirías	habrías	"
concluiría	habría	"
concluiríamos	habríamos	"
concluiríais	habríais	"
concluirían	habrían	"

SUBJUNTIVO

Presente	*Pretérito perfecto*	
concluya	haya	concluido
concluyas	hayas	"
concluya	haya	"
concluyamos	hayamos	"
concluyáis	hayáis	"
concluyan	hayan	"

Pretérito imperfecto	*Pret. pluscuamperfecto*	
concluyera o concluyese	hubiera o -iese	concluido
concluyeras o concluyeses	hubieras o -ieses	"
concluyera o concluyese	hubiera o -iese	"
concluyéramos o -yésemos	hubiéramos o -iésemos	"
concluyerais o concluyeseis	hubierais o -ieseis	"
concluyeran o concluyesen	hubieran o -iesen	"

Futuro imperfecto	*Futuro perfecto*	
concluyere	hubiere	concluido
concluyeres	hubieres	"
concluyere	hubiere	"
concluyéremos	hubiéremos	"
concluyereis	hubiereis	"
concluyeren	hubieren	"

IMPERATIVO

	concluyamos
concluye	concluid
concluya	concluyan

INDICATIVO

Presente
confundo
confundes
confunde

confundimos
confundís
confunden

Pretérito imperfecto
confundía
confundías
confundía

confundíamos
confundíais
confundían

Pretérito indefinido
confundí
confundiste
confundió

confundimos
confundisteis
confundieron

Futuro imperfecto
confundiré
confundirás
confundirá

confundiremos
confundiréis
confundirán

Pretérito perfecto
he   confundido
has   "
ha   "

hemos   "
habéis   "
han   "

Pret. pluscuamperfecto
había   confundido
habías   "
había   "

habíamos   "
habíais   "
habían   "

Pretérito anterior
hube   confundido
hubiste   "
hubo   "

hubimos   "
hubisteis "
hubieron   "

Futuro perfecto
habré   confundido
habrás   "
habrá   "

habremos   "
habréis   "
habrán   "

INFINITIVO	GERUNDIO	PARTICIPIO
Simple	*Simple*	confundido
confundir	confundiendo	(o confuso)
Compuesto	*Compuesto*	
haber confundido	habiendo confundido	

CONDICIONAL (o POTENCIAL)

Simple	*Perfecto*	
confundiría	habría	confundido
confundirías	habrías	"
confundiría	habría	"
confundiríamos	habríamos	"
confundiríais	habríais	"
confundirían	habrían	"

SUBJUNTIVO

Presente	*Pretérito perfecto*	
confunda	haya	confundido
confundas	hayas	"
confunda	haya	"
confundamos	hayamos	"
confundáis	hayáis	"
confundan	hayan	"

Pretérito imperfecto	*Pret. pluscuamperfecto*	
confundiera o confundiese	hubiera o -iese	confundido
confundieras o confundieses	hubieras o -ieses	"
confundiera o confundiese	hubiera o -iese	"
confundiéramos o -iésemos	hubiéramos o -iésemos	"
confundierais o confundieseis	hubierais o -ieseis	"
confundieran o confundiesen	hubieran o -iesen	"

Futuro imperfecto	*Futuro perfecto*	
confundiere	hubiere	confundido
confundieres	hubieres	"
confundiere	hubiere	"
confundiéremos	hubiéremos	"
confundiereis	hubiereis	"
confundieren	hubieren	"

IMPERATIVO

	confundamos
confunde	confundid
confunda	confundan

INDICATIVO

Presente	*Pretérito perfecto*	
conozco	he	conocido
conoces	has	"
conoce	ha	"
conocemos	hemos	"
conocéis	habéis	"
conocen	han	"

Pretérito imperfecto	*Pret. pluscuamperfecto*	
conocía	había	conocido
conocías	habías	"
conocía	había	"
conocíamos	habíamos	"
conocíais	habíais	"
conocían	habían	"

Pretérito indefinido	*Pretérito anterior*	
conocí	hube	conocido
conociste	hubiste	"
conoció	hubo	"
conocimos	hubimos	"
conocisteis	hubisteis	"
conocieron	hubieron	"

Futuro imperfecto	*Futuro perfecto*	
conoceré	habré	conocido
conocerás	habrás	"
conocerá	habrá	"
conoceremos	habremos	"
conoceréis	habréis	"
conocerán	habrán	"

INFINITIVO	GERUNDIO	PARTICIPIO
Simple	*Simple*	conocido
conocer	conociendo	
Compuesto	*Compuesto*	
haber conocido	habiendo conocido	

CONDICIONAL (o POTENCIAL)

Simple	*Perfecto*	
conocería	habría	conocido
conocerías	habrías	,,
conocería	habría	,,
conoceríamos	habríamos	,,
conoceríais	habríais	,,
conocerían	habrían	,,

SUBJUNTIVO

Presente	*Pretérito perfecto*	
conozca	haya	conocido
conozcas	hayas	,,
conozca	haya	,,
conozcamos	hayamos	,,
conozcáis	hayáis	,,
conozcan	hayan	,,

Pretérito imperfecto	*Pret. pluscuamperfecto*	
conociera o conociese	hubiera o -iese	conocido
conocieras o conocieses	hubieras o -ieses	,,
conociera o conociese	hubiera o -iese	,,
conociéramos o conociésemos	hubiéramos o -iésemos	,,
conocierais o conocieseis	hubierais o -ieseis	,,
conocieran o conociesen	hubieran o -iesen	,,

Futuro imperfecto	*Futuro perfecto*	
conociere	hubiere	conocido
conocieres	hubieres	,,
conociere	hubiere	,,
conociéremos	hubiéremos	,,
conociereis	hubiereis	,,
conocieren	hubieren	,,

IMPERATIVO

	conozcamos
conoce	conoced
conozca	conozcan

INDICATIVO

Presente	*Pretérito perfecto*	
consumo	he	consumido
consumes	has	"
consume	ha	"
consumimos	hemos	"
consumís	habéis	"
consumen	han	"

Pretérito imperfecto	*Pret. pluscuamperfecto*	
consumía	había	consumido
consumías	habías	"
consumía	había	"
consumíamos	habíamos	"
consumíais	habíais	"
consumían	habían	"

Pretérito indefinido	*Pretérito anterior*	
consumí	hube	consumido
consumiste	hubiste	"
consumió	hubo	"
consumimos	hubimos	"
consumisteis	hubisteis	"
consumieron	hubieron	"

Futuro imperfecto	*Futuro perfecto*	
consumiré	habré	consumido
consumirás	habrás	"
consumirá	habrá	"
consumiremos	habremos	"
consumiréis	habréis	"
consumirán	habrán	"

INFINITIVO	GERUNDIO	PARTICIPIO
Simple	*Simple*	consumido
consumir	consumiendo	(o consunto)
Compuesto	*Compuesto*	
haber consumido	habiendo consumido	

CONDICIONAL (o POTENCIAL)

Simple	*Perfecto*	
consumiría	habría	consumido
consumirías	habrías	"
consumiría	habría	"
consumiríamos	habríamos	"
consumiríais	habríais	"
consumirían	habrían	"

SUBJUNTIVO

Presente	*Pretérito perfecto*	
consuma	haya	consumido
consumas	hayas	"
consuma	haya	"
consumamos	hayamos	"
consumáis	hayáis	"
consuman	hayan	"

Pretérito imperfecto	*Pret. pluscuamperfecto*	
consumiera o consumiese	hubiera o -iese	consumido
consumieras o consumieses	hubieras o -ieses	"
consumiera o consumiese	hubiera o -iese	"
consumiéramos o -iésemos	hubiéramos o -iésemos	"
consumierais o consumieseis	hubierais o -ieseis	"
consumieran o consumiesen	hubieran o -iesen	"

Futuro imperfecto	*Futuro perfecto*	
consumiere	hubiere	consumido
consumieres	hubieres	"
consumiere	hubiere	"
consumiéremos	hubiéremos	"
consumiereis	hubiereis	"
consumieren	hubieren	"

IMPERATIVO

	consumamos
consume	consumid
consuma	consuman

INDICATIVO

Presente	*Pretérito perfecto*	
contraigo	he	contraído
contraes	has	"
contrae	ha	"
contraemos	hemos	"
contraéis	habéis	"
contraen	han	"

Pretérito imperfecto	*Pret. pluscuamperfecto*	
contraía	había	contraído
contraías	habías	"
contraía	había	"
contraíamos	habíamos	"
contraíais	habíais	"
contraían	habían	"

Pretérito indefinido	*Pretérito anterior*	
contraje	hube	contraído
contrajiste	hubiste	"
contrajo	hubo	"
contrajimos	hubimos	"
contrajisteis	hubisteis	"
contrajeron	hubieron	"

Futuro imperfecto	*Futuro perfecto*	
contraeré	habré	contraído
contraerás	habrás	"
contraerá	habrá	"
contraeremos	habremos	"
contraeréis	habréis	"
contraerán	habrán	"

INFINITIVO	GERUNDIO	PARTICIPIO
Simple	*Simple*	contraído
contraer	contrayendo	(o contracto)
Compuesto	*Compuesto*	
haber contraído	habiendo contraído	

CONDICIONAL (o POTENCIAL)

Simple	*Perfecto*	
contraería	habría	contraído
contraerías	habrías	,,
contraería	habría	,,
contraeríamos	habríamos	,,
contraeríais	habríais	,,
contraerían	habrían	,,

SUBJUNTIVO

Presente	*Pretérito perfecto*	
contraiga	haya	contraído
contraigas	hayas	,,
contraiga	haya	,,
contraigamos	hayamos	,,
contraigáis	hayáis	,,
contraigan	hayan	,,

Pretérito imperfecto	*Pret. pluscuamperfecto*	
contrajera o contrajese	hubiera o -iese	contraído
contrajeras o contrajeses	hubieras o -ieses	,,
contrajera o contrajese	hubiera o -iese	,,
contrajéramos o contrajésemos	hubiéramos o -iésemos	,,
contrajerais o contrajeseis	hubierais o -ieseis	,,
contrajeran o contrajesen	hubieran o -iesen	,,

Futuro imperfecto	*Futuro perfecto*	
contrajere	hubiere	contraído
contrajeres	hubieres	,,
contrajere	hubiere	,,
contrajéremos	hubiéremos	,,
contrajereis	hubiereis	,,
contrajeren	hubieren	,,

IMPERATIVO

	contraigamos
contrae	contraed
contraiga	contraigan

INDICATIVO

Presente
convenzo
convences
convence

convencemos
convencéis
convencen

Pretérito imperfecto
convencía
convencías
convencía

convencíamos
convencíais
convencían

Pretérito indefinido
convencí
convenciste
convenció

convencimos
convencisteis
convencieron

Futuro imperfecto
convenceré
convencerás
convencerá

convenceremos
convenceréis
convencerán

Pretérito perfecto
he   convencido
has   "
ha   "

hemos   "
habéis   "
han   "

Pret. pluscuamperfecto
había   convencido
habías   "
había   "

habíamos "
habíais   "
habían   "

Pretérito anterior
hube   convencido
hubiste   "
hubo   "

hubimos   "
hubisteis "
hubieron "

Futuro perfecto
habré   convencido
habrás   "
habrá   "

habremos "
habréis   "
habrán   "

INFINITIVO	GERUNDIO	PARTICIPIO
Simple	*Simple*	convencido
convencer	convenciendo	(o convicto)
Compuesto	*Compuesto*	
haber convencido	habiendo convencido	

CONDICIONAL (o POTENCIAL)

Simple	*Perfecto*	
convencería	habría	convencido
convencerías	habrías	"
convencería	habría	"
convenceríamos	habríamos	"
convenceríais	habríais	"
convencerían	habrían	"

SUBJUNTIVO

Presente	*Pretérito perfecto*	
convenza	haya	convencido
convenzas	hayas	"
convenza	haya	"
convenzamos	hayamos	"
convenzáis	hayáis	"
convenzan	hayan	"

Pretérito imperfecto	*Pret. pluscuamperfecto*	
convenciera o convenciese	hubiera o -iese	convencido
convencieras o convencieses	hubieras o -ieses	"
convenciera o convenciese	hubiera o -iese	"
convenciéramos o -iésemos	hubiéramos o -iésemos	"
convencierais o convencieseis	hubierais o -ieseis	"
convencieran o convenciesen	hubieran o -iesen	"

Futuro imperfecto	*Futuro perfecto*	
convenciere	hubiere	convencido
convencieres	hubieres	"
convenciere	hubiere	"
convenciéremos	hubiéremos	"
convenciereis	hubiereis	"
convencieren	hubieren	"

IMPERATIVO

	convenzamos
convence	convenced
convenza	convenzan

INDICATIVO

Presente
convierto
conviertes
convierte

convertimos
convertís
convierten

Pretérito perfecto
he   convertido
has   "
ha   "

hemos   "
habéis   "
han   "

Pretérito imperfecto
convertía
convertías
convertía

convertíamos
convertíais
convertían

Pret. pluscuamperfecto
había   convertido
habías   "
había   "

habíamos "
habíais   "
habían   "

Pretérito indefinido
convertí
convertiste
convirtió

convertimos
convertisteis
convirtieron

Pretérito anterior
hube   convertido
hubiste   "
hubo   "

hubimos   "
hubisteis "
hubieron "

Futuro imperfecto
convertiré
convertirás
convertirá

convertiremos
convertiréis
convertirán

Futuro perfecto
habré   convertido
habrás   "
habrá   "

habremos "
habréis   "
habrán   "

INFINITIVO	GERUNDIO	PARTICIPIO
Simple	*Simple*	convertido
convertir	convirtiendo	(o converso)
Compuesto	*Compuesto*	
haber convertido	habiendo convertido	

CONDICIONAL (o POTENCIAL)

Simple	*Perfecto*	
convertiría	habría	convertido
convertirías	habrías	"
convertiría	habría	"
convertiríamos	habríamos	"
convertiríais	habríais	"
convertirían	habrían	"

SUBJUNTIVO

Presente	*Pretérito perfecto*	
convierta	haya	convertido
conviertas	hayas	"
convierta	haya	"
convirtamos	hayamos	"
convirtáis	hayáis	"
conviertan	hayan	"

Pretérito imperfecto	*Pret. pluscuamperfecto*	
convirtiera o convirtiese	hubiera o -iese	convertido
convirtieras o convirtieses	hubieras o -ieses	"
convirtiera o convirtiese	hubiera o -iese	"
convirtiéramos o convirtiésemos	hubiéramos o -iésemos	"
convirtierais o convirtieseis	hubierais o -ieseis	"
convirtieran o convirtiesen	hubieran o -iesen	"

Futuro imperfecto	*Futuro perfecto*	
convirtiere	hubiere	convertido
convirtieres	hubieres	"
convirtiere	hubiere	"
convirtiéremos	hubiéremos	"
convirtiereis	hubiereis	"
convirtieren	hubieren	"

IMPERATIVO

	convirtamos
convierte	convertid
convierta	conviertan

INDICATIVO

Presente	*Pretérito perfecto*	
corrijo	he	corregido
corriges	has	"
corrige	ha	"
corregimos	hemos	"
corregís	habéis	"
corrigen	han	"

Pretérito imperfecto	*Pret. pluscuamperfecto*	
corregía	había	corregido
corregías	habías	"
corregía	había	"
corregíamos	habíamos	"
corregíais	habíais	"
corregían	habían	"

Pretérito indefinido	*Pretérito anterior*	
corregí	hube	corregido
corregiste	hubiste	"
corrigió	hubo	"
corregimos	hubimos	"
corregisteis	hubisteis	"
corrigieron	hubieron	"

Futuro imperfecto	*Futuro perfecto*	
corregiré	habré	corregido
corregirás	habrás	"
corregirá	habrá	"
corregiremos	habremos	"
corregiréis	habréis	"
corregirán	habrán	"

INFINITIVO	GERUNDIO	PARTICIPIO
Simple	*Simple*	corregido
corregir	corrigiendo	(o correcto)
Compuesto	*Compuesto*	
haber corregido	habiendo corregido	

CONDICIONAL (o POTENCIAL)

Simple
corregiría
corregirías
corregiría

corregiríamos
corregiríais
corregirían

Perfecto
habría   corregido
habrías   "
habría   "

habríamos   "
habríais   "
habrían   "

SUBJUNTIVO

Presente
corrija
corrijas
corrija

corrijamos
corrijáis
corrijan

Pretérito perfecto
haya   corregido
hayas   "
haya   "

hayamos   "
hayáis   "
hayan   "

Pretérito imperfecto
corrigiera o corrigiese
corrigieras o corrigieses
corrigiera o corrigiese

corrigiéramos o corrigiésemos
corrigierais o corrigieseis
corrigieran o corrigiesen

Pret. pluscuamperfecto
hubiera o -iese   corregido
hubieras o -ieses   "
hubiera o -iese   "

hubiéramos o -iésemos   "
hubierais o -ieseis   "
hubieran o -iesen   "

Futuro imperfecto
corrigiere
corrigieres
corrigiere

corrigiéremos
corrigiereis
corrigieren

Futuro perfecto
hubiere   corregido
hubieres   "
hubiere   "

hubiéremos   "
hubiereis   "
hubieren   "

IMPERATIVO

           corrijamos
corrige   corregid
corrija   corrijan

INDICATIVO

Presente	*Pretérito perfecto*
corrompo	he corrompido
corrompes	has ,,
corrompe	ha ,,
corrompemos	hemos ,,
corrompéis	habéis ,,
corrompen	han ,,

Pretérito imperfecto	*Pret. pluscuamperfecto*
corrompía	había corrompido
corrompías	habías ,,
corrompía	había ,,
corrompíamos	habíamos ,,
corrompíais	habíais ,,
corrompían	habían ,,

Pretérito indefinido	*Pretérito anterior*
corrompí	hube corrompido
corrompiste	hubiste ,,
corrompió	hubo ,,
corrompimos	hubimos ,,
corrompisteis	hubisteis ,,
corrompieron	hubieron ,,

Futuro imperfecto	*Futuro perfecto*
corromperé	habré corrompido
corromperás	habrás ,,
corromperá	habrá ,,
corromperemos	habremos ,,
corromperéis	habréis ,,
corromperán	habrán ,,

INFINITIVO	GERUNDIO	PARTICIPIO
Simple	*Simple*	corrompido
corromper	corrompiendo	(o corrupto)
Compuesto	*Compuesto*	
haber corrompido	habiendo corrompido	

CONDICIONAL (o POTENCIAL)

Simple	*Perfecto*	
corrompería	habría	corrompido
corromperías	habrías	,,
corrompería	habría	,,
corromperíamos	habríamos	,,
corromperíais	habríais	,,
corromperían	habrían	,,

SUBJUNTIVO

Presente	*Pretérito perfecto*	
corrompa	haya	corrompido
corrompas	hayas	,,
corrompa	haya	,,
corrompamos	hayamos	,,
corrompáis	hayáis	,,
corrompan	hayan	,,

Pretérito imperfecto	*Pret. pluscuamperfecto*	
corrompiera o corrompiese	hubiera o -iese	corrompido
corrompieras o corrompieses	hubieras o -ieses	,,
corrompiera o corrompiese	hubiera o -iese	,,
corrompiéramos o -iésemos	hubiéramos o -iésemos	,,
corrompierais o corrompieseis	hubierais o -ieseis	,,
corrompieran o corrompiesen	hubieran o -iesen	,,

Futuro imperfecto	*Futuro perfecto*	
corrompiere	hubiere	corrompido
corrompieres	hubieres	,,
corrompiere	hubiere	,,
corrompiéremos	hubiéremos	,,
corrompiereis	hubiereis	,,
corrompieren	hubieren	,,

IMPERATIVO

	corrompamos
corrompe	corromped
corrompa	corrompan

INDICATIVO

Presente
cubro
cubres
cubre

cubrimos
cubrís
cubren

Pretérito perfecto
he   cubierto
has   "
ha   "

hemos   "
habéis "
han   "

Pretérito imperfecto
cubría
cubrías
cubría

cubríamos
cubríais
cubrían

Pret. pluscuamperfecto
había   cubierto
habías   "
había   "

habíamos "
habíais "
habían   "

Pretérito indefinido
cubrí
cubriste
cubrió

cubrimos
cubristeis
cubrieron

Pretérito anterior
hube   cubierto
hubiste   "
hubo   "

hubimos   "
hubisteis "
hubieron "

Futuro imperfecto
cubriré
cubrirás
cubrirá

cubriremos
cubriréis
cubrirán

Futuro perfecto
habré   cubierto
habrás   "
habrá   "

habremos "
habréis "
habrán   "

INFINITIVO	GERUNDIO	PARTICIPIO
Simple	*Simple*	cubierto
cubrir	cubriendo	
Compuesto	*Compuesto*	
haber cubierto	· habiendo cubierto	

CONDICIONAL (o POTENCIAL)

Simple	*Perfecto*	
cubriría	habría	cubierto
cubrirías	habrías	"
cubriría	habría	"
cubriríamos	habríamos	"
cubriríais	habríais	"
cubrirían	habrían	"

SUBJUNTIVO

Presente	*Pretérito perfecto*	
cubra	haya	cubierto
cubras	hayas	"
cubra	haya	"
cubramos	hayamos	"
cubráis	hayáis	"
cubran	hayan	"

Pretérito imperfecto	*Pret. pluscuamperfecto*	
cubriera o cubriese	hubiera o -iese	cubierto
cubrieras o cubrieses	hubieras o -ieses	"
cubriera o cubriese	hubiera o -iese	"
cubriéramos o cubriésemos	hubiéramos o -iésemos	"
cubrierais o cubrieseis	hubierais o -ieseis	"
cubrieran o cubriesen	hubieran o -iesen	"

Futuro imperfecto	*Futuro perfecto*	
cubriere	hubiere	cubierto
cubrieres	hubieres	"
cubriere	hubiere	"
cubriéremos	hubiéremos	"
cubriereis	hubiereis	"
cubrieren	hubieren	"

IMPERATIVO

	cubramos
cubre	cubrid
cubra	cubran

INDICATIVO

Presente
doy
das
da
damos
dais
dan

Pretérito perfecto
he   dado
has   "
ha   "
hemos   "
habéis "
han   "

Pretérito imperfecto
daba
dabas
daba
dábamos
dabais
daban

Pret. pluscuamperfecto
había   dado
habías   "
había   "
habíamos "
habíais "
habían   "

Pretérito indefinido
di
diste
dio
dimos
disteis
dieron

Pretérito anterior
hube   dado
hubiste "
hubo   "
hubimos "
hubisteis "
hubieron "

Futuro imperfecto
daré
darás
dará
daremos
daréis
darán

Futuro perfecto
habré   dado
habrás   "
habrá   "
habremos "
habréis "
habrán   "

INFINITIVO	GERUNDIO	PARTICIPIO
Simple	*Simple*	dado
dar	dando	
Compuesto	*Compuesto*	
haber dado	habiendo dado	

CONDICIONAL (o POTENCIAL)

Simple	*Perfecto*	
daría	habría	dado
darías	habrías	"
daría	habría	"
daríamos	habríamos	"
daríais	habríais	"
darían	habrían	"

SUBJUNTIVO

Presente	*Pretérito perfecto*	
dé	haya	dado
des	hayas	"
dé	haya	"
demos	hayamos	"
deis	hayáis	"
den	hayan	"

Pretérito imperfecto	*Pret. pluscuamperfecto*	
diera o diese	hubiera o -iese	dado
dieras o dieses	hubieras o -ieses	"
diera o diese	hubiera o -iese	"
diéramos o diésemos	hubiéramos o -iésemos	"
dierais o dieseis	hubierais o -ieseis	"
dieran o diesen	hubieran o -iesen	"

Futuro imperfecto	*Futuro perfecto*	
diere	hubiere	dado
dieres	hubieres	"
diere	hubiere	"
diéremos	hubiéremos	"
diereis	hubiereis	"
dieren	hubieren	"

IMPERATIVO

	demos
da	dad
dé	den

INDICATIVO

Presente
digo
dices
dice

decimos
decís
dicen

Pretérito imperfecto
decía
decías
decía

decíamos
decíais
decían

Pretérito indefinido
dije
dijiste
dijo

dijimos
dijisteis
dijeron

Futuro imperfecto
diré
dirás
dirá

diremos
diréis
dirán

Pretérito perfecto
he   dicho
has   "
ha   "

hemos   "
habéis   "
han   "

Pret. pluscuamperfecto
había   dicho
habías   "
había   "

habíamos   "
habíais   "
habían   "

Pretérito anterior
hube   dicho
hubiste   "
hubo   "

hubimos   "
hubisteis   "
hubieron   "

Futuro perfecto
habré   dicho
habrás   "
habrá   "

habremos   "
habréis   "
habrán   "

INFINITIVO	GERUNDIO	PARTICIPIO
Simple	*Simple*	dicho
decir	diciendo	
Compuesto	*Compuesto*	
haber dicho	habiendo dicho	

CONDICIONAL (o POTENCIAL)

Simple	*Perfecto*	
diría	habría	dicho
dirías	habrías	,,
diría	habría	,,
diríamos	habríamos	,,
diríais	habríais	,,
dirían	habrían	,,

SUBJUNTIVO

Presente	*Pretérito perfecto*	
diga	haya	dicho
digas	hayas	,,
diga	haya	,,
digamos	hayamos	,,
digáis	hayáis	,,
digan	hayan	,,

Pretérito imperfecto	*Pret. pluscuamperfecto*	
dijera o dijese	hubiera o -iese	dicho
dijeras o dijeses	hubieras o -ieses	,,
dijera o dijese	hubiera o -iese	,,
dijéramos o dijésemos	hubiéramos o -iésemos	,,
dijerais o dijeseis	hubierais o -ieseis	,,
dijeran o dijesen	hubieran o -iesen	,,

Futuro imperfecto	*Futuro perfecto*	
dijere	hubiere	dicho
dijeres	hubieres	,,
dijere	hubiere	,,
dijéremos	hubiéremos	,,
dijereis	hubiereis	,,
dijeren	hubieren	,,

IMPERATIVO

	digamos
di	decid
diga	digan

INDICATIVO

Presente
descalzo
descalzas
descalza

descalzamos
descalzáis
descalzan

Pretérito perfecto
he descalzado
has „
ha „

hemos „
habéis „
han „

Pretérito imperfecto
descalzaba
descalzabas
descalzaba

descalzábamos
descalzabais
descalzaban

Pret. pluscuamperfecto
había descalzado
habías „
había „

habíamos „
habíais „
habían „

Pretérito indefinido
descalcé
descalzaste
descalzó

descalzamos
descalzasteis
descalzaron

Pretérito anterior
hube descalzado
hubiste „
hubo „

hubimos „
hubisteis „
hubieron „

Futuro imperfecto
descalzaré
descalzarás
descalzará

descalzaremos
descalzaréis
descalzarán

Futuro perfecto
habré descalzado
habrás „
habrá „

habremos „
habréis „
habrán „

INFINITIVO	GERUNDIO	PARTICIPIO
Simple	*Simple*	descalzado
descalzar	descalzando	(o descalzo)
Compuesto	*Compuesto*	
haber descalzado	habiendo descalzado	

CONDICIONAL (o POTENCIAL)

Simple	*Perfecto*	
descalzaría	habría	descalzado
descalzarías	habrías	”
descalzaría	habría	”
descalzaríamos	habríamos	”
descalzaríais	habrían	”
descalzarían	habrían	”

SUBJUNTIVO

Presente	*Pretérito perfecto*	
descalce	haya	descalzado
descalces	hayas	”
descalce	haya	”
descalcemos	hayamos	”
descalcéis	hayáis	”
descalcen	hayan	”

Pretérito imperfecto	*Pret. pluscuamperfecto*	
descalzara o descalzase	hubiera o -iese	descalzado
descalzaras o descalzases	hubieras o -ieses	”
descalzara o descalzase	hubiera o -iese	”
descalzáramos o descalzásemos	hubiéramos o -iésemos	”
descalzarais o descalzaseis	hubierais o -ieseis	”
descalzaran o descalzasen	hubieran o -iesen	”

Futuro imperfecto	*Futuro perfecto*	
descalzare	hubiere	descalzado
descalzares	hubieres	”
descalzare	hubiere	”
descalzáremos	hubiéremos	”
descalzareis	hubiereis	”
descalzaren	hubieren	”

IMPERATIVO

	descalcemos
descalza	descalzad
descalce	descalcen

INDICATIVO

Presente
deshueso
deshuesas
deshuesa

desosamos
desosáis
deshuesan

Pretérito perfecto
he   desosado
has   "
ha   "

hemos   "
habéis "
han   "

Pretérito imperfecto
desosaba
desosabas
desosaba

desosábamos
desosabais
desosaban

Pret. pluscuamperfecto
había   desosado
habías "
había   "

habíamos "
habíais "
habían "

Pretérito indefinido
desosé
desosaste
desosó

desosamos
desosasteis
desosaron

Pretérito anterior
hube   desosado
hubiste "
hubo   "

hubimos "
hubisteis "
hubieron "

Futuro imperfecto
desosaré
desosarás
desosará

desosaremos
desosaréis
desosarán

Futuro perfecto
habré   desosado
habrás "
habrá   "

habremos "
habréis "
habrán "

INFINITIVO	GERUNDIO	PARTICIPIO
Simple	*Simple*	desosado
desosar	desosando	
Compuesto	*Compuesto*	
haber desosado	habiendo desosado	

CONDICIONAL (o POTENCIAL)

Simple	*Perfecto*	
desosaría	habría	desosado
desosarías	habrías	"
desosaría	habría	"
desosaríamos	habríamos	"
desosaríais	habríais	"
desosarían	habrían	"

SUBJUNTIVO

Presente	*Pretérito perfecto*	
deshuese	haya	desosado
deshueses	hayas	"
deshuese	haya	"
desosemos	hayamos	"
desoséis	hayáis	"
deshuesen	hayan	"

Pretérito imperfecto	*Pret. pluscuamperfecto*	
desosara o desosase	hubiera o -iese	desosado
desosaras o desosases	hubieras o -ieses	"
desosara o desosase	hubiera o -iese	"
desosáramos o desosásemos	hubiéramos o -iésemos	"
desosarais o desosaseis	hubierais o -ieseis	"
desosaran o desosasen	hubieran o -iesen	"

Futuro imperfecto	*Futuro perfecto*	
desosare	hubiere	desosado
desosares	hubieres	"
desosare	hubiere	"
desosáremos	hubiéremos	"
desosareis	hubiereis	"
desosaren	hubieren	"

IMPERATIVO

	desosemos
deshuesa	desosad
deshuese	deshuesen

INDICATIVO

Presente	*Pretérito perfecto*	
despierto	he	despertado
despiertas	has	"
despierta	ha	"
despertamos	hemos	"
despertáis	habéis	"
despiertan	han	"

Pretérito imperfecto	*Pret. pluscuamperfecto*	
despertaba	había	despertado
despertabas	habías	"
despertaba	había	"
despertábamos	habíamos	"
despertabais	habíais	"
despertaban	habían	"

Pretérito indefinido	*Pretérito anterior*	
desperté	hube	despertado
despertaste	hubiste	"
despertó	hubo	"
despertamos	hubimos	"
despertasteis	hubisteis	"
despertaron	hubieron	"

Futuro imperfecto	*Futuro perfecto*	
despertaré	habré	despertado
despertarás	habrás	"
despertará	habrá	"
despertaremos	habremos	"
despertaréis	habréis	"
despertarán	habrán	"

INFINITIVO	GERUNDIO	PARTICIPIO
Simple	*Simple*	despertado
despertar	despertando	(o despierto)
Compuesto	*Compuesto*	
haber despertado	habiendo despertado	

CONDICIONAL (o POTENCIAL)

Simple	*Perfecto*	
despertaría	habría	despertado
despertarías	habrías	"
despertaría	habría	"
despertaríamos	habríamos	"
despertaríais	habríais	"
despertarían	habrían	"

SUBJUNTIVO

Presente	*Pretérito perfecto*	
despierte	haya	despertado
despiertes	hayas	"
despierte	haya	"
despertemos	hayamos	"
despertéis	hayáis	"
despierten	hayan	"

Pretérito imperfecto	*Pret. pluscuamperfecto*	
despertara o despertase	hubiera o -iese	despertado
despertaras o despertases	hubieras o -ieses	"
despertara o despertase	hubiera o -iese	"
despertáramos o despertásemos	hubiéramos o -iésemos	"
despertarais o despertaseis	hubierais o -ieseis	"
despertaran o despertasen	hubieran o -iesen	"

Futuro imperfecto	*Futuro perfecto*	
despertare	hubiere	despertado
despertares	hubieres	"
despertare	hubiere	"
despertáremos	hubiéremos	"
despertareis	hubiereis	"
despertaren	hubieren	"

IMPERATIVO

	despertemos
despierta	despertad
despierte	despierten

INDICATIVO

Presente		*Pretérito perfecto*	
difundo		he	difundido
difundes		has	"
difunde		ha	"
difundimos		hemos	"
difundís		habéis	"
difunden		han	"

Pretérito imperfecto		*Pret. pluscuamperfecto*	
difundía		había	difundido
difundías		habías	"
difundía		había	"
difundíamos		habíamos	"
difundíais		habíais	"
difundían		habían	"

Pretérito indefinido		*Pretérito anterior*	
difundí		hube	difundido
difundiste		hubiste	"
difundió		hubo	"
difundimos		hubimos	"
difundisteis		hubisteis	"
difundieron		hubieron	"

Futuro imperfecto		*Futuro perfecto*	
difundiré		habré	difundido
difundirás		habrás	"
difundirá		habrá	"
difundiremos		habremos	"
difundiréis		habréis	"
difundirán		habrán	"

INFINITIVO	GERUNDIO	PARTICIPIO
Simple	*Simple*	difundido
difundir	difundiendo	(o difuso)
Compuesto	*Compuesto*	
haber difundido	habiendo difundido	

CONDICIONAL (o POTENCIAL)

Simple	*Perfecto*	
difundiría	habría	difundido
difundirías	habrías	"
difundiría	habría	"
difundiríamos	habríamos	"
difundiríais	habríais	"
difundirían	habrían	"

SUBJUNTIVO

Presente	*Pretérito perfecto*	
difunda	haya	difundido
difundas	hayas	"
difunda	haya	"
difundamos	hayamos	"
difundáis	hayáis	"
difundan	hayan	"

Pretérido imperfecto	*Pret. pluscuamperfecto*	
difundiera o difundiese	hubiera o -iese	difundido
difundieras o difundieses	hubieras o -ieses	"
difundiera o difundiese	hubiera o -iese	"
difundiéramos o difundiésemos	hubiéramos o -iésemos	"
difundierais o difundieseis	hubierais o -ieseis	"
difundieran o difundiesen	hubieran o -iesen	"

Futuro imperfecto	*Futuro perfecto*	
difundiere	hubiere	difundido
difundieres	hubieres	"
difundiere	hubiere	"
difundiéremos	hubiéremos	"
difundiereis	hubiereis	"
difundieren	hubieren	"

IMPERATIVO

	difundamos
difunde	difundid
difunda	difundan

INDICATIVO

Presente		*Pretérito perfecto*	
discierno		he	discernido
disciernes		has	"
discierne		ha	"
discernimos		hemos	"
discernís		habéis	"
disciernen		han	"

Pretérito imperfecto		*Pret. pluscuamperfecto*	
discernía		había	discernido
discernías		habías	"
discernía		había	"
discerníamos		habíamos	"
discerníais		habíais	"
discernían		habían	"

Pretérito indefinido		*Pretérito anterior*	
discerní		hube	discernido
discerniste		hubiste	"
discernió		hubo	"
discernimos		hubimos	"
discernisteis		hubisteis	"
discernieron		hubieron	"

Futuro imperfecto		*Futuro perfecto*	
discerniré		habré	discernido
discernirás		habrás	"
discernirá		habrá	"
discerniremos		habremos	"
discerniréis		habréis	"
discernirán		habrán	"

INFINITIVO	GERUNDIO	PARTICIPIO
Simple	*Simple*	discernido
discernir	discerniendo	
Compuesto	*Compuesto*	
haber discernido	habiendo discernido	

CONDICIONAL (o POTENCIAL)

Simple	*Perfecto*	
discerniría	habría	discernido
discernirías	habrías	"
discerniría	habría	"
discerniríamos	habríamos	"
discerniríais	habríais	"
discernirían	habrían	"

SUBJUNTIVO

Presente	*Pretérito perfecto*	
discierna	haya	discernido
disciernas	hayas	"
discierna	haya	"
discernamos	hayamos	"
discernáis	hayáis	"
disciernan	hayan	"

Pretérito imperfecto	*Pret. pluscuamperfecto*	
discerniera o discerniese	hubiera o -iese	discernido
discernieras o discernieses	hubieras o -ieses	"
discerniera o discerniese	hubiera o -iese	"
discerniéramos o discerniésemos	hubiéramos o -iésemos	"
discernierais o discernieseis	hubierais o -ieseis	"
discernieran o discerniesen	hubieran o -iesen	"

Futuro imperfecto	*Futuro perfecto*	
discerniere	hubiere	discernido
discernieres	hubieres	"
discerniere	hubiere	"
discerniéremos	hubiéremos	"
discerniereis	hubiereis	"
discernieren	hubieren	"

IMPERATIVO

		discernamos
discierne	discernid	
discierna	disciernan	

INDICATIVO

Presente
disuelvo
disuelves
disuelve

disolvemos
disolvéis
disuelven

Pretérito imperfecto
disolvía
disolvías
disolvía

disolvíamos
disolvíais
disolvían

Pretérito indefinido
disolví
disolviste
disolvió

disolvimos
disolvisteis
disolvieron

Futuro imperfecto
disolveré
disolverás
disolverá

disolveremos
disolveréis
disolverán

Pretérito perfecto
he   disuelto
has   ”
ha   ”

hemos   ”
habéis   ”
han   ”

Pret. pluscuamperfecto
había   disuelto
habías   ”
había   ”

habíamos ”
habíais   ”
habían   ”

Pretérito anterior
hube   disuelto
hubiste   ”
hubo   ”

hubimos   ”
hubisteis ”
hubieron ”

Futuro perfecto
habré   disuelto
habrás   ”
habrá   ”

habremos ”
habréis   ”
habrán   ”

INFINITIVO	GERUNDIO	PARTICIPIO
Simple	*Simple*	disuelto
disolver	disolviendo	
Compuesto	*Compuesto*	
haber disuelto	habiendo disuelto	

CONDICIONAL (o POTENCIAL)

Simple	*Perfecto*	
disolvería	habría	disuelto
disolverías	habrías	"
disolvería	habría	"
disolveríamos	habríamos	"
disolveríais	habríais	"
disolverían	habrían	"

SUBJUNTIVO

Presente	*Pretérito perfecto*	
disuelva	haya	disuelto
disuelvas	hayas	"
disuelva	haya	"
disolvamos	hayamos	"
disolváis	hayáis	"
disuelvan	hayan	"

Pretérito imperfecto	*Pret. pluscuamperfecto*	
disolviera o disolviese	hubiera o -iese	disuelto
disolvieras o disolvieses	hubieras o -ieses	"
disolviera o disolviese	hubiera o -iese	"
disolviéramos o disolviésemos	hubiéramos o -iésemos	"
disolvierais o disolvieseis	hubierais o -ieseis	"
disolvieran o disolviesen	hubieran o -iesen	"

Futuro imperfecto	*Futuro perfecto*	
disolviere	hubiere	disuelto
disolvieres	hubieres	"
disolviere	hubiere	"
disolviéremos	hubiéremos	"
disolviereis	hubiereis	"
disolvieren	hubieren	"

IMPERATIVO

	disolvamos
disuelve	disolved
disuelva	disuelvan

INDICATIVO

Presente	*Pretérito perfecto*	
divierto	he	divertido
diviertes	has	"
divierte	ha	"
divertimos	hemos	"
divertís	habéis	"
divierten	han	"

Pretérito imperfecto	*Pret. pluscuamperfecto*	
divertía	había	divertido
divertías	habías	"
divertía	había	"
divertíamos	habíamos	"
divertíais	habíais	"
divertían	habían	"

Pretérito indefinido	*Pretérito anterior*	
divertí	hube	divertido
divertiste	hubiste	"
divirtió	hubo	"
divertimos	hubimos	"
divertisteis	hubisteis	"
divirtieron	hubieron	"

Futuro imperfecto	*Futuro perfecto*	
divertiré	habré	divertido
divertirás	habrás	"
divertirá	habrá	"
divertiremos	habremos	"
divertiréis	habréis	"
divertirán	habrán	"

INFINITIVO	GERUNDIO	PARTICIPIO
Simple	*Simple*	divertido
divertir	divirtiendo	
Compuesto	*Compuesto*	
haber divertido	habiendo divertido	

CONDICIONAL (o POTENCIAL)

Simple	*Perfecto*	
divertiría	habría	divertido
divertirías	habrías	,,
divertiría	habría	,,
divertiríamos	habríamos	,,
divertiríais	habríais	,,
divertirían	habrían	,,

SUBJUNTIVO

Presente	*Pretérito perfecto*	
divierta	haya	divertido
diviertas	hayas	,,
divierta	haya	,,
divirtamos	hayamos	,,
divirtáis	hayáis	,,
diviertan	hayan	,,

Pretérito imperfecto	*Pret. pluscuamperfecto*	
divirtiera o divirtiese	hubiera o -iese	divertido
divirtieras o divirtieses	hubieras o -ieses	,,
divirtiera o divirtiese	hubiera o -iese	,,
divirtiéramos o divirtiésemos	hubiéramos o -iésemos	,,
divirtierais o divirtieseis	hubierais o -ieseis	,,
divirtieran o divirtiesen	hubieran o -iesen	,,

Futuro imperfecto	*Futuro perfecto*	
divirtiere	hubiere	divertido
divirtieres	hubieres	,,
divirtiere	hubiere	,,
divirtiéremos	hubiéremos	,,
divirtiereis	hubiereis	,,
divirtieren	hubieren	,,

IMPERATIVO

	divirtamos
divierte	divertid
divierta	diviertan

INDICATIVO

Presente		*Pretérito perfecto*	
duermo		he	dormido
duermes		has	,,
duerme		ha	,,
dormimos		hemos	,,
dormís		habéis	,,
duermen		han	,,

Pretérito imperfecto		*Pret. pluscuamperfecto*	
dormía		había	dormido
dormías		habías	,,
dormía		había	,,
dormíamos		habíamos	,,
dormíais		habíais	,,
dormían		habían	,,

Pretérito indefinido		*Pretérito anterior*	
dormí		hube	dormido
dormiste		hubiste	,,
durmió		hubo	,,
dormimos		hubimos	,,
dormisteis		hubisteis	,,
durmieron		hubieron	,,

Futuro imperfecto		*Futuro perfecto*	
dormiré		habré	dormido
dormirás		habrás	,,
dormirá		habrá	,,
dormiremos		habremos	,,
dormiréis		habréis	,,
dormirán		habrán	,,

INFINITIVO	GERUNDIO	PARTICIPIO
Simple	*Simple*	dormido
dormir	durmiendo	
Compuesto	*Compuesto*	
haber dormido	habiendo dormido	

CONDICIONAL (o POTENCIAL)

Simple	*Perfecto*	
dormiría	habría	dormido
dormirías	habrías	"
dormiría	habría	"
dormiríamos	habríamos	"
dormiríais	habríais	"
dormirían	habrían	"

SUBJUNTIVO

Presente	*Pretérito perfecto*	
duerma	haya	dormido
duermas	hayas	"
duerma	haya	"
durmamos	hayamos	"
durmáis	hayáis	"
duerman	hayan	"

Pretérito imperfecto	*Pret. pluscuamperfecto*	
durmiera o durmiese	hubiera o -iese	dormido
durmieras o durmieses	hubieras o -ieses	"
durmiera o durmiese	hubiera o -iese	"
durmiéramos o durmiésemos	hubiéramos o -iésemos	"
durmierais o durmieseis	hubierais o -ieseis	"
durmieran o durmiesen	hubieran o -iesen	"

Futuro imperfecto	*Futuro perfecto*	
durmiere	hubiere	dormido
durmieres	hubieres	"
durmiere	hubiere	"
durmiéremos	hubiéremos	"
durmiereis	hubiereis	"
durmieren	hubieren	"

IMPERATIVO

	durmamos
duerme	dormid
duerma	duerman

INDICATIVO

Presente	*Pretérito perfecto*	
elijo	he	elegido
eliges	has	”
elige	ha	”
elegimos	hemos	”
elegís	habéis	”
eligen	han	”

Pretérito imperfecto	*Pret. pluscuamperfecto*	
elegía	había	elegido
elegías	habías	”
elegía	había	”
elegíamos	habíamos	”
elegíais	habíais	”
elegían	habían	”

Pretérito indefinido	*Pretérito anterior*	
elegí	hube	elegido
elegiste	hubiste	”
eligió	hubo	”
elegimos	hubimos	”
elegisteis	hubisteis	”
eligieron	hubieron	”

Futuro imperfecto	*Futuro perfecto*	
elegiré	habré	elegido
elegirás	habrás	”
elegirá	habrá	”
elegiremos	habremos	”
elegiréis	habréis	”
elegirán	habrán	”

INFINITIVO	GERUNDIO	PARTICIPIO
Simple	*Simple*	elegido
elegir	eligiendo	(o electo)
Compuesto	*Compuesto*	
haber elegido	habiendo elegido	

CONDICIONAL (o POTENCIAL)

Simple	*Perfecto*	
elegiría	habría	elegido
elegirías	habrías	„
elegiría	habría	„
elegiríamos	habríamos	„
elegiríais	habríais	„
elegirían	habrían	„

SUBJUNTIVO

Presente	*Pretérito perfecto*	
elija	haya	elegido
elijas	hayas	„
elija	haya	„
elijamos	hayamos	„
elijáis	hayáis	„
elijan	hayan	„

Pretérito imperfecto	*Pret. pluscuamperfecto*	
eligiera o eligiese	hubiera o -iese	elegido
eligieras o eligieses	hubieras o -ieses	„
eligiera o eligiese	hubiera o -iese	„
eligiéramos o eligiésemos	hubiéramos o -iésemos	„
eligierais o eligieseis	hubierais o -ieseis	„
eligieran o eligiesen	hubieran o -iesen	„

Futuro imperfecto	*Futuro perfecto*	
eligiere	hubiere	elegido
eligieres	hubieres	„
eligiere	hubiere	„
eligiéremos	hubiéremos	„
eligiereis	hubiereis	„
eligieren	hubieren	„

IMPERATIVO

	elijamos
elige	elegid
elija	elijan

INDICATIVO

Presente
empello
empelles
empelle
empellemos
empelléis
empellen

Pretérito perfecto
he   empellido
has   "
ha   "
hemos   "
habéis   "
han   "

Pretérito imperfecto
empellía
empellías
empellía
empellíamos
empellíais
empellían

Pret. pluscuamperfecto
había   empellido
habías   "
había   "
habíamos   "
habíais   "
habían   "

Pretérito indefinido
empellí
empelliste
empelló
empellimos
empellisteis
empelleron

Pretérito naterior
hube   empellido
hubiste   "
hubo   "
hubimos   "
hubisteis   "
hubieron   "

Futuro imperfecto
empelleré
empellerás
empellerá
empelleremos
empelleréis
empellerán

Futuro perfecto
habré   empellido
habrás   "
habrá   "
habremos   "
habréis   "
habrán   "

INFINITIVO	GERUNDIO	PARTICIPIO
Simple empeller	*Simple* empellendo	empellido
Compuesto haber empellido	*Compuesto* habiendo empellido	

CONDICIONAL (o POTENCIAL)

Simple	*Perfecto*	
empellería	habría	empellido
empellerías	habrías	"
empellería	habría	"
empelleríamos	habríamos	"
empelleríais	habríais	"
empellerían	habrían	"

SUBJUNTIVO

Presente	*Pretérito perfecto*	
empella	haya	empellido
empellas	hayas	"
empella	haya	"
empellamos	hayamos	"
empelláis	hayáis	"
empellan	hayan	"

Pretérito imperfecto	*Pret. pluscuamperfecto*	
empellera o empellese	hubiera o -iese	empellido
empelleras o empelleses	hubieras o -ieses	"
empellera o empellese	hubiera o -iese	"
empelléramos o empellésemos	hubiéramos o -iésemos	"
empellerais o empelleseis	hubierais o -ieseis	"
empelleran o empellesen	hubieran o -iesen	"

Futuro imperfecto	*Futuro perfecto*	
empellere	hubiere	empellido
empelleres	hubieres	"
empellere	hubiere	"
empelléremos	hubiéremos	"
empellereis	hubiereis	"
empelleren	hubieren	"

IMPERATIVO

	empellamos	
empelle	empelled	
empella	empellan	

INDICATIVO

Presente		*Pretérito perfecto*	
enjuego		he	enjugado
enjuegas		has	"
enjuega		ha	"
enjugamos		hemos	"
enjugáis		habéis	"
enjuegan		han	"

Pretérito imperfecto		*Pret. pluscuamperfecto*	
enjugaba		había	enjugado
enjugabas		habías	"
enjugaba		había	"
enjugábamos		habíamos	"
enjugabais		habíais	"
enjugaban		habían	"

Pretérito indefinido		*Pretérito anterior*	
enjugué		hube	enjugado
enjugaste		hubiste	"
enjugó		hubo	"
enjugamos		hubimos	"
enjugasteis		hubisteis	"
enjugaron		hubieron	"

Futuro imperfecto		*Futuro perfecto*	
enjugaré		habré	enjugado
enjugarás		habrás	"
enjugará		habrá	"
enjugaremos		habremos	"
enjugaréis		habréis	"
enjugarán		habrán	"

INFINITIVO	GERUNDIO	PARTICIPIO
Simple	*Simple*	enjugado
enjugar	enjugando	(o enjuto)
Compuesto	*Compuesto*	
haber enjugado	habiendo enjugado	

CONDICIONAL (o POTENCIAL)

Simple
enjugaría
enjugarías
enjugaría

enjugaríamos
enjugaríais
enjugarían

Perfecto
habría   enjugado
habrías   „
habría   „

habríamos   „
habríais   „
habrían   „

SUBJUNTIVO

Presente
enjuegue
enjuegues
enjuegue

enjuguemos
enjuguéis
enjueguen

Pretérito perfecto
haya   enjugado
hayas   „
haya   „

hayamos   „
hayáis   „
hayan   „

Pretérito imperfecto
enjugara o enjugase
enjugaras o enjugases
enjugara o enjugase

enjugáramos o enjugásemos
enjugarais o enjugaseis
enjugaran o enjugasen

Pret. pluscuamperfecto
hubiera o -iese   enjugado
hubieras o -ieses   „
hubiera o -iese   „

hubiéramos o -iésemos   „
hubierais o -ieseis   „
hubieran o -iesen   „

Futuro imperfecto
enjugare
enjugares
enjugare

enjugáremos
enjugareis
enjugaren

Futuro perfecto
hubiere   enjugado
hubieres   „
hubiere   „

hubiéremos   „
hubiereis   „
hubieren   „

IMPERATIVO

       enjuguemos
enjuega   enjugad
enjuegue enjueguen

INDICATIVO

Presente		*Pretérito perfecto*	
entiendo		he	entendido
entiendes		has	"
entiende		ha	"
entendemos		hemos	"
entendéis		habéis	"
entienden		han	"

Pretérito imperfecto		*Pret. pluscuamperfecto*	
entendía		había	entendido
entendías		habías	"
entendía		había	"
entendíamos		habíamos	"
entendíais		habíais	"
entendían		habían	"

Pretérito indefinido		*Pretérito anterior*	
entendí		hube	entendido
entendiste		hubiste	"
entendió		hubo	"
entendimos		hubimos	"
entendisteis		hubisteis	"
entendieron		hubieron	"

Futuro imperfecto		*Futuro perfecto*	
entenderé		habré	entendido
entenderás		habrás	"
entenderá		habrá	"
entenderemos		habremos	"
entenderéis		habréis	"
entenderán		habrán	"

INFINITIVO	GERUNDIO	PARTICIPIO
Simple	*Simple*	entendido
entender	entendiendo	
Compuesto	*Compuesto*	
haber entendido	habiendo entendido	

CONDICIONAL (O POTENCIAL)

Simple	*Perfecto*	
entendería	habría	entendido
entenderías	habrías	"
entendería	habría	"
entenderíamos	habríamos	"
entenderíais	habríais	"
entenderían	habrían	"

SUBJUNTIVO

Presente	*Pretérito perfecto*	
entienda	haya	entendido
entiendas	hayas	"
entienda	haya	"
entendamos	hayamos	"
entendáis	hayáis	"
entiendan	hayan	"

Pretérito imperfecto	*Pret. pluscuamperfecto*	
entendiera o entendiese	hubiera o -iese	entendido
entendieras o entendieses	hubieras o -ieses	"
entendiera o entendiese	hubiera o -iese	"
entendiéramos o entendiésemos	hubiéramos o -iésemos	"
entendierais o entendieseis	hubierais o -ieseis	"
entendieran o entendiesen	hubieran o -iesen	"

Futuro imperfecto	*Futuro perfecto*	
entendiere	hubiere	entendido
entendieres	hubieres	"
entendiere	hubiere	"
entendiéremos	hubiéremos	"
entendiereis	hubiereis	"
entendieren	hubieren	"

IMPERATIVO

	entendamos
entiende	entended
entienda	entiendan

INDICATIVO

Presente
irgo o yergo
irgues o yergues
irgue o yergue

erguimos
erguís
irguen o yerguen

Pretérito imperfecto
erguía
erguías
erguía

erguíamos
erguíais
erguían

Pretérito indefinido
erguí
erguiste
irguió

erguimos
erguisteis
irguieron

Futuro imperfecto
erguiré
erguirás
erguirá

erguiremos
erguiréis
erguirán

Pretérito perfecto
he   erguido
has   ”
ha   ”

hemos   ”
habéis   ”
han   ”

Pret. pluscuamperfecto
había   erguido
habías   ”
había   ”

habíamos   ”
habíais   ”
habían   ”

Pretérito anterior
hube   erguido
hubiste   ”
hubo   ”

hubimos   ”
hubisteis   ”
hubieron   ”

Futuro perfecto
habré   erguido
habrás   ”
habrá   ”

habremos   ”
habréis   ”
habrán   ”

INFINITIVO	GERUNDIO	PARTICIPIO
Simple	*Simple*	erguido
erguir	irguiendo	
Compuesto	*Compuesto*	
haber erguido	habiendo erguido	

CONDICIONAL (o POTENCIAL)

Simple	*Perfecto*	
erguiría	habría	erguido
erguirías	habrías	"
erguiría	habría	"
erguiríamos	habríamos	"
erguiríais	habríais	"
erguirían	habrían	"

SUBJUNTIVO

Presente	*Pretérito perfecto*	
irga o yerga	haya	erguido
irgas o yergas	hayas	"
irga o yerga	haya	"
irgamos o yergamos	hayamos	"
irgáis o yergáis	hayáis	"
irgan o yergan	hayan	"

Pretérito imperfecto	*Pret. pluscuamperfecto*	
irguiera o irguiese	hubiera o -iese	erguido
irguieras o irguieses	hubieras o -ieses	"
irguiera o irguiese	hubiera o -iese	"
irguiéramos o irguiésemos	hubiéramos o -iésemos	"
irguierais o irguieseis	hubierais o -ieseis	"
irguieran o irguiesen	hubieran o -iesen	"

Futuro imperfecto	*Futuro perfecto*	
irguiere	hubiere	erguido
irguieres	hubieres	"
irguiere	hubiere	"
irguiéremos	hubiéremos	"
irguiereis	hubiereis	"
irguieren	hubieren	"

IMPERATIVO

	irgamos o yergamos
irgue o yergue	erguid
irga o yerga	irgan o yergan

INDICATIVO

Presente	*Pretérito perfecto*	
yerro	he	errado
yerras	has	"
yerra	ha	"
erramos	hemos	"
erráis	habéis	"
yerran	han	"

Pretérito imperfecto	*Pret. pluscuamperfecto*	
erraba	había	errado
errabas	habías	"
erraba	había	"
errábamos	habíamos	"
errabais	habíais	"
erraban	habían	"

Pretérito indefinido	*Pretérito anterior*	
erré	hube	errado
erraste	hubiste	"
erró	hubo	"
erramos	hubimos	"
errasteis	hubisteis	"
erraron	hubieron	"

Futuro imperfecto	*Futuro perfecto*	
erraré	habré	errado
errarás	habrás	"
errará	habrá	"
erraremos	habremos	"
erraréis	habréis	"
errarán	habrán	"

INFINITIVO	GERUNDIO	PARTICIPIO
Simple	*Simple*	errado
errar	errando	
Compuesto	*Compuesto*	
haber errado	habiendo errado	

CONDICIONAL (o POTENCIAL)

Simple	*Perfecto*	
erraría	habría	errado
errarías	habrías	"
erraría	habría	"
erraríamos	habríamos	"
erraríais	habríais	"
errarían	habrían	"

SUBJUNTIVO

Presente	*Pretérito perfecto*	
yerre	haya	errado
yerres	hayas	"
yerre	haya	"
erremos	hayamos	"
erréis	hayáis	"
yerren	hayan	"

Pretérito imperfecto	*Pret. pluscuamperfecto*	
errara o errase	hubiera o -iese	errado
erraras o errases	hubieras o -ieses	"
errara o errase	hubiera o -iese	"
erráramos o errásemos	hubiéramos o -iésemos	"
errarais o erraseis	hubierais o -ieseis	"
erraran o errasen	hubieran o -iesen	"

Futuro imperfecto	*Futuro perfecto*	
errare	hubiere	errado
errares	hubieres	"
errare	hubiere	"
erráremos	hubiéremos	"
errareis	hubiereis	"
erraren	hubieren	"

IMPERATIVO

	erremos
yerra	errad
yerre	yerren

INDICATIVO

Presente		*Pretérito perfecto*	
escribo		he	escrito
escribes		has	"
escribe		ha	"
escribimos		hemos	"
escribís		habéis	"
escriben		han	"

Pretérito imperfecto		*Pret. pluscuamperfecto*	
escribía		había	escrito
escribías		habías	"
escribía		había	"
escribíamos		habíamos	"
escribíais		habíais	"
escribían		habían	"

Pretérito indefinido		*Pretérito anterior*	
escribí		hube	escrito
escribiste		hubiste	"
escribió		hubo	"
escribimos		hubimos	"
escribisteis		hubisteis	"
escribieron		hubieron	"

Futuro imperfecto		*Futuro perfecto*	
escribiré		habré	escrito
escribirás		habrás	"
escribirá		habrá	"
escribiremos		habremos	"
escribiréis		habréis	"
escribirán		habrán	"

INFINITIVO	GERUNDIO	PARTICIPIO
Simple	*Simple*	escrito
escribir	escribiendo	
Compuesto	*Compuesto*	
haber escrito	habiendo escrito	

CONDICIONAL (o POTENCIAL)

Simple
escribiría
escribirías
escribiría

escribiríamos
escribiríais
escribirían

Perfecto
habría   escrito
habrías   ,,
habría   ,,

habríamos   ,,
habríais   ,,
habrían   ,,

SUBJUNTIVO

Presente
escriba
escribas
escriba

escribamos
escribáis
escriban

Pretérito perfecto
haya   escrito
hayas   ,,
haya   ,,

hayamos   ,,
hayáis   ,,
hayan   ,,

Pretérito imperfecto
escribiera o escribiese
escribieras o escribieses
escribiera o escribiese

escribiéramos o escribiésemos
escribierais o escribieseis
escribieran o escribiesen

Pret. pluscuamperfecto
hubiera o -iese   escrito
hubieras o -ieses   ,,
hubiera o -iese   ,,

hubiéramos o -iésemos   ,,
hubierais o -ieseis   ,,
hubieran o -iesen   ,,

Futuro imperfecto
escribiere
escribieres
escribiere

escribiéremos
escribiereis
escribieren

Futuro perfecto
hubiere   escrito
hubieres   ,,
hubiere   ,,

hubiéremos   ,,
hubiereis   ,,
hubieren   ,,

IMPERATIVO

escribamos
escribe   escribid
escriba   escriban

INDICATIVO

Presente		*Pretérito perfecto*	
estoy		he	estado
estás		has	"
está		ha	"
estamos		hemos	"
estáis		habéis	"
están		han	"

Pretérito imperfecto		*Pret. pluscuamperfecto*	
estaba		había	estado
estabas		habías	"
estaba		había	"
estábamos		habíamos	"
estabais		habíais	"
estaban		habían	"

Pretérito indefinido		*Pretérito anterior*	
estuve		hube	estado
estuviste		hubiste	"
estuvo		hubo	"
estuvimos		hubimos	"
estuvisteis		hubisteis	"
estuvieron		hubieron	"

Futuro imperfecto		*Futuro perfecto*	
estaré		habré	estado
estarás		habrás	"
estará		habrá	"
estaremos		habremos	"
estaréis		habréis	"
estarán		habrán	"

INFINITIVO	GERUNDIO	PARTICIPIO
Simple	*Simple*	estado
estar	estando	
Compuesto	*Compuesto*	
haber estado	habiendo estado	

CONDICIONAL (o POTENCIAL)

Simple	*Perfecto*	
estaría	habría	estado
estarías	habrías	"
estaría	habría	"
estaríamos	habríamos	"
estaríais	habríais	"
estarían	habrían	"

SUBJUNTIVO

Presente	*Pretérito perfecto*	
esté	haya	estado
estés	hayas	"
esté	haya	"
estemos	hayamos	"
estéis	hayáis	"
estén	hayan	"

Pretérito imperfecto	*Pret. pluscuamperfecto*	
estuviera o estuviese	hubiera o -iese	estado
estuvieras o estuvieses	hubieras o -ieses	"
estuviera o estuviese	hubiera o -iese	"
estuviéramos o estuviésemos	hubiéramos o -iésemos	"
estuvierais o estuvieseis	hubierais o -ieseis	"
estuvieran o estuviesen	hubieran o -iesen	"

Futuro imperfecto	*Futuro perfecto*	
estuviere	hubiere	estado
estuvieres	hubieres	"
estuviere	hubiere	"
estuviéremos	hubiéremos	"
estuviereis	hubiereis	"
estuvieren	hubieren	"

IMPERATIVO

	estemos
está	estad
esté	estén

INDICATIVO

Presente	*Pretérito perfecto*	
excluyo	he	excluido
excluyes	has	”
excluye	ha	”
excluimos	hemos	”
excluís	habéis	”
excluyen	han	”

Pretérito imperfecto	*Pret. pluscuamperfecto*	
excluía	había	excluido
excluías	habías	”
excluía	había	”
excluíamos	habíamos	”
excluíais	habíais	”
excluían	habían	”

Pretérito indefinido	*Pretérito anterior*	
excluí	hube	excluido
excluiste	hubiste	”
excluyó	hubo	”
excluimos	hubimos	”
excluisteis	hubisteis	”
excluyeron	hubieron	”

Futuro imperfecto	*Futuro perfecto*	
excluiré	habré	excluido
excluirás	habrás	”
excluirá	habrá	”
excluiremos	habremos	”
excluiréis	habréis	”
excluirán	habrán	”

INFINITIVO	GERUNDIO	PARTICIPIO
Simple	*Simple*	excluido
excluir	excluyendo	(o excluso)
Compuesto	*Compuesto*	
haber excluido	habiendo excluido	

CONDICIONAL (o POTENCIAL)

Simple	*Perfecto*	
excluiría	habría	excluido
excluirías	habrías	,,
excluiría	habría	,,
excluiríamos	habríamos	,,
excluiríais	habríais	,,
excluirían	habrían	,,

SUBJUNTIVO

Presente	*Pretérito perfecto*	
excluya	haya	excluido
excluyas	hayas	,,
excluya	haya	,,
excluyamos	hayamos	,,
excluyáis	hayáis	,,
excluyan	hayan	,,

Pretérito imperfecto	*Pret. pluscuamperfecto*	
excluyera o excluyese	hubiera o -iese	excluido
excluyeras o excluyeses	hubieras o -ieses	,,
excluyera o excluyese	hubiera o -iese	,,
excluyéramos o excluyésemos	hubiéramos o -iésemos	,,
excluyerais o excluyeseis	hubierais o -ieseis	,,
excluyeran o excluyesen	hubieran o -iesen	,,

Futuro imperfecto	*Futuro perfecto*	
excluyere	hubiere	excluido
excluyeres	hubieres	,,
excluyere	hubiere	,,
excluyéremos	hubiéremos	,,
excluyereis	hubiereis	,,
excluyeren	hubieren	,,

IMPERATIVO

	excluyamos
excluye	excluid
excluya	excluyan

INDICATIVO

Presente
eximo
eximes
exime
eximimos
eximís
eximen

Pretérito perfecto
he   eximido
has   "
ha   "
hemos   "
habéis "
han   "

Pretérito imperfecto
eximía
eximías
eximía
eximíamos
eximíais
eximían

Pret. pluscuamperfecto
había   eximido
habías   "
había   "
habíamos   "
habíais   "
habían   "

Pretérito indefinido
eximí
eximiste
eximió
eximimos
eximisteis
eximieron

Pretérito anterior
hube   eximido
hubiste   "
hubo   "
hubimos   "
hubisteis "
hubieron   "

Futuro imperfecto
eximiré
eximirás
eximirá
eximiremos
eximiréis
eximirán

Futuro perfecto
habré   eximido
habrás   "
habrá   "
habremos   "
habréis   "
habrán   "

INFINITIVO	GERUNDIO	PARTICIPIO
Simple	*Simple*	eximido
eximir	eximiendo	(o exento)
Compuesto	*Compuesto*	
haber eximido	habiendo eximido	

CONDICIONAL (o POTENCIAL)

Simple	*Perfecto*	
eximiría	habría	eximido
eximirías	habrías	"
eximiría	habría	"
eximiríamos	habríamos	"
eximiríais	habríais	"
eximirían	habrían	"

SUBJUNTIVO

Presente	*Pretérito perfecto*	
exima	haya	eximido
eximas	hayas	"
exima	haya	"
eximamos	hayamos	"
eximáis	hayáis	"
exi:man	hayan	"

Pretérito imperfecto	*Pret. pluscuamperfecto*	
eximiera o eximiese	hubiera o -iese	eximido
eximieras o eximieses	hubieras o -ieses	"
eximiera o eximiese	hubiera o -iese	"
eximiéramos o eximiésemos	hubiéramos o -iésemos	"
eximierais o eximieseis	hubierais o -ieseis	"
eximieran o eximiesen	hubieran o -iesen	"

Futuro imperfecto	*Futuro perfecto*	
eximiere	hubiere	eximido
eximieres	hubieres	"
eximiere	hubiere	"
eximiéremos	hubiéremos	"
eximiereis	hubiereis	"
eximieren	hubieren	"

IMPERATIVO

	eximamos
exime	eximid
exima	eximan

INDICATIVO

Presente		*Pretérito perfecto*	
expelo		he	expelido
expeles		has	"
expele		ha	"
expelemos		hemos	"
expeléis		habéis	"
expelen		han	"

Pretérito imperfecto		*Pret. pluscuamperfecto*	
expelía		había	expelido
expelías		habías	"
expelía		había	"
expelíamos		habíamos	"
expelíais		habíais	"
expelían		habían	"

Pretérito indefinido		*Pretérito anterior*	
expelí		hube	expelido
expeliste		hubiste	"
expelió		hubo	"
expelimos		hubimos	"
expelisteis		hubisteis	"
expelieron		hubieron	"

Futuro imperfecto		*Futuro perfecto*	
expeleré		habré	expelido
expelerás		habrás	"
expelerá		habrá	"
expeleremos		habremos	"
expeleréis		habréis	"
expelerán		habrán	"

INFINITIVO	GERUNDIO	PARTICIPIO
Simple	*Simple*	expelido
expeler	expeliendo	(o expulso)
Compuesto	*Compuesto*	
haber expelido	habiendo expelido	

CONDICIONAL (o POTENCIAL)

Simple	*Perfecto*	
expelería	habría	expelido
expelerías	habrías	"
expelería	habría	"
expeleríamos	habríamos	"
expeleríais	habríais	"
expelerían	habrían	"

SUBJUNTIVO

Presente	*Pretérito perfecto*	
expela	haya	expelido
expelas	hayas	"
expela	haya	"
expelamos	hayamos	"
expeláis	hayáis	"
expelan	hayan	

Pretérito imperfecto	*Pret. pluscuamperfecto*	
expeliera o expeliese	hubiera o -iese	expelido
expelieras o expelieses	hubieras o -ieses	"
expeliera o expeliese	hubiera o -iese	"
expeliéramos o expeliésemos	hubiéramos o -iésemos	"
expelierais o expelieseis	hubierais o -ieseis	"
expelieran o expeliesen	hubieran o -iesen	"

Futuro imperfecto	*Futuro perfecto*	
expeliere	hubiere	expelido
expelieres	hubieres	"
expeliere	hubiere	"
expeliéremos	hubiéremos	"
expeliereis	hubiereis	"
expelieren	hubieren	"

IMPERATIVO

	expelamos
expele	expeled
expela	expelan

INDICATIVO

Presente
expreso
expresas
expresa

expresamos
expresáis
expresan

Pretérito perfecto
he   expresado
has   "
ha   "

hemos   "
habéis   "
han   "

Pretérito imperfecto
expresaba
expresabas
expresaba

expresábamos
expresabais
expresaban

Pret. pluscuamperfecto
había   expresado
habías   "
había   "

habíamos   "
habíais   "
habían   "

Pretérito indefinido
expresé
expresaste
expresó

expresamos
expresasteis
expresaron

Pretérito anterior
hube   expresado
hubiste   "
hubo   "

hubimos   "
hubisteis   "
hubieron   "

Futuro imperfecto
expresaré
expresarás
expresará

expresaremos
expresaréis
expresarán

Futuro perfecto
habré   expresado
habrás   "
habrá   "

habremos   "
habréis   "
habrán   "

INFINITIVO	GERUNDIO	PARTICIPIO
Simple	*Simple*	expresado
expresar	expresando	(o expreso)
Compuesto	*Compuesto*	
haber expresado	habiendo expresado	

CONDICIONAL (o POTENCIAL)

Simple	*Perfecto*	
expresaría	habría	expresado
expresarías	habrías	,,
expresaría	habría	,,
expresaríamos	habríamos	,,
expresaríais	habríais	,,
expresarían	habrían	,,

SUBJUNTIVO

Presente	*Pretérito perfecto*	
exprese	haya	expresado
expreses	hayas	,,
exprese	haya	,,
expresemos	hayamos	,,
expreséis	hayáis	,,
expresen	hayan	,,

Pretérito imperfecto	*Pret. pluscuamperfecto*	
expresara o expresase	hubiera o -iese	expresado
expresaras o expresases	hubieras o -ieses	,,
expresara o expresase	hubiera o -iese	,,
expresáramos o expresásemos	hubiéramos o -iésemos	,,
expresarais o expresaseis	hubierais o -ieseis	,,
expresaran o expresasen	hubieran o -iesen	,,

Futuro imperfecto	*Futuro perfecto*	
expresare	hubiere	expresado
expresares	hubieres	,,
expresare	hubiere	,,
expresáremos	hubiéremos	,,
expresareis	hubiereis	,,
expresaren	hubieren	,,

IMPERATIVO

	expresemos
expresa	expresad
exprese	expresen

INDICATIVO

Presente	*Pretérito perfecto*	
expulso	he	expulsado
expulsas	has	"
expulsa	ha	"
expulsamos	hemos	"
expulsáis	habéis	"
expulsan	han	"

Pretérito imperfecto	*Pret. pluscuamperfecto*	
expulsaba	había	expulsado
expulsabas	habías	"
expulsaba	había	"
expulsábamos	habíamos	"
expulsabais	habíais	"
expulsaban	habían	"

Pretérito indefinido	*Pretérito anterior*	
expulsé	hube	expulsado
expulsaste	hubiste	"
expulsó	hubo	"
expulsamos	hubimos	"
expulsasteis	hubisteis	"
expulsaron	hubieron	"

Futuro imperfecto	*Futuro perfecto*	
expulsaré	habré	expulsado
expulsarás	habrás	"
expulsará	habrá	"
expulsaremos	habremos	"
expulsaréis	habréis	"
expulsarán	habrán	"

INFINITIVO	GERUNDIO	PARTICIPIO
Simple	*Simple*	expulsado
expulsar	expulsando	(o expulso)
Compuesto	*Compuesto*	
haber expulsado	habiendo expulsado	

CONDICIONAL (o POTENCIAL)

Simple	*Perfecto*	
expulsaría	habría	expulsado
expulsarías	habrías	"
expulsaría	habría	"
expulsaríamos	habríamos	"
expulsaríais	habríais	"
expulsarían	habrían	"

SUBJUNTIVO

Presente	*Pretérito perfecto*	
expulse	haya	expulsado
expulses	hayas	"
expulse	haya	"
expulsemos	hayamos	"
expulséis	hayáis	"
expulsen	hayan	"

Pretérito imperfecto	*Pret. pluscuamperfecto*	
expulsara o expulsase	hubiera o -iese	expulsado
expulsaras o expulsases	hubieras o -ieses	"
expulsara o expulsase	hubiera o -iese	"
expulsáramos o expulsásemos	hubiéramos o -iésemos	"
expulsarais o expulsaseis	hubierais o -ieseis	"
expulsaran o expulsasen	hubieran o -iesen	"

Futuro imperfecto	*Futuro perfecto*	
expulsare	hubiere	expulsado
expulsares	hubieres	"
expulsare	hubiere	"
expulsáremos	hubiéremos	"
expulsareis	hubiereis	"
expulsaren	hubieren	"

IMPERATIVO

	expulsemos	
expulsa	expulsad	
expulse	expulsen	

INDICATIVO

Presente
extiendo
extiendes
extiende

extendemos
extendéis
extienden

Pretérito perfecto
he   extendido
has   "
ha   "

hemos   "
habéis "
han   "

Pretérito imperfecto
extendía
extendías
extendía

extendíamos
extendíais
extendían

Pret. pluscuamperfecto
había   extendido
habías   "
había   "

habíamos   "
habíais   "
habían   "

Pretérito indefinido
extendí
extendiste
extendió

extendimos
extendisteis
extendieron

Pretérito anterior
hube   extendido
hubiste   "
hubo   "

hubimos   "
hubisteis   "
hubieron   "

Futuro imperfecto
extenderé
extenderás
extenderá

extenderemos
extenderéis
extenderán

Futuro perfecto
habré   extendido
habrás   "
habrá   "

habremos   "
habréis   "
habrán   "

INFINITIVO	GERUNDIO	PARTICIPIO
Simple	*Simple*	extendido
extender	extendiendo	(o extenso)
Compuesto	*Compuesto*	
haber extendido	habiendo extendido	

CONDICIONAL (o POTENCIAL)

Simple	*Perfecto*	
extendería	habría	extendido
extenderías	habrías	"
extendería	habría	"
extenderíamos	habríamos	"
extenderíais	habríais	"
extenderían	habrían	"

SUBJUNTIVO

Presente	*Pretérito perfecto*	
extienda	haya	extendido
extiendas	hayas	"
extienda	haya	"
extendamos	hayamos	"
extendáis	hayáis	"
extiendan	hayan	"

Pretérito imperfecto	*Pret. pluscuamperfecto*	
extendiera o extendiese	hubiera o -iese	extendido
extendieras o extendieses	hubieras o -ieses	"
extendiera o extendiese	hubiera o -iese	"
extendiéramos o extendiésemos	hubiéramos o -iésemos	"
extendierais o extendieseis	hubierais o -ieseis	"
extendieran o extendiesen	hubieran o -iesen	"

Futuro imperfecto	*Futuro perfecto*	
extendiere	hubiere	extendido
extendieres	hubieres	"
extendiere	hubiere	"
extendiéremos	hubiéremos	"
extendiereis	hubiereis	"
extendieren	hubieren	"

IMPERATIVO

	extendamos
extiende	extended
extienda	extiendan

INDICATIVO

Presente	*Pretérito perfecto*	
extingo	he	extinguido
extingues	has	"
extingue	ha	"
extinguimos	hemos	"
extinguís	habéis	"
extinguen	han	"

Pretérito imperfecto	*Pret. pluscuamperfecto*	
extinguía	había	extinguido
extinguías	habías	"
extinguía	había	"
extinguíamos	habíamos	"
extinguíais	habíais	"
extinguían	habían	"

Pretérito indefinido	*Pretérito anterior*	
extinguí	hube	extinguido
extinguiste	hubiste	"
extinguió	hubo	"
extinguimos	hubimos	"
extinguisteis	hubisteis	"
extinguieron	hubieron	"

Futuro imperfecto	*Futuro perfecto*	
extinguiré	habré	extinguido
extinguirás	habrás	"
extinguirá	habrá	"
extinguiremos	habremos	"
extinguiréis	habréis	"
extinguirán	habrán	"

INFINITIVO	GERUNDIO	PARTICIPIO
Simple	*Simple*	extinguido
extinguir	extinguiendo	(o extinto)
Compuesto	*Compuesto*	
haber extinguido	habiendo extinguido	

CONDICIONAL (o POTENCIAL)

Simple	*Perfecto*	
extinguiría	habría	extinguido
extinguirías	habrías	,,
extinguiría	habría	,,
extinguiríamos	habríamos	,,
extinguiríais	habríais	,,
extinguirían	habrían	,,

SUBJUNTIVO

Presente	*Pretérito perfecto*	
extinga	haya	extinguido
extingas	hayas	,,
extinga	haya	,,
extingamos	hayamos	,,
extingáis	hayáis	,,
extingan	hayan	,,

Pretérito imperfecto	*Pret. pluscuamperfecto*	
extinguiera o extinguiese	hubiera o -iese	extinguido
extinguieras o extinguieses	hubieras o -ieses	,,
extinguiera o extinguiese	hubiera o -iese	,,
extinguiéramos o -iésemos	hubiéramos o -iésemos	,,
extinguierais o extinguieseis	hubierais o -ieseis	,,
extinguieran o extinguiesen	hubieran o -iesen	,,

Futuro imperfecto	*Futuro perfecto*	
extinguiere	hubiere	extinguido
extinguieres	hubieres	,,
extinguiere	hubiere	,,
extinguiéremos	hubiéremos	,,
extinguiereis	hubiereis	,,
extinguieren	hubieren	,,

IMPERATIVO

	extingamos
extingue	extinguid
extinga	extingan

INDICATIVO

Presente
fijo
fijas
fija
fijamos
fijáis
fijan

Pretérito perfecto
he   fijado
has   "
ha   "
hemos   "
habéis   "
han   "

Pretérito imperfecto
fijaba
fijabas
fijaba
fijábamos
fijabais
fijaban

Pret. pluscuamperfecto
había   fijado
habías   "
había   "
habíamos   "
habíais   "
habían   "

Pretérito indefinido
fijé
fijaste
fijó
fijamos
fijasteis
fijaron

Pretérito anterior
hube   fijado
hubiste   "
hubo   "
hubimos   "
hubisteis   "
hubieron   "

Futuro imperfecto
fijaré
fijarás
fijará
fijaremos
fijaréis
fijarán

Futuro perfecto
habré   fijado
habrás   "
habrá   "
habremos   "
habréis   "
habrán   "

INFINITIVO	GERUNDIO	PARTICIPIO
Simple fijar	*Simple* fijando	fijado (o fijo)
Compuesto haber fijado	*Compuesto* habiendo fijado	

CONDICIONAL (o POTENCIAL)

Simple	*Perfecto*	
fijaría	habría	fijado
fijarías	habrías	,,
fijaría	habría	,,
fijaríamos	habríamos	,,
fijaríais	habríais	,,
fijarían	habrían	,,

SUBJUNTIVO

Presente	*Pretérito perfecto*	
fije	haya	fijado
fijes	hayas	,,
fije	haya	,,
fijemos	hayamos	,,
fijéis	hayáis	,,
fijen	hayan	,,

Pretérito imperfecto	*Pret. pluscuamperfecto*	
fijara o fijase	hubiera o -iese	fijado
fijaras o fijases	hubieras o -ieses	,,
fijara o fijase	hubiera o -iese	,,
fijáramos o fijásemos	hubiéramos o -iésemos	,,
fijarais o fijaseis	hubierais o -ieseis	,,
fijaran o fijasen	hubieran o -iesen	,,

Futuro imperfecto	*Futuro perfecto*	
fijare	hubiere	fijado
fijares	hubieres	,,
fijare	hubiere	,,
fijáremos	hubiéremos	,,
fijareis	hubiereis	,,
fijaren	hubieren	,,

IMPERATIVO

	fijemos
fija	fijad
fije	fijen

INDICATIVO

Presente
frío
fríes
fríe

freímos
freís
fríen

Pretérito perfecto
he   freído
has   "
ha   "

hemos   "
habéis   "
han   "

Pretérito imperfecto
freía
freías
freía

freíamos
freíais
freían

Pret. pluscuamperfecto
había   freído
habías   "
había   "

habíamos "
habíais   "
habían   "

Pretérito indefinido
freí
freíste
frió

freímos
freísteis
frieron

Pretérito anterior
hube   freído
hubiste   "
hubo   "

hubimos   "
hubisteis "
hubieron "

Futuro imperfecto
freiré
freirás
freirá

freiremos
freiréis
freirán

Futuro perfecto
habré   freído
habrás   "
habrá   "

habremos "
habréis   "
habrán   "

INFINITIVO	GERUNDIO	PARTICIPIO
Simple	*Simple*	freído
freír	friendo	(o frito)
Compuesto	*Compuesto*	
haber freído	habiendo freído	

CONDICIONAL (o POTENCIAL)

Simple
freiría
freirías
freiría
freiríamos
freiríais
freirían

Perfecto
habría   freído
habrías   ,,
habría   ,,
habríamos   ,,
habríais   ,,
habrían   ,,

SUBJUNTIVO

Presente
fría
frías
fría
friamos
friáis
frían

Pretérito perfecto
haya   freído
hayas   ,,
haya   ,,
hayamos   ,,
hayáis   ,,
hayan   ,,

Pretérito imperfecto
friera o friese
frieras o frieses
friera o friese
friéramos o friésemos
frierais o frieseis
frieran o friesen

Pret. pluscuamperfecto
hubiera o -iese   freído
hubieras o -ieses   ,,
hubiera o -iese   ,,
hubiéramos o -iésemos   ,,
hubierais o -ieseis   ,,
hubieran o -iesen   ,,

Futuro imperfecto
friere
frieres
friere
friéremos
friereis
frieren

Futuro perfecto
hubiere   freído
hubieres   ,,
hubiere   ,,
hubiéremos   ,,
hubiereis   ,,
hubieren   ,,

IMPERATIVO

friamos
fríe   freíd
fría   frían

INDICATIVO

Presente	*Pretérito perfecto*	
gruño	he	gruñido
gruñes	has	"
gruñe	ha	"
gruñimos	hemos	"
gruñís	habéis	"
gruñen	han	"

Pretérito imperfecto	*Pret. pluscuamperfecto*	
gruñía	había	gruñido
gruñías	habías	"
gruñía	había	"
gruñíamos	habíamos	"
gruñíais	habíais	"
gruñían	habían	"

Pretérito indefinido	*Pretérito anterior*	
gruñí	hube	gruñido
gruñiste	hubiste	"
gruñó	hubo	"
gruñimos	hubimos	"
gruñisteis	hubisteis	"
gruñeron	hubieron	"

Futuro imperfecto	*Futuro perfecto*	
gruñiré	habré	gruñido
gruñirás	habrás	"
gruñirá	habrá	"
gruñiremos	habremos	"
gruñiréis	habréis	"
gruñirán	habrán	"

INFINITIVO	GERUNDIO	PARTICIPIO
Simple	*Simple*	gruñido
gruñir	gruñendo	
Compuesto	*Compuesto*	
haber gruñido	habiendo gruñido	

CONDICIONAL (o POTENCIAL)

Simple	*Perfecto*	
gruñiría	habría	gruñido
gruñirías	habrías	"
gruñiría	habría	"
gruñiríamos	habríamos	"
gruñiríais	habríais	"
gruñirían	habrían	"

SUBJUNTIVO

Presente	*Pretérito perfecto*	
gruña	haya	gruñido
gruñas	hayas	"
gruña	haya	"
gruñamos	hayamos	"
gruñáis	hayáis	"
gruñan	hayan	"

Pretérito imperfecto	*Pret. pluscuamperfecto*	
gruñera o gruñese	hubiera o -iese	gruñido
gruñeras o gruñeses	hubieras o -ieses	"
gruñera o gruñese	hubiera o -iese	"
gruñéramos o gruñésemos	hubiéramos o -iésemos	"
gruñerais o gruñeseis	hubierais o -ieseis	"
gruñeran o gruñesen	hubieran o -iesen	"

Futuro imperfecto	*Futuro perfecto*	
gruñere	hubiere	gruñido
gruñeres	hubieres	"
gruñere	hubiere	"
gruñéremos	hubiéremos	"
gruñereis	hubiereis	"
gruñeren	hubieren	"

IMPERATIVO

	gruñamos
gruñe	gruñid
gruña	gruñan

INDICATIVO

Presente	*Pretérito perfecto*	
he	he	habido
has	has	"
ha o hay	ha	"
hemos o habemos	hemos	"
habéis	habéis	"
han	han	"

Pretérito imperfecto	*Pret. pluscuamperfecto*	
había	había	habido
habías	habías	"
había	había	"
habíamos	habíamos	"
habíais	habíais	"
habían	habían	"

Pretérito indefinido	*Pretérito anterior*	
hube	hube	habido
hubiste	hubiste	"
hubo	hubo	"
hubimos	hubimos	"
hubisteis	hubisteis	"
hubieron	hubieron	"

Futuro imperfecto	*Futuro perfecto*	
habré	habré	habido
habrás	habrás	"
habrá	habrá	"
habremos	habremos	"
habréis	habréis	"
habrán	habrán	"

INFINITIVO	GERUNDIO	PARTICIPIO
Simple	*Simple*	habido
haber	habiendo	
Compuesto	*Compuesto*	
haber habido	habiendo habido	

CONDICIONAL (o POTENCIAL)

Simple	*Perfecto*	
habría	habría	habido
habrías	habrías	"
habría	habría	"
habríamos	habríamos	"
habríais	habríais	"
habrían	habrían	"

SUBJUNTIVO

Presente	*Pretérito perfecto*	
haya	haya	habido
hayas	hayas	"
haya	haya	"
hayamos	hayamos	"
hayáis	hayáis	"
hayan	hayan	"

Pretérito imperfecto	*Pret. pluscuamperfecto*	
hubiera o hubiese	hubiera o -iese	habido
hubieras o hubieses	hubieras o -ieses	"
hubiera o hubiese	hubiera o -iese	"
hubiéramos o hubiésemos	hubiéramos o -iésemos	"
hubierais o hubieseis	hubierais o -ieseis	"
hubieran o hubiesen	hubieran o -iesen	"

Futuro imperfecto	*Futuro perfecto*	
hubiere	hubiere	habido
hubieres	hubieres	"
hubiere	hubiere	"
hubiéremos	hubiéremos	"
hubiereis	hubiereis	"
hubieren	hubieren	"

IMPERATIVO

	hayamos
he	habed
haya	hayan

INDICATIVO

Presente
hago
haces
hace

hacemos
hacéis
hacen

Pretérito imperfecto
hacía
hacías
hacía

hacíamos
hacíais
hacían

Pretérito indefinido
hice
hiciste
hizo

hicimos
hicisteis
hicieron

Futuro imperfecto
haré
harás
hará

haremos
haréis
harán

Pretérito perfecto
he   hecho
has   "
ha   "

hemos   "
habéis   "
han   "

Pret. pluscuamperfecto
había   hecho
habías   "
había   "

habíamos   "
habíais   "
habían   "

Pretérito anterior
hube   hecho
hubiste   "
hubo   "

hubimos   "
hubisteis "
hubieron   "

Futuro perfecto
habré   hecho
habrás   "
habrá   "

habremos   "
habréis   "
habrán   "

INFINITIVO	GERUNDIO	PARTICIPIO
Simple	*Simple*	hecho
hacer	haciendo	
Compuesto	*Compuesto*	
haber hecho	habiendo hecho	

CONDICIONAL (O POTENCIAL)

Simple	*Perfecto*	
haría	habría	hecho
harías	habrías	"
haría	habría	"
haríamos	habríamos	"
haríais	habríais	"
harían	habrían	"

SUBJUNTIVO

Presente	*Pretérito perfecto*	
haga	haya	hecho
hagas	hayas	"
haga	haya	"
hagamos	hayamos	"
hagáis	hayáis	"
hagan	hayan	"

Pretérito imperfecto	*Pret. pluscuamperfecto*	
hiciera o hiciese	hubiera o -iese	hecho
hicieras o hicieses	hubieras o -ieses	"
hiciera o hiciese	hubiera o -iese	"
hiciéramos o hiciésemos	hubiéramos o -iésemos	"
hicierais o hicieseis	hubierais o -ieseis	"
hicieran o hiciesen	hubieran o -iesen	"

Futuro imperfecto	*Futuro perfecto*	
hiciere	hubiere	hecho
hicieres	hubieres	"
hiciere	hubiere	"
hiciéremos	hubiéremos	"
hiciereis	hubiereis	"
hicieren	hubieren	"

IMPERATIVO

	hagamos
haz	haced
haga	hagan

INDICATIVO

Presente		*Pretérito perfecto*	
harto		he	hartado
hartas		has	,,
harta		ha	,,
hartamos		hemos	,,
hartáis		habéis	,,
hartan		han	,,

Pretérito imperfecto		*Pret. pluscuamperfecto*	
hartaba		había	hartado
hartabas		habías	,,
hartaba		había	,,
hartábamos		habíamos	,,
hartabais		habíais	,,
hartaban		habían	,,

Pretérito indefinido		*Pretérito anterior*	
harté		hube	hartado
hartaste		hubiste	,,
hartó		hubo	,,
hartamos		hubimos	,,
hartasteis		hubisteis	,,
hartaron		hubieron	,,

Futuro imperfecto		*Futuro perfecto*	
hartaré		habré	hartado
hartarás		habrás	,,
hartará		habrá	,,
hartaremos		habremos	,,
hartaréis		habréis	,,
hartarán		habrán	,,

INFINITIVO	GERUNDIO	PARTICIPIO
Simple	*Simple*	hartado
hartar	hartando	(o harto)
Compuesto	*Compuesto*	
haber hartado	habiendo hartado	

CONDICIONAL (o POTENCIAL)

Simple	*Perfecto*	
hartaría	habría	hartado
hartarías	habrías	"
hartaría	habría	"
hartaríamos	habríamos	"
hartaríais	habríais	"
hartarían	habrían	"

SUBJUNTIVO

Presente	*Pretérito perfecto*	
harte	haya	hartado
hartes	hayas	"
harte	haya	"
hartemos	hayamos	"
hartéis	hayáis	"
harten	hayan	"

Pretérito imperfecto	*Pret. pluscuamperfecto*	
hartara o hartase	hubiera o -iese	hartado
hartaras o hartases	hubieras o -ieses	"
hartara o hartase	hubiera o -iese	"
hartáramos o hartásemos	hubiéramos o -iésemos	"
hartarais o hartaseis	hubierais o -ieseis	"
hartaran o hartasen	hubieran o -iesen	"

Futuro imperfecto	*Futuro perfecto*	
hartare	hubiere	hartado
hartares	hubieres	"
hartare	hubiere	"
hartáremos	hubiéremos	"
hartareis	hubiereis	"
hartaren	hubieren	"

IMPERATIVO

	hartemos
harta	hartad
harte	harten

INDICATIVO

Presente	Pretérito perfecto	
huyo	he	huido
huyes	has	”
huye	ha	”
huímos	hemos	”
huís	habéis	”
huyen	han	”

Pretérito imperfecto	Pret. pluscuamperfecto	
huía	había	huido
huías	habías	”
huía	había	”
huíamos	habíamos	”
huíais	habíais	”
huían	habían	”

Pretérito indefinido	Pretérito anterior	
huí	hube	huido
huíste	hubiste	”
huyó	hubo	”
huímos	hubimos	”
huísteis	hubisteis	”
huyeron	hubieron	”

Futuro imperfecto	Futuro perfecto	
huiré	habré	huido
huirás	habrás	”
huirá	habrá	”
huiremos	habremos	”
huiréis	habréis	”
huirán	habrán	”

INFINITIVO	GERUNDIO	PARTICIPIO
Simple	*Simple*	huido
huir	huyendo	
Compuesto	*Compuesto*	
haber huido	habiendo huido	

CONDICIONAL (o POTENCIAL)

Simple		*Perfecto*	
huiría		habría	huido
huirías		habrías	"
huiría		habría	"
huiríamos		habríamos	"
huiríais		habríais	"
huirían		habrían	"

SUBJUNTIVO

Presente		*Pretérito perfecto*	
huya		haya	huido
huyas		hayas	"
huya		haya	"
huyamos		hayamos	"
huyáis		hayáis	"
huyan		hayan	"

Pretérito imperfecto	*Pret. pluscuamperfecto*	
huyera o huyese	hubiera o -iese	huido
huyeras o huyeses	hubieras o -ieses	"
huyera o huyese	hubiera o -iese	"
huyéramos o huyésemos	hubiéramos o -iésemos	"
huyerais o huyeseis	hubierais o -ieseis	"
huyeran o huyesen	hubieran o -iesen	"

Futuro imperfecto		*Futuro perfecto*	
huyere		hubiere	huido
huyeres		hubieres	"
huyere		hubiere	"
huyéremos		hubiéremos	"
huyereis		hubiereis	"
huyeren		hubieren	"

IMPERATIVO

	huyamos
huye	huid
huya	huyan

INDICATIVO

Presente
imprimo
imprimes
imprime

imprimimos
imprimís
imprimen

Pretérito perfecto
he   impreso
has   "
ha   "

hemos   "
habéis "
han   "

Pretérito imperfecto
imprimía
imprimías
imprimía

imprimíamos
imprimíais
imprimían

Pret. pluscuamperfecto
había   impreso
habías "
había   "

habíamos "
habíais "
habían "

Pretérito indefinido
imprimí
imprimiste
imprimió

imprimimos
imprimisteis
imprimieron

Pretérito anterior
hube   impreso
hubiste "
hubo   "

hubimos "
hubisteis "
hubieron "

Futuro imperfecto
imprimiré
imprimirás
imprimirá

imprimiremos
imprimiréis
imprimirán

Futuro perfecto
habré   impreso
habrás "
habrá   "

habremos "
habréis "
habrán "

INFINITIVO	GERUNDIO	PARTICIPIO
Simple	*Simple*	impreso
imprimir	imprimiendo	
Compuesto	*Compuesto*	
haber impreso	habiendo impreso	

CONDICIONAL (o POTENCIAL)

Simple	*Perfecto*	
imprimiría	habría	impreso
imprimirías	habrías	"
imprimiría	habría	"
imprimiríamos	habríamos	"
imprimiríais	habríais	"
imprimirían	habrían	"

SUBJUNTIVO

Presente	*Pretérito perfecto*	
imprima	haya	impreso
imprimas	hayas	"
imprima	haya	"
imprimamos	hayamos	"
imprimáis	hayáis	"
impriman	hayan	"

Pretérito imperfecto	*Pret. pluscuamperfecto*	
imprimiera o imprimiese	hubiera o -iese	impreso
imprimieras o imprimieses	hubieras o -ieses	"
imprimiera o imprimiese	hubiera o -iese	"
imprimiéramos o imprimiésemos	hubiéramos o -iésemos	"
imprimierais o imprimieseis	hubierais o -ieseis	"
imprimieran o imprimiesen	hubieran o -iesen	"

Futuro imperfecto	*Futuro perfecto*	
imprimiere	hubiere	impreso
imprimieres	hubieres	"
imprimiere	hubiere	"
imprimiéremos	hubiéremos	"
imprimiereis	hubiereis	"
imprimieren	hubieren	"

IMPERATIVO

	imprimamos
imprime	imprimid
imprima	impriman

INDICATIVO

Presente
incurro
incurres
incurre
incurrimos
incurrís
incurren

Pretérito perfecto
he incurrido
has "
ha "
hemos "
habéis "
han "

Pretérito imperfecto
incurría
incurrías
incurría
incurríamos
incurríais
incurrían

Pret. pluscuamperfecto
había incurrido
habías "
había "
habíamos "
habíais "
habían "

Pretérito indefinido
incurrí
incurriste
incurrió
incurrimos
incurristeis
incurrieron

Pretérito anterior
hube incurrido
hubiste "
hubo "
hubimos "
hubisteis "
hubieron "

Futuro imperfecto
incurriré
incurrirás
incurrirá
incurriremos
incurriréis
incurrirán

Futuro perfecto
habré incurrido
habrás "
habrá "
habremos "
habréis "
habrán "

INFINITIVO	GERUNDIO	PARTICIPIO
Simple	*Simple*	incurrido
incurrir	incurriendo	(o incurso)
Compuesto	*Compuesto*	
haber incurrido	habiendo incurrido	

CONDICIONAL (o POTENCIAL)

Simple	*Perfecto*	
incurriría	habría	incurrido
incurrirías	habrías	,,
incurriría	habría	,,
incurriríamos	habríamos	,,
incurriríais	habríais	,,
incurrirían	habrían	,,

SUBJUNTIVO

Presente	*Pretérito perfecto*	
incurra	haya	incurrido
incurras	hayas	,,
incurra	haya	,,
incurramos	hayamos	,,
incurráis	hayáis	,,
incurran	hayan	,,

Pretérito imperfecto	*Pret. pluscuamperfecto*	
incurriera o incurriese	hubiera o -iese	incurrido
incurrieras o incurrieses	hubieras o -ieses	,,
incurriera o incurriese	hubiera o -iese	,,
incurriéramos o incurriésemos	hubiéramos o -iésemos	,,
incurrierais o incurrieseis	hubierais o -ieseis	,,
incurrieran o incurriesen	hubieran o -iesen	,,

Futuro imperfecto	*Futuro perfecto*	
incurriere	hubiere	incurrido
incurrieres	hubieres	,,
incurriere	hubiere	,,
incurriéremos	hubiéremos	,,
incurriereis	hubiereis	,,
incurrieren	hubieren	,,

IMPERATIVO

	incurramos
incurre	incurrid
incurra	incurran

INDICATIVO

Presente	*Pretérito perfecto*	
infundo	he	infundido
infundes	has	"
infunde	ha	"
infundimos	hemos	"
infundís	habéis	"
infunden	han	"

Pretérito imperfecto	*Pret. pluscuamperfecto*	
infundía	había	infundido
infundías	habías	"
infundía	había	"
infundíamos	habíamos	"
infundíais	habíais	"
infundían	habían	"

Pretérito indefinido	*Pretérito anterior*	
infundí	hube	infundido
infundiste	hubiste	"
infundió	hubo	"
infundimos	hubimos	"
infundisteis	hubisteis	"
infundieron	hubieron	"

Futuro imperfecto	*Futuro perfecto*	
infundiré	habré	infundido
infundirás	habrás	"
infundirá	habrá	"
infundiremos	habremos	"
infundiréis	habréis	"
infundirán	habrán	"

INFINITIVO	GERUNDIO	PARTICIPIO
Simple	*Simple*	infundido
infundir	infundiendo	(o infuso)
Compuesto	*Compuesto*	
haber infundido	habiendo infundido	

CONDICIONAL (o POTENCIAL)

Simple	*Perfecto*	
infundiría	habría	infundido
infundirías	habrías	,,
infundiría	habría	,,
infundiríamos	habríamos	,,
infundiríais	habríais	,,
infundirían	habrían	,,

SUBJUNTIVO

Presente	*Pretérito perfecto*	
infunda	haya	infundido
infundas	hayas	,,
infunda	haya	,,
infundamos	hayamos	,,
infundáis	hayáis	,,
infundan	hayan	,,

Pretérito imperfecto	*Pret. pluscuamperfecto*	
infundiera o infundiese	hubiera o -iese	infundido
infundieras o infundieses	hubieras o -ieses	,,
infundiera o infundiese	hubiera o -iese	,,
infundiéramos o infundiésemos	hubiéramos o -iésemos	,,
infundierais o infundieseis	hubierais o -ieseis	,,
infundieran o infundiesen	hubieran o -iesen	,,

Futuro imperfecto	*Futuro perfecto*	
infundiere	hubiere	infundido
infundieres	hubieres	,,
infundiere	hubiere	,,
infundiéremos	hubiéremos	,,
infundiereis	hubiereis	,,
infundieren	hubieren	,,

IMPERATIVO

	infundamos
infunde	infundid
infunda	infundan

INDICATIVO

Presente	*Pretérito perfecto*	
injerto	he	injertado
injertas	has	"
injerta	ha	"
injertamos	hemos	"
injertáis	habéis	"
injertan	han	"

Pretérito imperfecto	*Pret. pluscuamperfecto*	
injertaba	había	injertado
injertabas	habías	"
injertaba	había	"
injertábamos	habíamos	"
injertabais	habíais	"
injertaban	habían	"

Pretérito indefinido	*Pretérito anterior*	
injerté	hube	injertado
injertaste	hubiste	"
injertó	hubo	"
injertamos	hubimos	"
injertasteis	hubisteis	"
injertaron	hubieron	"

Futuro imperfecto	*Futuro perfecto*	
injertaré	habré	injertado
injertarás	habrás	"
injertará	habrá	"
injertaremos	habremos	"
injertaréis	habréis	"
injertarán	habrán	"

INFINITIVO	GERUNDIO	PARTICIPIO
Simple	*Simple*	injertado
injertar	injertando	(o injerto)
Compuesto	*Compuesto*	
haber injertado	habiendo injertado	

CONDICIONAL (o POTENCIAL)

Simple
injertaría
injertarías
injertaría

injertaríamos
injertaríais
injertarían

Perfecto

habría	injertado
habrías	"
habría	"
habríamos	"
habríais	"
habrían	"

SUBJUNTIVO

Presente
injerte
injertes
injerte

injertemos
injertéis
injerten

Pretérito perfecto

haya	injertado
hayas	"
haya	"
hayamos	"
hayáis	"
hayan	"

Pretérito imperfecto
injertara o injertase
injertaras o injertases
injertara o injertase

injertáramos o injertásemos
injertarais o injertaseis
injertaran o injertasen

Pret. pluscuamperfecto

hubiera o -iese	injertado
hubieras o -ieses	"
hubiera o -iese	"
hubiéramos o -iésemos	"
hubierais o -ieseis	"
hubieran o -iesen	"

Futuro imperfecto
injertare
injertares
injertare

injertáremos
injertareis
injertaren

Futuro perfecto

hubiere	injertado
hubieres	"
hubiere	"
hubiéremos	"
hubiereis	"
hubieren	"

IMPERATIVO

injertemos
injerta injertad
injerte injerten

INDICATIVO

Presente	*Pretérito perfecto*	
inmiscuyo	he	inmiscuido
inmiscuyes	has	"
inmiscuye	ha	"
inmiscuímos	hemos	"
inmiscuís	habéis	"
inmiscuyen	han	"

Pretérito imperfecto	*Pret. pluscuamperfecto*	
inmiscuía	había	inmiscuido
inmiscuías	habías	"
inmiscuía	había	"
inmiscuíamos	habíamos	"
inmiscuíais	habíais	"
inmiscuían	habían	"

Pretérito indefinido	*Pretérito anterior*	
inmiscuí	hube	inmiscuido
inmiscuiste	hubiste	"
inmiscuyó	hubo	"
inmiscuímos	hubimos	"
inmiscuisteis	hubisteis	"
inmiscuyeron	hubieron	"

Futuro imperfecto	*Futuro perfecto*	
inmiscuiré	habré	inmiscuido
inmiscuirás	habrás	"
inmiscuirá	habrá	"
inmiscuiremos	habremos	"
inmiscuiréis	habréis	"
inmiscuirán	habrán	"

INFINITIVO	GERUNDIO	PARTICIPIO
Simple	*Simple*	inmiscuido
inmiscuir	inmiscuyendo	
Compuesto	*Compuesto*	
haber inmiscuido	habiendo inmiscuido	

CONDICIONAL (o POTENCIAL)

Simple	*Perfecto*	
inmiscuiría	habría	inmiscuido
inmiscuirías	habrías	”
inmiscuiría	habrías	”
inmiscuiríamos	habríamos	”
inmiscuiríais	habríais	”
inmiscuirían	habrían	”

SUBJUNTIVO

Presente	*Pretérito perfecto*	
inmiscuya	haya	inmiscuido
inmiscuyas	hayas	”
inmiscuya	haya	
inmiscuyamos	hayamos	”
inmiscuyáis	hayáis	”
inmiscuyan	hayan	

Pretérito imperfecto	*Pret. pluscuamperfecto*	
inmiscuyera o inmiscuyese	hubiera o -iese	inmiscuido
inmiscuyeras o inmiscuyeses	hubieras o -ieses	”
inmiscuyera o inmiscuyese	hubiera o -iese	”
inmiscuyéramos o -yésemos	hubiéramos o -iésemos	”
inmiscuyerais o inmiscuyeseis	hubierais o -ieseis	”
inmiscuyeran o inmiscuyesen	hubieran o -iesen	”

Futuro imperfecto	*Futuro perfecto*	
inmiscuyere	hubiere	inmiscuido
inmiscuyeres	hubieres	”
inmiscuyere	hubiere	”
inmiscuyéremos	hubiéremos	”
inmiscuyereis	hubiereis	”
inmiscuyeren	hubieren	”

IMPERATIVO

	inmiscuyamos
inmiscuye	inmiscuid
inmiscuya	inmiscuyan

INDICATIVO

Presente
inscribo
inscribes
inscribe

inscribimos
inscribís
inscriben

Pretérito imperfecto
inscribía
inscribías
inscribía

inscribíamos
inscribíais
inscribían

Pretérito indefinido
inscribí
inscribiste
inscribió

inscribimos
inscribisteis
inscribieron

Futuro imperfecto
inscribiré
inscribirás
inscribirá

inscribiremos
inscribiréis
inscribirán

Pretérito perfecto
he   inscrito
has   ”
ha   ”

hemos   ”
habéis ”
han   ”

Pret. pluscuamperfecto
había   inscrito
habías   ”
había   ”

habíamos ”
habíais   ”
habían   ”

Pretérito anterior
hube   inscrito
hubiste   ”
hubo   ”

hubimos   ”
hubisteis ”
hubieron ”

Futuro perfecto
habré   inscrito
habrás   ”
habrá   ”

habremos ”
habréis   ”
habrán   ”

INFINITIVO	GERUNDIO	PARTICIPIO
Simple	*Simple*	inscrito
inscribir	inscribiendo	(o inscripto)
Compuesto	*Compuesto*	
haber inscrito	habiendo inscrito	

CONDICIONAL (o POTENCIAL)

Simple	*Perfecto*	
inscribiría	habría	inscrito
inscribirías	habrías	,,
inscribiría	habría	,,
inscribiríamos	habríamos	,,
inscribiríais	habríais	,,
inscribirían	habrían	,,

SUBJUNTIVO

Presente	*Pretérito perfecto*	
inscriba	haya	inscrito
inscribas	hayas	,,
inscriba	haya	,,
inscribamos	hayamos	,,
inscribáis	hayáis	,,
inscriban	hayan	,,

Pretérito imperfecto	*Pret. pluscuamperfecto*	
inscribiera o inscribiese	hubiera o -iese	inscrito
inscribieras o inscribieses	hubieras o -ieses	,,
inscribiera o inscribiese	hubiera o -iese	,,
inscribiéramos o inscribiésemos	hubiéramos o -iésemos	,,
inscribierais o inscribieseis	hubierais o -ieseis	,,
inscribieran o inscribiesen	hubieran o -iesen	,,

Futuro imperfecto	*Futuro perfecto*	
inscribiere	hubiere	inscrito
inscribieres	hubieres	,,
inscribiere	hubiere	,,
inscribiéremos	hubiéremos	,,
inscribiereis	hubiereis	,,
inscribieren	hubieren	,,

IMPERATIVO

	inscribamos
inscribe	inscribid
inscriba	inscriban

INDICATIVO

Presente	*Pretérito perfecto*	
insiero	he	inserido
insieres	has	”
insiere	ha	”
inserimos	hemos	”
inserís	habéis	”
insieren	han	”

Pretérito imperfecto	*Pret. pluscuamperfecto*	
insería	había	inserido
inserías	habías	”
insería	había	”
inseríamos	habíamos	”
inseríais	habíais	”
inserían	habían	”

Pretérito indefinido	*Pretérito anterior*	
inserí	hube	inserido
inseriste	hubiste	”
insirió	hubo	”
inserimos	hubimos	”
inseristeis	hubisteis	”
insirieron	hubieron	”

Futuro imperfecto	*Futuro perfecto*	
inseriré	habré	inserido
inserirás	habrás	”
inserirá	habrá	”
inseriremos	habremos	”
inseriréis	habréis	”
inserirán	habrán	”

INFINITIVO	GERUNDIO	PARTICIPIO
Simple	*Simple*	inserido
inserir	insiriendo	(o inserto)
Compuesto	*Compuesto*	
haber inserido	habiendo inserido	

CONDICIONAL (o POTENCIAL)

Simple	*Perfecto*	
inseriría	habría	inserido
inserirías	habrías	,,
inseriría	habría	,,
inseriríamos	habríamos	,,
inseriríais	habríais	,,
inserirían	habrían	,,

SUBJUNTIVO

Presente	*Pretérito perfecto*	
insiera	haya	inserido
insieras	hayas	,,
insiera	haya	,,
insiramos	hayamos	,,
insiráis	hayáis	,,
insieran	hayan	,,

Pretérito imperfecto	*Pret. pluscuamperfecto*	
insiriera o insiriese	hubiera o -iese	inserido
insirieras o insirieses	hubieras o -ieses	,,
insiriera o insiriese	hubiera o -iese	,,
insiriéramos o insiriésemos	hubiéramos o -iésemos	,,
insirierais o insirieseis	hubierais o -ieseis	,,
insirieran o insiriesen	hubieran o -iesen	,,

Futuro imperfecto	*Futuro perfecto*	
insiriere	hubiere	inserido
insirieres	hubieres	,,
insiriere	hubiere	,,
insiriéremos	hubiéremos	,,
insiriereis	hubiereis	,,
insirieren	hubieren	,,

IMPERATIVO

	insiramos
insiere	inserid
insiera	insieran

INDICATIVO

Presente		*Pretérito perfecto*	
inserto		he	insertado
insertas		has	"
inserta		ha	"
insertamos		hemos	"
insertáis		habéis	"
insertan		han	"

Pretérito imperfecto		*Pret. pluscuamperfecto*	
insertaba		había	insertado
insertabas		habías	"
insertaba		había	"
insertábamos		habíamos	"
insertabais		habíais	"
insertaban		habían	"

Pretérito indefinido		*Pretérito anterior*	
inserté		hube	insertado
insertaste		hubiste	"
insertó		hubo	"
insertamos		hubimos	"
insertasteis		hubisteis	"
insertaron		hubieron	"

Futuro imperfecto		*Futuro perfecto*	
insertaré		habré	insertado
insertarás		habrás	"
insertará		habrá	"
insertaremos		habremos	"
insertaréis		habréis	"
insertarán		habrán	"

INFINITIVO	GERUNDIO	PARTICIPIO
Simple	*Simple*	insertado
insertar	insertando	(o inserto)
Compuesto	*Compuesto*	
haber insertado	habiendo insertado	

CONDICIONAL (o POTENCIAL)

Simple	*Perfecto*	
insertaría	habría	insertado
insertarías	habrías	,,
insertaría	habría	
insertaríamos	habríamos	,,
insertaríais	habríais	,,
insertarían	habrían	

SUBJUNTIVO

Presente	*Pretérito perfecto*	
inserte	haya	insertado
insertes	hayas	,,
inserte	haya	,,
insertemos	hayamos	,,
insertéis	hayáis	,,
inserten	hayan	,,

Pretérito imperfecto	*Pret. pluscuamperfecto*	
insertara o insertase	hubiera o -iese	insertado
insertaras o insertases	hubieras o -ieses	,,
insertara o insertase	hubiera o -iese	,,
insertáramos i insertásemos	hubiéramos o -iésemos	,,
insertarais o insertaseis	hubierais o -ieseis	,,
insertaran o insertasen	hubieran o -iesen	,,

Futuro imperfecto	*Futuro perfecto*	
insertare	hubiere	insertado
insertares	hubieres	,,
insertare	hubiere	,,
insertáremos	hubiéremos	,,
insertareis	hubiereis	,,
insertaren	hubieren	,,

IMPERATIVO

	insertemos
inserta	insertad
inserte	inserten

INDICATIVO

Presente	*Pretérito perfecto*	
invierto	he	invertido
inviertes	has	”
invierte	ha	”
invertimos	hemos	”
invertís	habéis	”
invierten	han	”

Pretérito imperfecto	*Pret. pluscuamperfecto*	
invertía	había	invertido
invertías	habías	”
invertía	había	”
invertíamos	habíamos	”
invertíais	habíais	”
invertían	habían	”

Pretérito indefinido	*Pretérito anterior*	
invertí	hube	invertido
invertiste	hubiste	”
invirtió	hubo	”
invertimos	hubimos	”
invertisteis	hubisteis	”
invirtieron	hubieron	”

Futuro imperfecto	*Futuro perfecto*	
invertiré	habré	invertido
invertirás	habrás	”
invertirá	habrá	”
invertiremos	habremos	”
invertiréis	habréis	”
invertirán	habrán	”

INFINITIVO	GERUNDIO	PARTICIPIO
Simple	*Simple*	invertido
invertir	invirtiendo	(o inverso)
Compuesto	*Compuesto*	
haber invertido	habiendo invertido	

CONDICIONAL (o POTENCIAL)

Simple	*Perfecto*	
invertiría	habría	invertido
invertirías	habrías	"
invertiría	habría	"
invertiríamos	habríamos	"
invertiríais	habríais	"
invertirían	habrían	"

SUBJUNTIVO

Presente	*Pretérito perfecto*	
invierta	haya	invertido
inviertas	hayas	"
invierta	haya	"
invirtamos	hayamos	"
invirtáis	hayáis	"
inviertan	hayan	"

Pretérito imperfecto	*Pret. pluscuamperfecto*	
invirtiera o invirtiese	hubiera o -iese	invertido
invirtieras o invirtieses	hubieras o -ieses	"
invirtiera o invirtiese	hubiera o -iese	"
invirtiéramos o invirtiésemos	hubiéramos o -iésemos	"
invirtierais o invirtieseis	hubierais o -ieseis	"
invirtieran o invirtiesen	hubieran o -iesen	"

Futuro imperfecto	*Futuro perfecto*	
invirtiere	hubiere	invertido
invirtieres	hubieres	"
invirtiere	hubiere	"
invirtiéremos	hubiéremos	"
invirtiereis	hubiereis	"
invirtieren	hubieren	"

IMPERATIVO

	invirtamos
invierte	invertid
invierta	inviertan

INDICATIVO

Presente	*Pretérito perfecto*	
voy	he	ido
vas	has	"
va	ha	"
vamos	hemos	"
vais	habéis	"
van	han	"

Pretérito imperfecto	*Pret. pluscuamperfecto*	
iba	había	ido
ibas	habías	"
iba	había	"
íbamos	habíamos	"
ibais	habíais	"
iban	habían	"

Pretérito indefinido	*Pretérito anterior*	
fui	hube	ido
fuiste	hubiste	"
fue	hubo	"
fuimos	hubimos	"
fuisteis	hubisteis	"
fueron	hubieron	"

Futuro imperfecto	*Futuro perfecto*	
iré	habré	ido
irás	habrás	"
irá	habrá	"
iremos	habremos	"
iréis	habréis	"
irán	habrán	"

INFINITIVO	GERUNDIO	PARTICIPIO
Simple	*Simple*	ido
ir	yendo	
Compuesto	*Compuesto*	
haber ido	habiendo ido	

CONDICIONAL (o POTENCIAL)

Simple
iría
irías
iría
iríamos
iríais
irían

Perfecto
habría   ido
habrías   "
habría   "
habríamos   "
habríais   "
habrían   "

SUBJUNTIVO

Presente
vaya
vayas
vaya
vayamos
vayáis
vayan

Pretérito perfecto
haya   ido
hayas   "
haya   "
hayamos   "
hayáis   "
hayan   "

Pretérito imperfecto
fuera o fuese
fueras o fueses
fuera o fuese
fuéramos o fuésemos
fuerais o fueseis
fueran o fuesen

Pret. pluscuamperfecto
hubiera o -iese   ido
hubieras o -ieses   "
hubiera o -iese   "
hubiéramos o -iésemos "
hubierais o -ieseis   "
hubieran o -iesen   "

Futuro imperfecto
fuere
fueres
fuere
fuéremos
fuereis
fueren

Futuro perfecto
hubiere   ido
hubieres   "
hubiere   "
hubiéremos   "
hubiereis   "
hubieren   "

IMPERATIVO

       vayamos
ve   id
vaya   vayan

INDICATIVO

Presente
juego
juegas
juega
jugamos
jugáis
juegan

Pretérito perfecto

he	jugado
has	"
ha	"
hemos	"
habéis	"
han	"

Pretérito imperfecto
jugaba
jugabas
jugaba
jugábamos
jugabais
jugaban

Pret. pluscuamperfecto

había	jugado
habías	"
había	"
habíamos	"
habíais	"
habían	"

Pretérito indefinido
jugué
jugaste
jugó
jugamos
jugasteis
jugaron

Pretérito anterior

hube	jugado
hubiste	"
hubo	"
hubimos	"
hubisteis	"
hubieron	"

Futuro imperfecto
jugaré
jugarás
jugará
jugaremos
jugaréis
jugarán

Futuro perfecto

habré	jugado
habrás	"
habrá	"
habremos	"
habréis	"
habrán	"

INFINITIVO	GERUNDIO	PARTICIPIO
Simple	*Simple*	jugado
jugar	jugando	
Compuesto	*Compuesto*	
haber jugado	habiendo jugado	

CONDICIONAL (o POTENCIAL)

Simple
jugaría
jugarías
jugaría
jugaríamos
jugaríais
jugarían

Perfecto
habría   jugado
habrías   ,,
habría   ,,
habríamos   ,,
habríais   ,,
habrían   ,,

SUBJUNTIVO

Presente
juegue
juegues
juegue
juguemos
juguéis
jueguen

Pretérito perfecto
haya   jugado
hayas   ,,
haya   ,,
hayamos   ,,
hayáis   ,,
hayan   ,,

Pretérito imperfecto
jugara o jugase
jugaras o jugases
jugara o jugase
jugáramos o jugásemos
jugarais o jugaseis
jugaran o jugasen

Pret. pluscuamperfecto
hubiera o -iese   jugado
hubieras o -ieses   ,,
hubiera o -iese   ,,
hubiéramos o -iésemos   ,,
hubierais o -ieseis   ,,
hubieran o -iesen   ,,

Futuro imperfecto
jugare
jugares
jugare
jugáremos
jugareis
jugaren

Futuro perfecto
hubiere   jugado
hubieres   ,,
hubiere   ,,
hubiéremos   ,,
hubiereis   ,,
hubieren   ,,

IMPERATIVO

juguemos

juega   jugad
juegue   jueguen

INDICATIVO

Presente		*Pretérito perfecto*	
junto		he	juntado
juntas		has	”
junta		ha	”
juntamos		hemos	”
juntáis		habéis	”
juntan		han	”

Pretérito imperfecto		*Pret. pluscuamperfecto*	
juntaba		había	juntado
juntabas		habías	”
juntaba		había	”
juntábamos		habíamos	”
juntabais		habíais	”
juntaban		habían	”

Pretérito indefinido		*Pretérito anterior*	
junté		hube	juntado
juntaste		hubiste	”
juntó		hubo	”
juntamos		hubimos	”
juntasteis		hubisteis	”
juntaron		hubieron	”

Futuro imperfecto		*Futuro perfecto*	
juntaré		habré	juntado
juntarás		habrás	”
juntará		habrá	”
juntaremos		habremos	”
juntaréis		habréis	”
juntarán		habrán	’

INFINITIVO	GERUNDIO	PARTICIPIO
Simple	*Simple*	juntado
juntar	juntando	(o junto)
Compuesto	*Compuesto*	
haber juntado	habiendo juntado	

CONDICIONAL (o POTENCIAL)

Simple	*Perfecto*	
juntaría	habría	juntado
juntarías	habrías	"
juntaría	habría	"
juntaríamos	habríamos	"
juntaríais	habríais	"
juntarían	habrían	"

SUBJUNTIVO

Presente	*Pretérito perfecto*	
junte	haya	juntado
juntes	hayas	"
junte	haya	"
juntemos	hayamos	"
juntéis	hayáis	"
junten	hayan	"

Pretérito imperfecto	*Pret. pluscuamperfecto*	
juntara o juntase	hubiera o -iese	juntado
juntaras o juntases	hubieras o -ieses	"
juntara o juntase	hubiera o -iese	"
juntáramos o juntásemos	hubiéramos o -iésemos	"
juntarais o juntaseis	hubierais o -ieseis	"
juntaran o juntasen	hubieran o -iesen	"

Futuro imperfecto	*Futuro perfecto*	
juntare	hubiere	juntado
juntares	hubieres	"
juntare	hubiere	"
juntáremos	hubiéremos	"
juntareis	hubiereis	"
juntaren	hubieren	"

IMPERATIVO

	juntemos
junta	juntad
junte	junten

INDICATIVO

Presente	*Pretérito perfecto*	
leo	he	leído
lees	has	"
lee	ha	"
leemos	hemos	"
leéis	habéis	"
leen	han	"

Pretérito imperfecto	*Pret. pluscuamperfecto*	
leía	había	leído
leías	habías	"
leía	había	"
leíamos	habíamos	"
leíais	habíais	"
leían	habían	"

Pretérito indefinido	*Pretérito anterior*	
leí	hube	leído
leíste	hubiste	"
leyó	hubo	"
leímos	hubimos	"
leísteis	hubisteis	"
leyeron	hubieron	"

Futuro imperfecto	*Futuro perfecto*	
leeré	habré	leído
leerás	habrás	"
leerá	habrá	"
leeremos	habremos	"
leeréis	habréis	"
leerán	habrán	"

INFINITIVO	GERUNDIO	PARTICIPIO
Simple	*Simple*	leído
leer	leyendo	
Compuesto	*Compuesto*	
haber leído	habiendo leído	

CONDICIONAL (o POTENCIAL)

Simple	*Perfecto*	
leería	habría	leído
leerías	habrías	"
leería	habría	"
leeríamos	habríamos	"
leeríais	habríais	"
leerían	habrían	"

SUBJUNTIVO

Presente	*Pretérito perfecto*	
lea	haya	leído
leas	hayas	"
lea	haya	"
leamos	hayamos	"
leáis	hayáis	"
lean	hayan	"

Pretérito imperfecto	*Pret. pluscuamperfecto*	
leyera o leyese	hubiera o -iese	leído
leyeras o leyeses	hubieras o -ieses	"
leyera o leyese	hubiera o -iese	"
leyéramos o leyésemos	hubiéramos o -iésemos	"
leyerais o leyeseis	hubierais o -ieseis	"
leyeran o leyesen	hubieran o -iesen	"

Futuro imperfecto	*Futuro perfecto*	
leyere	hubiere	leído
leyeres	hubieres	"
leyere	hubiere	"
leyéremos	hubiéremos	"
leyereis	hubiereis	"
leyeren	hubieren	"

IMPERATIVO

	leamos
lee	leed
lea	lean

INDICATIVO

Presente		*Pretérito perfecto*	
manifiesto		he	manifestado
manifiestas		has	"
manifiesta		ha	"
manifestamos		hemos	"
manifestáis		habéis	"
manifiestan		han	"

Pretérito imperfecto		*Pret. pluscuamperfecto*	
manifestaba		había	manifestado
manifestabas		habías	"
manifestaba		había	"
manifestábamos		habíamos	"
manifestabais		habíais	"
manifestaban		habían	"

Pretérito indefinido		*Pretérito anterior*	
manifesté		hube	manifestado
manifestaste		hubiste	"
manifestó		hubo	"
manifestamos		hubimos	"
manifestasteis		hubisteis	"
manifestaron		hubieron	"

Futuro imperfecto		*Futuro perfecto*	
manifestaré		habré	manifestado
manifestarás		habrás	"
manifestará		habrá	"
manifestaremos		habremos	"
manifestaréis		habréis	"
manifestarán		habrán	"

INFINITIVO	GERUNDIO	PARTICIPIO
Simple	*Simple*	manifestado
manifestar	manifestando	(o manifiesto)
Compuesto	*Compuesto*	
haber manifestado	habiendo manifestado	

CONDICIONAL (o POTENCIAL)

Simple	*Perfecto*	
manifestaría	habría	manifestado
manifestarías	habrías	"
manifestaría	habría	"
manifestaríamos	habríamos	"
manifestaríais	habríais	"
manifestarían	habrían	"

SUBJUNTIVO

Presente	*Pretérito perfecto*	
manifieste	haya	manifestado
manifiestes	hayas	"
manifieste	haya	"
manifestemos	hayamos	"
manifestéis	hayáis	"
manifiesten	hayan	"

Pretérito imperfecto	*Pret. pluscuamperfecto*	
manifestara o manifestase	hubiera o -iese	manifestado
manifestaras o manifestases	hubieras o -ieses	"
manifestara o manifestase	hubiera o -iese	"
manifestáramos o -ásemos	hubiéramos o -iésemos	"
manifestarais o manifestaseis	hubierais o -ieseis	"
manifestaran o manifestasen	hubieran o -iesen	"

Futuro imperfecto	*Futuro perfecto*	
manifestare	hubiere	manifestado
manifestares	hubieres	"
manifestare	hubiere	"
manifestáremos	hubiéremos	"
manifestareis	hubiereis	"
manifestaren	hubieren	"

IMPERATIVO

	manifestemos
manifiesta	manifestad
manifieste	manifiesten

INDICATIVO

Presente	*Pretérito perfecto*	
manumito	he	manumitido
manumites	has	"
manumite	ha	"
manumitimos	hemos	"
manumitís	habéis	"
manumiten	han	"

Pretérito imperfecto	*Pret. pluscuamperfecto*	
manumitía	había	manumitido
manumitías	habías	"
manumitía	había	"
manumitíamos	habíamos	"
manumitíais	habíais	"
manumitían	habían	"

Pretérito indefinido	*Pretérito anterior*	
manumití	hube	manumitido
manumitiste	hubiste	"
manumitió	hubo	"
manumitimos	hubimos	"
manumitisteis	hubisteis	"
manumitieron	hubieron	"

Futuro imperfecto	*Futuro perfecto*	
manumitiré	habré	manumitido
manumitirás	habrás	"
manumitirá	habrá	"
manumitiremos	habremos	"
manumitiréis	habréis	"
manumitirán	habrán	"

INFINITIVO	GERUNDIO	PARTICIPIO
Simple	*Simple*	manumitido
manumitir	manumitiendo	(o manumiso)
Compuesto	*Compuesto*	
haber manumitido	habiendo manumitido	

CONDICIONAL (o POTENCIAL)

Simple	*Perfecto*	
manumitiría	habría	manumitido
manumitirías	habrías	"
manumitiría	habría	"
manumitiríamos	habríamos	"
manumitiríais	habríais	"
manumitirían	habrían	"

SUBJUNTIVO

Presente	*Pretérito perfecto*	
manumita	haya	manumitido
manumitas	hayas	"
manumita	haya	"
manumitamos	hayamos	"
manumitáis	hayáis	"
manumitan	hayan	

Pretérito imperfecto	*Pret. pluscuamperfecto*	
manumitiera o manumitiese	hubiera o -iese	manumitido
manumitieras o manumitieses	hubieras o -ieses	"
manumitiera o manumitiese	hubiera o -iese	"
manumitiéramos o -iésemos	hubiéramos o -iésemos	"
manumitierais o manumitieseis	hubierais o -ieseis	"
manumitieran o manumitiesen	hubieran o -iesen	"

Futuro imperfecto	*Futuro perfecto*	
manumitiere	hubiere	manumitido
manumitieres	hubieres	"
manumitiere	hubiere	"
manumitiéremos	hubiéremos	"
manumitiereis	hubiereis	"
manumitieren	hubieren	"

IMPERATIVO

		manumitamos
	manumite	manumitid
	manumita	manumitan

INDICATIVO

Presente
muero
mueres
muere

morimos
morís
mueren

Pretérito perfecto
he   muerto
has   "
ha   "

hemos   "
habéis   "
han   "

Pretérito imperfecto
moría
morías
moría

moríamos
moríais
morían

Pret. pluscuamperfecto
había   muerto
habías   "
había   "

habíamos   "
habíais   "
habían   "

Pretérito indefinido
morí
moriste
murió

morimos
moristeis
murieron

Pretérito anterior
hube   muerto
hubiste   "
hubo   "

hubimos   "
hubisteis   "
hubieron   "

Futuro imperfecto
moriré
morirás
morirá

moriremos
moriréis
morirán

Futuro perfecto
habré   muerto
habrás   "
habrá   "

habremos   "
habréis   "
habrán   "

INFINITIVO	GERUNDIO	PARTICIPIO
Simple	*Simple*	muerto
morir	muriendo	
Compuesto	*Compuesto*	
haber muerto	habiendo muerto	

CONDICIONAL (o POTENCIAL)

Simple	*Perfecto*	
moriría	habría	muerto
morirías	habrías	"
moriría	habría	"
moriríamos	habríamos	"
moriríais	habríais	"
morirían	habrían	"

SUBJUNTIVO

Presente	*Pretérito perfecto*	
muera	haya	muerto
mueras	hayas	"
muera	haya	"
muramos	hayamos	"
muráis	hayáis	"
mueran	hayan	"

Pretérito imperfecto	*Pret. pluscuamperfecto*	
muriera o muriese	hubiera o -iese	muerto
murieras o murieses	hubieras o -ieses	"
muriera o muriese	hubiera o -iese	"
muriéramos o muriésemos	hubiéramos o -iésemos	"
murierais o murieseis	hubierais o -ieseis	"
murieran o muriesen	hubieran o -iesen	"

Futuro imperfecto	*Futuro perfecto*	
muriere	hubiere	muerto
murieres	hubieres	"
muriere	hubiere	"
muriéremos	hubiéremos	"
muriereis	hubiereis	"
murieren	hubieren	"

IMPERATIVO

	muramos
muere	morid
muera	mueran

INDICATIVO

Presente	*Pretérito perfecto*	
muevo	he	movido
mueves	has	,,
mueve	ha	,,
movemos	hemos	,,
movéis	habéis	,,
mueven	han	,,

Pretérito imperfecto	*Pret. pluscuamperfecto*	
movía	había	movido
movías	habías	,,
movía	había	,,
movíamos	habíamos	,,
movíais	habíais	,,
movían	habían	,,

Pretérito indefinido	*Pretérito anterior*	
moví	hube	movido
moviste	hubiste	,,
movió	hubo	,,
movimos	hubimos	,,
movisteis	hubisteis	,,
movieron	hubieron	,,

Futuro imperfecto	*Futuro perfecto*	
moveré	habré	movido
moverás	habrás	,,
moverá	habrá	,,
moveremos	habremos	,,
moveréis	habréis	,,
moverán	habrán	,,

INFINITIVO	GERUNDIO	PARTICIPIO
Simple	*Simple*	movido
mover	moviendo	
Compuesto	*Compuesto*	
haber movido	habiendo movido	

CONDICIONAL (o POTENCIAL)

Simple	*Perfecto*	
movería	habría	movido
moverías	habrías	"
movería	habría	"
moveríamos	habríamos	"
moveríais	habríais	"
moverían	habrían	"

SUBJUNTIVO

Presente	*Pretérito perfecto*	
mueva	haya	movido
muevas	hayas	"
mueva	haya	"
movamos	hayamos	"
mováis	hayáis	"
muevan	hayan	"

Pretérito imperfecto	*Pret. pluscuamperfecto*	
moviera o moviese	hubiera o -iese	movido
movieras o movieses	hubieras o -ieses	"
moviera o moviese	hubiera o -iese	"
moviéramos o moviésemos	hubiéramos o -iésemos	"
movierais o movieseis	hubierais o -ieseis	"
movieran o moviesen	hubieran o -iesen	"

Futuro imperfecto	*Futuro perfecto*	
moviere	hubiere	movido
movieres	hubieres	"
moviere	hubiere	"
moviéremos	hubiéremos	"
moviereis	hubiereis	"
movieren	hubieren	"

IMPERATIVO

	movamos
mueve	moved
mueva	muevan

INDICATIVO

Presente
mullo
mulles
mulle

mullimos
mullís
mullen

Pretérito perfecto
he mullido
has   ,,
ha   ,,

hemos   ,,
habéis   ,,
han   ,,

Pretérito imperfecto
mullía
mullías
mullía

mullíamos
mullíais
mullían

Pret. pluscuamperfecto
había mullido
habías   ,,
había   ,,

habíamos   ,,
habíais   ,,
habían   ,,

Pretérito indefinido
mullí
mulliste
mulló

mullimos
mullisteis
mulleron

Pretérito anterior
hube mullido
hubiste   ,,
hubo   ,,

hubimos   ,,
hubisteis   ,,
hubieron   ,,

Futuro imperfecto
mulliré
mullirás
mullirá

mulliremos
mulliréis
mullirán

Futuro perfecto
habré mullido
habrás   ,,
habrá   ,,

habremos   ,,
habréis   ,,
habrán   ,,

INFINITIVO	GERUNDIO	PARTICIPIO
Simple	*Simple*	mullido
mullir	mullendo	
Compuesto	*Compuesto*	
haber mullido	habiendo mullido	

CONDICIONAL (o POTENCIAL)

Simple
mulliría
mullirías
mulliría

mulliríamos
mulliríais
mullirían

Perfecto
habría   mullido
habrías   ”
habría   ”

habríamos   ”
habríais   ”
habrían   ”

SUBJUNTIVO

Presente
mulla
mullas
mulla

mullamos
mulláis
mullan

Pretérito perfecto
haya   mullido
hayas   ”
haya   ”

hayamos   ”
hayáis   ”
hayan   ”

Pretérito imperfecto
mullera o mullese
mulleras o mulleses
mullera o mullese

mulléramos o mullésemos
mullerais o mulleseis
mulleran o mullesen

Pret. pluscuamperfecto
hubiera o -iese   mullido
hubieras o -ieses   ”
hubiera o -iese   ”

hubiéramos o -iésemos ”
hubierais o -ieseis   ”
hubieran o -iesen   ”

Futuro imperfecto
mullere
mulleres
mullere

mulléremos
mullereis
mulleren

Futuro perfecto
hubiere   mullido
hubieres   ”
hubiere   ”

hubiéremos   ”
hubiereis   ”
hubieren   ”

IMPERATIVO

mullamos
mulle   mullid
mulla   mullan

INDICATIVO

Presente	*Pretérito perfecto*	
nazco	he	nacido
naces	has	"
nace	ha	"
nacemos	hemos	"
nacéis	habéis	"
nacen	han	"

Pretérito imperfecto	*Pret. pluscuamperfecto*	
nacía	había	nacido
nacías	habías	"
nacía	había	"
nacíamos	habíamos	"
nacíais	habíais	"
nacían	habían	"

Pretérito indefinido	*Pretérito anterior*	
nací	hube	nacido
naciste	hubiste	"
nació	hubo	"
nacimos	hubimos	"
nacisteis	hubisteis	"
nacieron	hubieron	"

Futuro imperfecto	*Futuro perfecto*	
naceré	habré	nacido
nacerás	habrás	"
nacerá	habrá	"
naceremos	habremos	"
naceréis	habréis	"
nacerán	habrán	"

INFINITIVO	GERUNDIO	PARTICIPIO
Simple	*Simple*	nacido
nacer	naciendo	(o nato)
Compuesto	*Compuesto*	
haber nacido	habiendo nacido	

CONDICIONAL (o POTENCIAL)

Simple	*Perfecto*	
nacería	habría	nacido
nacerías	habrías	”
nacería	habría	”
naceríamos	habríamos	”
naceríais	habríais	”
nacerían	habrían	”

SUBJUNTIVO

Presente	*Pretérito perfecto*	
nazca	haya	nacido
nazcas	hayas	”
nazca	haya	”
nazcamos	hayamos	”
nazcáis	hayáis	”
nazcan	hayan	”

Pretérito imperfecto	*Pret. pluscuamperfecto*	
naciera o naciese	hubiera o -iese	nacido
nacieras o nacieses	hubieras o -ieses	”
naciera o naciese	hubiera o -iese	”
naciéramos o naciésemos	hubiéramos o -iésemos	”
nacierais o nacieseis	hubierais o -ieseis	”
nacieran o naciesen	hubieran o -iesen	”

Futuro imperfecto	*Futuro perfecto*	
naciere	hubiere	nacido
nacieres	hubieres	”
naciere	hubiere	”
naciéremos	hubiéremos	”
naciereis	hubiereis	”
nacieren	hubieren	”

IMPERATIVO

	nazcamos
nace	naced
nazca	nazcan

INDICATIVO

Presente
niego
niegas
niega

negamos
negáis
niegan

Pretérito perfecto
he   negado
has   ,,
ha   ,,

hemos   ,,
habéis   ,,
han   ,,

Pretérito imperfecto
negaba
negabas
negaba

negábamos
negabais
negaban

Pret. pluscuamperfecto
había   negado
habías   ,,
había   ,,

habíamos   ,,
habíais   ,,
habían   ,,

Pretérito indefinido
negué
negaste
negó

negamos
negasteis
negaron

Pretérito anterior
hube   negado
hubiste   ,,
hubo   ,,

hubimos   ,,
hubisteis   ,,
hubieron   ,,

Futuro imperfecto
negaré
negarás
negará

negaremos
negaréis
negarán

Futuro perfecto
habré   negado
habrás   ,,
habrá   ,,

habremos   ,,
habréis   ,,
habrán   ,,

INFINITIVO	GERUNDIO	PARTICIPIO
Simple	*Simple*	negado
negar	negando	
Compuesto	*Compuesto*	
haber negado	habiendo negado	

CONDICIONAL (o POTENCIAL)

Simple	*Perfecto*	
negaría	habría	negado
negarías	habrías	,,
negaría	habría	,,
negaríamos	habríamos	,,
negaríais	habríais	,,
negarían	habrían	,,

SUBJUNTIVO

Presente	*Pretérito perfecto*	
niegue	haya	negado
niegues	hayas	,,
niegue	haya	,,
neguemos	hayamos	,,
neguéis	hayáis	,,
nieguen	hayan	,,

Pretérito imperfecto	*Pret. pluscuamperfecto*	
negara o negase	hubiera o -iese	negado
negaras o negases	hubieras o -ieses	,,
negara o negase	hubiera o -iese	,,
negáramos o negásemos	hubiéramos o -iésemos	,,
negarais o negaseis	hubierais o -ieseis	,,
negaran o negasen	hubieran o -iesen	,,

Futuro imperfecto	*Futuro perfecto*	
negare	hubiere	negado
negares	hubieres	,,
negare	hubiere	,,
negáremos	hubiéremos	,,
negareis	hubiereis	,,
negaren	hubieren	,,

IMPERATIVO

	neguemos
niega	negad
niegue	nieguen

INDICATIVO

Presente	*Pretérito perfecto*	
oigo	he	oído
oyes	has	,,
oye	ha	,,
oímos	hemos	,,
oís	habéis	,,
oyen	han	,,

Pretérito imperfecto	*Pret. pluscuamperfecto*	
oía	había	oído
oías	habías	,,
oía	había	,,
oíamos	habíamos	,,
oíais	habíais	,,
oían	habían	,,

Pretérito indefinido	*Pretérito anterior*	
oí	hube	oído
oíste	hubiste	,,
oyó	hubo	,,
oímos	hubimos	,,
oísteis	hubisteis	,,
oyeron	hubieron	,,

Futuro imperfecto	*Futuro perfecto*	
oiré	habré	oído
oirás	habrás	,,
oirá	habrá	,,
oiremos	habremos	,,
oiréis	habréis	,,
oirán	habrán	,,

INFINITIVO	GERUNDIO	PARTICIPIO
Simple	*Simple*	oído
oír	oyendo	
Compuesto	*Compuesto*	
haber oído	habiendo oído	

CONDICIONAL (o POTENCIAL)

Simple	*Perfecto*	
oiría	habría	oído
oirías	habrías	,,
oiría	habría	,,
oiríamos	habríamos	,,
oiríais	habríais	,,
oirían	habrían	,,

SUBJUNTIVO

Presente	*Pretérito perfecto*	
oiga	haya	oído
oigas	hayas	,,
oiga	haya	,,
oigamos	hayamos	,,
oigáis	hayáis	,,
oigan	hayan	,,

Pretérito imperfecto	*Pret. pluscuamperfecto*	
oyera u oyese	hubiera o -iese	oído
oyeras u oyeses	hubieras o -ieses	,,
oyera u oyese	hubiera o -iese	,,
oyéramos u oyésemos	hubiéramos o -iésemos	,,
oyerais u oyeseis	hubierais o -ieseis	,,
oyeran u oyesen	hubieran o -iesen	,,

Futuro imperfecto	*Futuro perfecto*	
oyere	hubiere	oído
oyeres	hubieres	,,
oyere	hubiere	,,
oyéremos	hubiéremos	,,
oyereis	hubiereis	,,
oyeren	hubieren	,,

IMPERATIVO

	oigamos
oye	oíd
oiga	oigan

INDICATIVO

Presente
omito
omites
omite

omitimos
omitís
omiten

Pretérito imperfecto
omitía
omitías
omitía

omitíamos
omitíais
omitían

Pretérito indefinido
omití
omitiste
omitió

omitimos
omitisteis
omitieron

Futuro imperfecto
omitiré
omitirás
omitirá

omitiremos
omitiréis
omitirán

Pretérito perfecto
he   omitido
has   ”
ha   ”

hemos   ”
habéis   ”
han   ”

Pret. pluscuamperfecto
había   omitido
habías   ”
había   ”

habíamos ”
habíais   ”
habían   ”

Pretérito anterior
hube   omitido
hubiste   ”
hubo   ”

hubimos   ”
hubisteis ”
hubieron ”

Futuro perfecto
habré   omitido
habrás   ”
habrá   ”

habremos ”
habréis   ”
habrán   ”

INFINITIVO	GERUNDIO	PARTICIPIO
Simple	*Simple*	omitido
omitir	omitiendo	(u omiso)
Compuesto	*Compuesto*	
haber omitido	habiendo omitido	

CONDICIONAL (o POTENCIAL)

Simple	*Perfecto*	
omitiría	habría	omitido
omitirías	habrías	"
omitiría	habría	"
omitiríamos	habríamos	"
omitiríais	habríais	"
omitirían	habrían	"

SUBJUNTIVO

Presente	*Pretérito perfecto*	
omita	haya	omitido
omitas	hayas	"
omita	haya	"
omitamos	hayamos	"
omitáis	hayáis	"
omitan	hayan	"

Pretérito imperfecto	*Pret. pluscuamperfecto*	
omitiera u omitiese	hubiera o -iese	omitido
omitieras u omitieses	hubieras o -ieses	"
omitiera u omitiese	hubiera o -iese	"
omitiéramos u omitiésemos	hubiéramos o -iésemos	"
omitierais u omitieseis	hubierais o -ieseis	"
omitieran u omitiesen	hubieran o -iesen	"

Futuro imperfecto	*Futuro perfecto*	
omitiere	hubiere	omitido
omitieres	hubieres	"
omitiere	hubiere	"
omitiéremos	hubiéremos	"
omitiereis	hubiereis	"
omitieren	hubieren	"

IMPERATIVO

	omitamos
omite	omitid
omita	omitan

INDICATIVO

Presente	*Pretérito perfecto*	
oprimo	he	oprimido
oprimes	has	"
oprime	ha	"
oprimimos	hemos	"
oprimís	habéis	"
oprimen	han	"

Pretérito imperfecto	*Pret. pluscuamperfecto*	
oprimía	había	oprimido
oprimías	habías	"
oprimía	había	"
oprimíamos	habíamos	"
oprimíais	habíais	"
oprimían	habían	"

Pretérito indefinido	*Pretérito anterior*	
oprimí	hube	oprimido
oprimiste	hubiste	"
oprimió	hubo	"
oprimimos	hubimos	"
oprimisteis	hubisteis	"
oprimieron	hubieron	"

Futuro imperfecto	*Futuro perfecto*	
oprimiré	habré	oprimido
oprimirás	habrás	"
oprimirá	habrá	"
oprimiremos	habremos	"
oprimiréis	habréis	"
oprimirán	habrán	"

INFINITIVO	GERUNDIO	PARTICIPIO
Simple	*Simple*	oprimido
oprimir	oprimiendo	(u opreso)
Compuesto	*Compuesto*	
haber oprimido	habiendo oprimido	

CONDICIONAL (o POTENCIAL)

Simple	*Perfecto*	
oprimiría	habría	oprimido
oprimirías	habrías	”
oprimiría	habría	”
oprimiríamos	habríamos	”
oprimiríais	habríais	”
oprimirían	habrían	”

SUBJUNTIVO

Presente	*Pretérito perfecto*	
oprima	haya	oprimido
oprimas	hayas	”
oprima	haya	”
oprimamos	hayamos	”
oprimáis	hayáis	”
opriman	hayan	”

Pretérito imperfecto	*Pret. pluscuamperfecto*	
oprimiera u oprimiese	hubiera o -iese	oprimido
oprimieras u oprimieses	hubieras o -ieses	”
oprimiera u oprimiese	hubiera o -iese	”
oprimiéramos u oprimiésemos	hubiéramos o -iésemos	”
oprimierais u oprimieseis	hubierais o -ieseis	”
oprimieran u oprimiesen	hubieran o -iesen	”

Futuro imperfecto	*Futuro perfecto*	
oprimiere	hubiere	oprimido
oprimieres	hubieres	”
oprimiere	hubiere	”
oprimiéremos	hubiéremos	”
oprimiereis	hubiereis	”
oprimieren	hubieren	”

IMPERATIVO

	oprimamos
oprime	oprimid
oprima	opriman

INDICATIVO

Presente
parto
partes
parte
partimos
partís
parten

Pretérito perfecto
he partido
has "
ha "
hemos "
habéis "
han "

Pretérito imperfecto
partía
partías
partía
partíamos
partíais
partían

Pret. pluscuamperfecto
había partido
habías "
había "
habíamos "
habíais "
habían "

Pretérito indefinido
partí
partiste
partió
partimos
partisteis
partieron

Pretérito anterior
hube partido
hubiste "
hubo "
hubimos "
hubisteis "
hubieron "

Futuro imperfecto
partiré
partirás
partirá
partiremos
partiréis
partirán

Futuro perfecto
habré partido
habrás "
habrá "
habremos "
habréis "
habrán "

INFINITIVO	GERUNDIO	PARTICIPIO
Simple	*Simple*	partido
partir	partiendo	
Compuesto	*Compuesto*	
haber partido	habiendo partido	

* Este verbo modelo lleva la desinencia señalada con negrita.

CONDICIONAL (o POTENCIAL)

Simple
partiría
partirías
partiría

partiríamos
partiríais
partirían

Perfecto
habría   partido
habrías   ”
habría   ”

habríamos   ”
habríais   ”
habrían   ”

SUBJUNTIVO

Presente
parta
partas
parta
partamos
partáis
partan

Pretérito perfecto
haya   partido
hayas   ”
haya   ”
hayamos   ”
hayáis   ”
hayan   ”

Pretérito imperfecto
partiera o partiese
partieras o partieses
partiera o partiese
partiéramos o partiésemos
partierais o partieseis
partieran o partiesen

Pret. pluscuamperfecto
hubiera o -iese   partido
hubieras o -ieses   ”
hubiera o -iese   ”
hubiéramos o -iésemos   ”
hubierais o -ieseis   ”
hubieran o -iesen   ”

Futuro imperfecto
partiere
partieres
partiere
partiéremos
partiereis
partieren

Futuro perfecto
hubiere   partido
hubieres   ”
hubiere   ”
hubiéremos   ”
hubiereis   ”
hubieren   ”

IMPERATIVO

partamos
parte   partid
parta   partan

* Este verbo modelo lleva la desinencia señalada con negrita.

INDICATIVO

Presente	*Pretérito perfecto*	
plazco	he	placido
places	has	"
place	ha	"
placemos	hemos	"
placéis	habéis	"
placen	han	"

Pretérito imperfecto	*Pret. pluscuamperfecto*	
placía	había	placido
placías	habías	"
placía	había	"
placíamos	habíamos	"
placíais	habíais	"
placían	habían	"

Pretérito indefinido	*Pretérito anterior*	
plací	hube	placido
placiste	hubiste	"
plació o plugo	hubo	"
placimos	hubimos	"
placisteis	hubisteis	"
placieron o pluguieron	hubieron	"

Futuro imperfecto	*Futuro perfecto*	
placeré	habré	placido
placerás	habrás	"
placerá	habrá	"
placeremos	habremos	"
placeréis	habréis	"
placerán	habrán	"

INFINITIVO	GERUNDIO	PARTICIPIO
Simple	*Simple*	placido
placer	placiendo	
Compuesto	*Compuesto*	
haber placido	habiendo placido	

CONDICIONAL (o POTENCIAL)

Simple	*Perfecto*	
placería	habría	placido
placerías	habrías	"
placería	habría	"
placeríamos	habríamos	"
placeríais	habríais	"
placerían	habrían	"

SUBJUNTIVO

Presente	*Pretérito perfecto*	
plazca	haya	placido
plazcas	hayas	"
plega, plegue o plazca	haya	"
plazcamos	hayamos	"
plazcáis	hayáis	"
plazcan	hayan	"

Pretérito imperfecto	*Pret. pluscuamperfecto*	
placiera o placiese	hubiera o -iese	placido
placieras o placieses	hubieras o -ieses	"
placiera o -iese, y pluguiera o -iese	hubiera o -iese	"
placiéramos o placiésemos	hubiéramos o -iésemos	"
placierais o placieseis	hubierais o -ieseis	"
placieran o placiesen	hubieran o -iesen	"

Futuro imperfecto	*Futuro perfecto*	
placiere o pluguiere	hubiere	placido
placieres o pluguieres	hubieres	"
placiere o pluguiere	hubiere	"
placiéremos o pluguiéremos	hubiéremos	"
placiereis o pluguiereis	hubiereis	"
placieren o pluguieren	hubieren	"

IMPERATIVO

	plazcamos
place	placed
plazca o plegue	plazcan

INDICATIVO

Presente	*Pretérito perfecto*	
puedo	he	podido
puedes	has	"
puede	ha	"
podemos	hemos	"
podéis	habéis	"
pueden	han	"

Pretérito imperfecto	*Pret. pluscuamperfecto*	
podía	había	podido
podías	habías	"
podía	había	"
podíamos	habíamos	"
podíais	habíais	"
podían	habían	"

Pretérito indefinido	*Pretérito anterior*	
pude	hube	podido
pudiste	hubiste	"
pudo	hubo	"
pudimos	hubimos	"
pudisteis	hubisteis	"
pudieron	hubieron	"

Futuro imperfecto	*Futuro perfecto*	
podré	habré	podido
podrás	habrás	"
podrá	habrá	"
podremos	habremos	"
podréis	habréis	"
podrán	habrán	"

INFINITIVO	GERUNDIO	PARTICIPIO
Simple	*Simple*	podido
poder	pudiendo	
Compuesto	*Compuesto*	
haber podido	habiendo podido	

CONDICIONAL (o POTENCIAL)

Simple	*Perfecto*	
podría	habría	podido
podrías	habrías	"
podría	habría	"
podríamos	habríamos	"
podríais	habríais	"
podrían	habrían	"

SUBJUNTIVO

Presente	*Pretérito perfecto*	
pueda	haya	podido
puedas	hayas	"
pueda	haya	"
podamos	hayamos	"
podáis	hayáis	"
puedan	hayan	"

Pretérito imperfecto	*Pret. pluscuamperfecto*	
pudiera o pudiese	hubiera o -iese	podido
pudieras o pudieses	hubieras o -ieses	"
pudiera o pudiese	hubiera o -iese	"
pudiéramos o pudiésemos	hubiéramos o -iésemos	"
pudierais o pudieseis	hubierais o -ieseis	"
pudieran o pudiesen	hubieran o -iesen	"

Futuro imperfecto	*Futuro perfecto*	
pudiere	hubiere	podido
pudieres	hubieres	"
pudiere	hubiere	"
pudiéremos	hubiéremos	"
pudiereis	hubiereis	"
pudieren	hubieren	"

IMPERATIVO

	podamos
puede	poded
pueda	puedan

INDICATIVO

Presente		*Pretérito perfecto*	
pongo		he	puesto
pones		has	,,
pone		ha	,,
ponemos		hemos	,,
ponéis		habéis	,,
ponen		han	,,

Pretérito imperfecto		*Pret. pluscuamperfecto*	
ponía		había	puesto
ponías		habías	,,
ponía		había	,,
poníamos		habíamos	,,
poníais		habíais	,,
ponían		habían	,,

Pretérito indefinido		*Pretérito anterior*	
puse		hube	puesto
pusiste		hubiste	,,
puso		hubo	,,
pusimos		hubimos	,,
pusisteis		hubisteis	,,
pusieron		hubieron	,,

Futuro imperfecto		*Futuro perfecto*	
pondré		habré	puesto
pondrás		habrás	,,
pondrá		habrá	,,
pondremos		habremos	,,
pondréis		habréis	,,
pondrán		habrán	,,

INFINITIVO	GERUNDIO	PARTICIPIO
Simple	*Simple*	puesto
poner	poniendo	
Compuesto	*Compuesto*	
haber puesto	habiendo puesto	

CONDICIONAL (o POTENCIAL)

Simple	*Perfecto*	
pondría	habría	puesto
pondrías	habrías	,,
pondría	habría	,,
pondríamos	habríamos	,,
pondríais	habríais	,,
pondrían	habrían	,,

SUBJUNTIVO

Presente	*Pretérito perfecto*	
ponga	haya	puesto
pongas	hayas	,,
ponga	haya	,,
pongamos	hayamos	,,
pongáis	hayáis	,,
pongan	hayan	,,

Pretérito imperfecto	*Pret. pluscuamperfecto*	
pusiera o pusiese	hubiera o -iese	puesto
pusieras o pusieses	hubieras o -ieses	,,
pusiera o pusiese	hubiera o -iese	,,
pusiéramos o pusiésemos	hubiéramos o -iésemos	,,
pusierais o pusieseis	hubierais o -ieseis	,,
pusieran o pusiesen	hubieran o -iesen	,,

Futuro imperfecto	*Futuro perfecto*	
pusiere	hubiere	puesto
pusieres	hubieres	,,
pusiere	hubiere	,,
pusiéremos	hubiéremos	,,
pusiereis	hubiereis	,,
pusieren	hubieren	,,

IMPERATIVO

	pongamos
pon	poned
ponga	pongan

INDICATIVO

Presente
poseo
posees
posee

poseemos
poseéis
poseen

Pretérito perfecto
he   poseído
has   "
ha   "

hemos   "
habéis   "
han   "

Pretérito imperfecto
poseía
poseías
poseía

poseíamos
poseíais
poseían

Pret. pluscuamperfecto
había   poseído
habías   "
había   "

habíamos   "
habíais   "
habían   "

Pretérito indefinido
poseí
poseíste
poseyó

poseímos
poseísteis
poseyeron

Pretérito anterior
hube   poseído
hubiste   "
hubo   "

hubimos   "
hubisteis   "
hubieron   "

Futuro imperfecto
poseeré
poseerás
poseerá

poseeremos
poseeréis
poseerán

Futuro perfecto
habré   poseído
habrás   "
habrá   "

habremos   "
habréis   "
habrán   "

INFINITIVO	GERUNDIO	PARTICIPIO
Simple	*Simple*	poseído
poseer	poseyendo	(o poseso)
Compuesto	*Compuesto*	
haber poseído	habiendo poseído	

CONDICIONAL (o POTENCIAL)

Simple
poseería
poseerías
poseería

poseeríamos
poseeríais
poseerían

Perfecto
habría   poseído
habrías   ,,
habría   ,,

habríamos   ,,
habríais   ,,
habrían   ,,

SUBJUNTIVO

Presente
posea
poseas
posea

poseamos
poseáis
posean

Pretérito perfecto
haya   poseído
hayas   ,,
haya   ,,

hayamos   ,,
hayáis   ,,
hayan   ,,

Pretérito imperfecto
poseyera o poseyese
poseyeras o poseyeses
poseyera o poseyese

poseyéramos o poseyésemos
poseyerais o poseyeseis
poseyeran o poseyesen

Pret. pluscuamperfecto
hubiera o -iese   poseído
hubieras o -ieses   ,,
hubiera o -iese   ,,

hubiéramos o -iésemos   ,,
hubierais o -ieseis   ,,
hubieran o -iesen   ,,

Futuro imperfecto
poseyere
poseyeres
poseyere

poseyéremos
poseyereis
poseyeren

Futuro perfecto
hubiere   poseído
hubieres   ,,
hubiere   ,,

hubiéremos   ,,
hubiereis   ,,
hubieren   ,,

IMPERATIVO

	poseamos
posee	poseed
posea	posean

INDICATIVO

Presente	*Pretérito perfecto*	
predigo	he	predicho
predices	has	"
predice	ha	"
predecimos	hemos	"
predecís	habéis	"
predicen	han	"

Pretérito imperfecto	*Pret. pluscuamperfecto*	
predecía	había	predicho
predecías	habías	"
predecía	había	"
predecíamos	habíamos	"
predecíais	habíais	"
predecían	habían	"

Pretérito indefinido	*Pretérito anterior*	
predije	hube	predicho
predijiste	hubiste	"
predijo	hubo	"
predijimos	hubimos	"
predijisteis	hubisteis	"
predijeron	hubieron	"

Futuro imperfecto	*Futuro perfecto*	
predeciré	habré	predicho
predecirás	habrás	"
predecirá	habrá	"
predeciremos	habremos	"
predeciréis	habréis	"
predecirán	habrán	"

INFINITIVO	GERUNDIO	PARTICIPIO
Simple	*Simple*	predicho
predecir	prediciendo	
Compuesto	*Compuesto*	
haber predicho	habiendo predicho	

CONDICIONAL (o POTENCIAL)

Simple	*Perfecto*	
predeciría	habría	predicho
predecirías	habrías	,,
predeciría	habría	,,
predeciríamos	habríamos	,,
predeciríais	habríais	,,
predecirían	habrían	

SUBJUNTIVO

Presente	*Pretérito perfecto*	
prediga	haya	predicho
predigas	hayas	,,
prediga	haya	,,
predigamos	hayamos	,,
predigáis	hayáis	,,
predigan	hayan	,,

Pretérito imperfecto	*Pret. pluscuamperfecto*	
predijera o predijese	hubiera o -iese	predicho
predijeras o predijeses	hubieras o -ieses	,,
predijera o predijese	hubiera o -iese	,,
predijéramos o predijésemos	hubiéramos o -iésemos	,,
predijerais o predijeseis	hubierais o -ieseis	,,
predijeran o predijesen	hubieran o -iesen	,,

Futuro imperfecto	*Futuro perfecto*	
predijere	hubiere	predicho
predijeres	hubieres	,,
predijere	hubiere	,,
predijéremos	hubiéremos	,,
predijereis	hubiereis	,,
predijeren	hubieren	,,

IMPERATIVO

	predigamos
predice	predecid
prediga	predigan

INDICATIVO

Presente	*Pretérito perfecto*	
prendo	he	prendido
prendes	has	"
prende	ha	"
prendemos	hemos	"
prendéis	habéis	"
prenden	han	"

Pretérito imperfecto	*Pret. pluscuamperfecto*	
prendía	había	prendido
prendías	habías	"
prendía	había	"
prendíamos	habíamos	"
prendíais	habíais	"
prendían	habían	"

Pretérito indefinido	*Pretérito anterior*	
prendí	hube	prendido
prendiste	hubiste	"
prendió	hubo	"
prendimos	hubimos	"
prendisteis	hubisteis	"
prendieron	hubieron	"

Futuro imperfecto	*Futuro perfecto*	
prenderé	habré	prendido
prenderás	habrás	"
prenderá	habrá	"
prenderemos	habremos	"
prenderéis	habréis	"
prenderán	habrán	"

INFINITIVO	GERUNDIO	PARTICIPIO
Simple	*Simple*	prendido
prender	prendiendo	(o preso)
Compuesto	*Compuesto*	
haber prendido	habiendo prendido	

CONDICIONAL (o POTENCIAL)

Simple
prendería
prenderías
prendería

prenderíamos
prenderíais
prenderían

Perfecto
habría   prendido
habrías   "
habría   "

habríamos   "
habríais   "
habrían   "

SUBJUNTIVO

Presente
prenda
prendas
prenda

prendamos
prendáis
prendan

Pretérito perfecto
haya   prendido
hayas   "
haya   "

hayamos   "
hayáis   "
hayan   "

Pretérito imperfecto
prendiera o prendiese
prendieras o prendieses
prendiera o prendiese

prendiéramos o prendiésemos
prendierais o prendieseis
prendieran o prendiesen

Pret. pluscuamperfecto
hubiera o -iese   prendido
hubieras o -ieses   "
hubiera o -iese   "

hubiéramos o -iésemos   "
hubierais o -ieseis   "
hubieran o -iesen   "

Futuro imperfecto
prendiere
prendieres
prendiere

prendiéremos
prendiereis
prendieren

Futuro perfecto
hubiere   prendido
hubieres   "
hubiere   "

hubiéremos   "
hubiereis   "
hubieren   "

IMPERATIVO

	prendamos
prende	prended
prenda	prendan

INDICATIVO

Presente	*Pretérito perfecto*	
presumo	he	presumido
presumes	has	”
presume	ha	”
presumimos	hemos	”
presumís	habéis	”
presumen	han	”

Pretérito imperfecto	*Pret. pluscuamperfecto*	
presumía	había	presumido
presumías	habías	”
presumía	había	”
presumíamos	habíamos	”
presumíais	habíais	”
presumían	habían	”

Pretérito indefinido	*Pretérito anterior*	
presumí	hube	presumido
presumiste	hubiste	”
presumió	hubo	”
presumimos	hubimos	”
presumisteis	hubisteis	”
presumieron	hubieron	”

Futuro imperfecto	*Futuro perfecto*	
presumiré	habré	presumido
presumirás	habrás	”
presumirá	habrá	”
presumiremos	habremos	”
presumiréis	habréis	”
presumirán	habrán	”

INFINITIVO	GERUNDIO	PARTICIPIO
Simple	*Simple*	presumido
presumir	presumiendo	(o presunto)
Compuesto	*Compuesto*	
haber presumido	habiendo presumido	

CONDICIONAL (o POTENCIAL)

Simple	*Perfecto*	
presumiría	habría	presumido
presumirías	habrías	"
presumiría	habría	"
presumiríamos	habríamos	"
presumiríais	habríais	"
presumirían	habrían	"

SUBJUNTIVO

Presente	*Pretérito perfecto*	
presuma	haya	presumido
presumas	hayas	"
presuma	haya	"
presumamos	hayamos	"
presumáis	hayáis	"
presuman	hayan	"

Pretérito imperfecto	*Pret. pluscuamperfecto*	
presumiera o presumiese	hubiera o -iese	presumido
presumieras o presumieses	hubieras o -ieses	"
presumiera o presumiese	hubiera o -iese	"
presumiéramos o presumiésemos	hubiéramos o -iésemos	"
presumierais o presumieseis	hubierais o -ieseis	"
presumieran o presumiesen	hubieran o -iesen	"

Futuro imperfecto	*Futuro perfecto*	
presumiere	hubiere	presumido
presumieres	hubieres	"
presumiere	hubiere	"
presumiéremos	hubiéremos	"
presumiereis	hubiereis	"
presumieren	hubieren	"

IMPERATIVO

	presumamos
presume	presumid
presuma	presuman

INDICATIVO

Presente		*Pretérito perfecto*	
pretendo		he	pretendido
pretendes		has	”
pretende		ha	”
pretendemos		hemos	”
pretendéis		habéis	”
pretenden		han	”

Pretérito imperfecto		*Pret. pluscuamperfecto*	
pretendía		había	pretendido
pretendías		habías	”
pretendía		había	”
pretendíamos		habíamos	”
pretendíais		habíais	”
pretendían		habían	”

Pretérito indefinido		*Pretérito anterior*	
pretendí		hube	pretendido
pretendiste		hubiste	”
pretendió		hubo	”
pretendimos		hubimos	”
pretendisteis		hubisteis	”
pretendieron		hubieron	”

Futuro imperfecto		*Futuro perfecto*	
pretenderé		habré	pretendido
pretenderás		habrás	”
pretenderá		habrá	”
pretenderemos		habremos	”
pretenderéis		habréis	”
pretenderán		habrán	”

INFINITIVO	GERUNDIO	PARTICIPIO
Simple	*Simple*	pretendido
pretender	pretendiendo	(o pretenso)
Compuesto	*Compuesto*	
haber pretendido	habiendo pretendido	

CONDICIONAL (o POTENCIAL)

Simple	*Perfecto*	
pretendería	habría	pretendido
pretenderías	habrías	,,
pretendería	habría	,,
pretenderíamos	habríamos	,,
pretenderíais	habríais	,,
pretenderían	habrían	,,

SUBJUNTIVO

Presente	*Pretérito perfecto*	
pretenda	haya	pretendido
pretendas	hayas	,,
pretenda	haya	,,
pretendamos	hayamos	,,
pretendáis	hayáis	,,
pretendan	hayan	,,

Pretérito imperfecto	*Pret. pluscuamperfecto*	
pretendiera o pretendiese	hubiera o -iese	pretendido
pretendieras o pretendieses	hubieras o -ieses	,,
pretendiera o pretendiese	hubiera o -iese	,,
pretendiéramos o -iésemos	hubiéramos o -iésemos	,,
pretendierais o pretendieseis	hubierais o -ieseis	,,
pretendieran o pretendiesen	hubieran o -iesen	,,

Futuro imperfecto	*Futuro perfecto*	
pretendiere	hubiere	pretendido
pretendieres	hubieres	,,
pretendiere	hubiere	,,
pretendiéremos	hubiéremos	,,
pretendiereis	hubiereis	,,
pretendieren	hubieren	,,

IMPERATIVO

	pretendamos
pretende	pretended
pretenda	pretendan

INDICATIVO

Presente		*Pretérito perfecto*	
propendo		he	propendido
propendes		has	"
propende		ha	"
propendemos		hemos	"
propendéis		habéis	"
propenden		han	"

Pretérito imperfecto		*Pret. pluscuamperfecto*	
propendía		había	propendido
propendías		habías	"
propendía		había	"
propendíamos		habíamos	"
propendíais		habíais	"
propendían		habían	"

Pretérito indefinido		*Pretérito anterior*	
propendí		hube	propendido
propendiste		hubiste	"
propendió		hubo	"
propendimos		hubimos	"
propendisteis		hubisteis	"
propendieron		hubieron	"

Futuro imperfecto		*Futuro perfecto*	
propenderé		habré	propendido
propenderás		habrás	"
propenderá		habrá	"
propenderemos		habremos	"
propenderéis		habréis	"
propenderán		habrán	"

INFINITIVO	GERUNDIO	PARTICIPIO
Simple	*Simple*	propendido
propender	propendiendo	(o propenso)
Compuesto	*Compuesto*	
haber propendido	habiendo propendido	

CONDICIONAL (o POTENCIAL)

Simple	*Perfecto*	
propendería	habría	propendido
propenderías	habrías	,,
propendería	habría	,,
propenderíamos	habríamos	,,
propenderíais	habríais	,,
propenderían	habrían	,,

SUBJUNTIVO

Presente	*Pretérito perfecto*	
propenda	haya	propendido
propendas	hayas	,,
propenda	haya	,,
propendamos	hayamos	,,
propendáis	hayáis	,,
propendan	hayan	,,

Pretérito imperfecto	*Pret. pluscuamperfecto*	
propendiera o propendiese	hubiera o -iese	propendido
propendieras o propendieses	hubieras o -ieses	,,
propendiera o propendiese	hubiera o -iese	,,
propendiéramos o -iésemos	hubiéramos o -iésemos	,,
propendierais o propendieseis	hubierais o -ieseis	,,
propendieran o propendiesen	hubieran o -iesen	,,

Futuro imperfecto	*Futuro perfecto*	
propendiere	hubiere	propendido
propendieres	hubieres	,,
propendiere	hubiere	,,
propendiéremos	hubiéremos	,,
propendiereis	hubiereis	,,
propendieren	hubieren	,,

IMPERATIVO

	propendamos
propende	propended
propenda	propendan

INDICATIVO

Presente
proscribo
proscribes
proscribe

proscribimos
proscribís
proscriben

Pretérito imperfecto
proscribía
proscribías
proscribía

proscribíamos
proscribíais
proscribían

Pretérito indefinido
proscribí
proscribiste
proscribió

proscribimos
proscribisteis
proscribieron

Futuro imperfecto
proscribiré
proscribirás
proscribirá

proscribiremos
proscribiréis
proscribirán

Pretérito perfecto
he   proscrito
has   ”
ha   ”
hemos   ”
habéis   ”
han   ”

Pret. pluscuamperfecto
había   proscrito
habías   ”
había   ”
habíamos   ”
habíais   ”
habían   ”

Pretérito anterior
hube   proscrito
hubiste   ”
hubo   ”
hubimos   ”
hubisteis   ”
hubieron   ”

Futuro perfecto
habré   proscrito
habrás   ”
habrá   ”
habremos   ”
habréis   ”
habrán   ”

INFINITIVO	GERUNDIO	PARTICIPIO
Simple	*Simple*	proscrito
proscribir	proscribiendo	(o proscripto)
Compuesto	*Compuesto*	
haber proscrito	habiendo proscrito	

CONDICIONAL (o POTENCIAL)

Simple
proscribiría
proscribirías
proscribiría

proscribiríamos
proscribiríais
proscribirían

Perfecto
habría proscrito
habrías "
habría "

habríamos "
habríais "
habrían "

SUBJUNTIVO

Presente
proscriba
proscribas
proscriba

proscribamos
proscribáis
proscriban

Pretérito perfecto
haya proscrito
hayas "
haya "

hayamos "
hayáis "
hayan "

Pretérito imperfecto
proscribiera o proscribiese
proscribieras o proscribieses
proscribiera o proscribiese

proscribiéramos o -iésemos
proscribierais o proscribieseis
proscribieran o proscribiesen

Pret. pluscuamperfecto
hubiera o -iese proscrito
hubieras o -ieses "
hubiera o -iese "

hubiéramos o -iésemos "
hubierais o -ieseis "
hubieran o -iesen "

Futuro imperfecto
proscribiere
proscribieres
proscribiere

proscribiéremos
proscribiereis
proscribieren

Futuro perfecto
hubiere proscrito
hubieres "
hubiere "

hubiéremos "
hubiereis "
hubieren "

IMPERATIVO

procribamos
proscribe proscribid
proscriba proscriban

INDICATIVO

Presente
prostituyo
prostituyes
prostituye

prostituimos
prostituís
prostituyen

Pretérito imperfecto
prostituía
prostituías
prostituía

prostituíamos
prostituíais
prostituían

Pretérito indefinido
prostituí
prostituiste
prostituyó

prostituimos
prostituisteis
prostituyeron

Futuro imperfecto
prostituiré
prostituirás
prostituirá

prostituiremos
prostituiréis
prostituirán

Pretérito perfecto
he   prostituido
has   "
ha   "

hemos   "
habéis   "
han   "

Pret. pluscuamperfecto
había   prostituido
habías   "
había   "

habíamos   "
habíais   "
habían   "

Pretérito anterior
hube   prostituido
hubiste   "
hubo   "

hubimos   "
hubisteis   "
hubieron   "

Futuro perfecto
habré   prostituido
habrás   "
habrá   "

habremos   "
habréis   "
habrán   "

INFINITIVO	GERUNDIO	PARTICIPIO
Simple	*Simple*	prostituido
prostituir	prostituyendo	(o prostituto)
Compuesto	*Compuesto*	
haber prostituido	habiendo prostituido	

CONDICIONAL (o POTENCIAL)

Simple	*Perfecto*	
prostituiría	habría	prostituido
prostituirías	habrías	,,
prostituiría	habría	,,
prostituiríamos	habríamos	,,
prostituiríais	habríais	,,
prostituirían	habrían	,,

SUBJUNTIVO

Presente	*Pretérito perfecto*	
prostituya	haya	prostituido
prostituyas	hayas	,,
prostituya	haya	,,
prostituyamos	hayamos	,,
prostituyáis	hayáis	,,
prostituyan	hayan	,,

Pretérito imperfecto	*Pret. pluscuamperfecto*	
prostituyera o prostituyese	hubiera o -iese	prostituido
prostituyeras o prostituyeses	hubieras o -ieses	,,
prostituyera o prostituyese	hubiera o -iese	,,
prostituyéramos o -iésemos	hubiéramos o -iésemos	,,
prostituyerais o prostituyeseis	hubierais o -ieseis	,,
prostituyeran o prostituyesen	hubieran o -iesen	,,

Futuro imperfecto	*Futuro perfecto*	
prostituyere	hubiere	prostituido
prostituyeres	hubieres	,,
prostituyere	hubiere	,,
prostituyéremos	hubiéremos	,,
prostituyereis	hubiereis	,,
prostituyeren	hubieren	,,

IMPERATIVO

	prostituyamos
prostituye	prostituid
prostituya	prostituyan

INDICATIVO

Presente		*Pretérito perfecto*	
proveo		he	provisto
provees		has	"
provee		ha	"
proveemos		hemos	"
proveéis		habéis	"
proveen		han	"

Pretérito imperfecto		*Pret. pluscuamperfecto*	
proveía		había	provisto
proveías		habías	"
proveía		había	"
proveíamos		habíamos	"
proveíais		habíais	"
proveían		habían	"

Pretérito indefinido		*Pretérito anterior*	
proveí		hube	provisto
proveiste		hubiste	"
proveyó		hubo	"
proveímos		hubimos	"
proveísteis		hubisteis	"
proveyeron		hubieron	"

Futuro imperfecto		*Futuro perfecto*	
proveeré		habré	provisto
proveerás		habrás	"
proveerá		habrá	"
proveeremos		habremos	"
proveeréis		habréis	"
proveerán		habrán	"

INFINITIVO	GERUNDIO	PARTICIPIO
Simple	*Simple*	provisto
proveer	proveyendo	(o proveído)
Compuesto	*Compuesto*	
haber provisto	habiendo provisto	

CONDICIONAL (o POTENCIAL)

Simple	*Perfecto*	
proveería	habría	provisto
proveerías	habrías	"
proveería	habría	"
proveeríamos	habríamos	"
proveeríais	habríais	"
proveerían	habrían	"

SUBJUNTIVO

Presente	*Pretérito perfecto*	
provea	haya	provisto
proveas	hayas	"
provea	haya	"
proveamos	hayamos	"
proveáis	hayáis	"
provean	hayan	"

Pretérito imperfecto	*Pret. pluscuamperfecto*	
proveyera o proveyese	hubiera o -iese	provisto
proveyeras o proveyeses	hubieras o -ieses	"
proveyera o proveyese	hubiera o -iese	"
proveyéramos o proveyésemos	hubiéramos o -iésemos	"
proveyerais o proveyeseis	hubierais o -ieseis	"
proveyeran o proveyesen	hubieran o -iesen	"

Futuro imperfecto	*Futuro perfecto*	
proveyere	hubiere	provisto
proveyeres	hubieres	"
proveyere	hubiere	"
proveyéremos	hubiéremos	"
proveyereis	hubiereis	"
proveyeren	hubieren	"

IMPERATIVO

	proveamos
provee	proveed
provea	provean

INDICATIVO

Presente
pudro
pudres
pudre

pudrimos
pudrís
pudren

Pretérito imperfecto
pudría
pudrías
pudría

pudríamos
pudríais
pudrían

Pretérito indefinido
pudrí
pudriste
pudrió

pudrimos
pudristeis
pudrieron

Futuro imperfecto
pudriré
pudrirás
pudrirá

pudriremos
pudriréis
pudrirán

Pretérito perfecto
he   podrido
has   "
ha   "

hemos   "
habéis   "
han   "

Pret. pluscuamperfecto
había   podrido
habías   "
había   "

habíamos   "
habíais   "
habían   "

Pretérito anterior
hube   podrido
hubiste   "
hubo   "

hubimos   "
hubisteis   "
hubieron   "

Futuro perfecto
habré   podrido
habrás   "
habrá   "

habremos   "
habréis   "
habrán   "

INFINITIVO	GERUNDIO	PARTICIPIO
Simple	*Simple*	podrido
pudrir (o podrir)	pudriendo	
Compuesto	*Compuesto*	
haber podrido	habiendo podrido	

CONDICIONAL (o POTENCIAL)

Simple	*Perfecto*	
pudriría	habría	podrido
pudrirías	habrías	,,
pudriría	habría	,,
pudriríamos	habríamos	,,
pudriríais	habríais	,,
pudrirían	habrían	,,

SUBJUNTIVO

Presente	*Pretérito perfecto*	
pudra	haya	podrido
pudras	hayas	,,
pudra	haya	,,
pudramos	hayamos	,,
pudráis	hayáis	,,
pudran	hayan	,,

Pretérito imperfecto	*Pret. pluscuamperfecto*	
pudriera o pudriese	hubiera o -iese	podrido
pudrieras o pudrieses	hubieras o -ieses	,,
pudriera o pudriese	hubiera o -iese	,,
pudriéramos o pudriésemos	hubiéramos o -iésemos	,,
pudrierais o pudrieseis	hubierais o -ieseis	,,
pudrieran o pudriesen	hubieran o -iesen	,,

Futuro imperfecto	*Futuro perfecto*	
pudriere	hubiere	podrido
pudrieres	hubieres	,,
pudriere	hubiere	,,
pudriéremos	hubiéremos	,,
pudriereis	hubiereis	,,
pudrieren	hubieren	,,

IMPERATIVO

	pudramos
pudre	pudrid (o podrid)
pudra	pudran

INDICATIVO

Presente
quiero
quieres
quiere

queremos
queréis
quieren

Pretérito imperfecto
quería
querías
quería

queríamos
queríais
querían

Pretérito indefinido
quise
quisiste
quiso

quisimos
quisisteis
quisieron

Futuro imperfecto
querré
querrás
querrá

querremos
querréis
querrán

Pretérito perfecto
he   querido
has   ”
ha   ”

hemos   ”
habéis   ”
han   ”

Pret. pluscuamperfecto
había   querido
habías   ”
había   ”

habíamos   ”
habíais   ”
habían   ”

Pretérito anterior
hube   querido
hubiste   ”
hubo   ”

hubimos   ”
hubisteis   ”
hubieron   ”

Futuro perfecto
habré   querido
habrás   ”
habrá   ”

habremos   ”
habréis   ”
habrán   ”

INFINITIVO	GERUNDIO	PARTICIPIO
Simple	*Simple*	querido
querer	queriendo	
Compuesto	*Compuesto*	
haber querido	habiendo querido	

CONDICIONAL (o POTENCIAL)

Simple	*Perfecto*	
querría	habría	querido
querrías	habrías	,,
querría	habría	,,
querríamos	habríamos	,,
querríais	habríais	,,
querrían	habrían	,,

SUBJUNTIVO

Presente	*Pretérito perfecto*	
quiera	haya	querido
quieras	hayas	,,
quiera	haya	,,
queramos	hayamos	,,
queráis	hayáis	,,
quieran	hayan	,,

Pretérito imperfecto	*Pret. pluscuamperfecto*	
quisiera o quisiese	hubiera o -iese	querido
quisieras o quisieses	hubieras o -ieses	,,
quisiera o quisiese	hubiera o -iese	,,
quisiéramos o quisiésemos	hubiéramos o -iésemos	,,
quisierais o quisieseis	hubierais o -ieseis	,,
quisieran o quisiesen	hubieran o -iesen	,,

Futuro imperfecto	*Futuro perfecto*	
quisiere	hubiere	querido
quisieres	hubieres	,,
quisiere	hubiere	,,
quisiéremos	hubiéremos	,,
quisiereis	hubiereis	,,
quisieren	hubieren	,,

IMPERATIVO

	queramos
quiere	quered
quiera	quieran

INDICATIVO

Presente	*Pretérito perfecto*	
raigo, rao o rayo	he	raído
raes	has	"
rae	ha	"
raemos	hemos	"
raéis	habéis	"
raen	han	"

Pretérito imperfecto	*Pret. pluscuamperfecto*	
raía	había	raído
raías	habías	"
raía	había	"
raíamos	habíamos	"
raíais	habíais	"
raían	habían	"

Pretérito indefinido	*Pretérito anterior*	
raí	hube	raído
raíste	hubiste	"
rayó	hubo	"
raímos	hubimos	"
raísteis	hubisteis	"
rayeron	hubieron	"

Futuro imperfecto	*Futuro perfecto*	
raeré	habré	raído
raerás	habrás	"
raerá	habrá	"
raeremos	habremos	"
raeréis	habréis	"
raerán	habrán	"

INFINITIVO	GERUNDIO	PARTICIPIO
Simple	*Simple*	raído
raer	rayendo	
Compuesto	*Compuesto*	
haber raído	habiendo raído	

CONDICIONAL (o POTENCIAL)

Simple	*Perfecto*	
raería	habría	raído
raerías	habrías	"
raería	habría	"
raeríamos	habríamos	"
raeríais	habríais	"
raerían	habrían	"

SUBJUNTIVO

Presente	*Pretérito perfecto*	
raiga o raya	haya	raído
raigas o rayas	hayas	"
raiga o raya	haya	"
raigamos o rayamos	hayamos	"
raigáis o rayáis	hayáis	"
raigan o rayan	hayan	"

Pretérito imperfecto	*Pret. pluscuamperfecto*	
rayera o rayese	hubiera o -iese	raído
rayeras o rayeses	hubieras o -ieses	"
rayera o rayese	hubiera o -iese	"
rayéramos o rayésemos	hubiéramos o -iésemos	"
rayerais o rayeseis	hubierais o -ieseis	"
rayeran o rayesen	hubieran o -iesen	"

Futuro imperfecto	*Futuro perfecto*	
rayere	hubiere	raído
rayeres	hubieres	"
rayere	hubiere	"
rayéremos	hubiéremos	"
rayereis	hubiereis	"
rayeren	hubieren	"

IMPERATIVO

	raigamos o rayamos
rae	raed
raiga o raya	raigan o rayan

INDICATIVO

Presente
rarefago
rarefaces
rareface
rarefacemos
rarefacéis
rarefacen

Pretérito perfecto
he   rarefacto
has   "
ha   "
hemos   "
habéis   "
han   "

Pretérito imperfecto
rarefacía
rarefacías
rarefacía
rarefacíamos
rarefacíais
rarefacían

Pret. pluscuamperfecto
había   rarefacto
habías   "
había   "
habíamos   "
habíais   "
habían   "

Pretérito indefinido
rarefice
rareficiste
rarefizo
rareficimos
rareficisteis
rareficieron

Pretérito anterior
hube   rarefacto
hubiste   "
hubo   "
hubimos   "
hubisteis   "
hubieron   "

Futuro imperfecto
rarefaré
rarefarás
rarefará
rarefaremos
rarefaréis
rarefarán

Futuro perfecto
habré   rarefacto
habrás   "
habrá   "
habremos   "
habréis   "
habrán   "

INFINITIVO	GERUNDIO	PARTICIPIO
Simple	*Simple*	rarefacto
rarefacer	rarefaciendo	
Compuesto	*Compuesto*	
haber rarefacto	habiendo rarefacto	

CONDICIONAL (o POTENCIAL)

Simple
rarefaría
rarefarías
rarefaría

rarefaríamos
rarefaríais
rarefarían

Perfecto
habría   rarefacto
habrías   "
habría   "

habríamos   "
habríais   "
habrían   "

SUBJUNTIVO

Presente
rarefaga
rarefagas
rarefaga

rarefagamos
rarefagáis
rarefagan

Pretérito perfecto
haya   rarefacto
hayas   "
haya   "

hayamos   "
hayáis   "
hayan   "

Pretérito imperfecto
rareficiera o rareficiese
rareficieras o rareficieses
rareficiera o rareficiese

rareficiéramos o rareficiésemos
rareficierais o rareficieseis
rareficieran o rareficiesen

Pret. pluscuamperfecto
hubiera o -iese   rarefacto
hubieras o -ieses   "
hubiera o -iese   "

hubiéramos o -iésemos   "
hubierais o -ieseis   "
hubieran o -iesen   "

Futuro imperfecto
rareficiere
rareficieres
rareficiere

rareficiéremos
rareficiereis
rareficieren

Futuro perfecto
hubiere   rarefacto
hubieres   "
hubiere   "

hubiéremos   "
hubiereis   "
hubieren   "

IMPERATIVO

               rarefagamos
rarefaz o rareface   rarefaced
      rarefaga   rarefagan

INDICATIVO

Presente	Pretérito perfecto
recluyo	he recluido
recluyes	has "
recluye	ha "
recluímos	hemos "
recluís	habéis "
recluyen	han "

Pretérito imperfecto	Pret. pluscuamperfecto
recluía	había recluido
recluías	habías "
recluía	había "
recluíamos	habíamos "
recluíais	habíais "
recluían	habían "

Pretérito indefinido	Pretérito anterior
recluí	hube recluido
recluiste	hubiste "
recluyó	hubo "
recluímos	hubimos "
recluisteis	hubisteis "
recluyeron	hubieron "

Futuro imperfecto	Futuro perfecto
recluiré	habré recluido
recluirás	habrás "
recluirá	habrá "
recluiremos	habremos "
recluiréis	habréis "
recluirán	habrán "

INFINITIVO	GERUNDIO	PARTICIPIO
Simple	*Simple*	recluido
recluir	recluyendo	(o recluso)
Compuesto	*Compuesto*	
haber recluido	habiendo recluido	

CONDICIONAL (o POTENCIAL)

Simple	*Perfecto*	
recluiría	habría	recluido
recluirías	habrías	,,
recluiría	habría	,,
recluiríamos	habríamos	,,
recluiríais	habríais	,,
recluirían	habrían	,,

SUBJUNTIVO

Presente	*Pretérito perfecto*	
recluya	haya	recluido
recluyas	hayas	,,
recluya	haya	,,
recluyamos	hayamos	,,
recluyáis	hayáis	,,
recluyan	hayan	,,

Pretérito imperfecto	*Pret. pluscuamperfecto*	
recluyera o recluyese	hubiera o -iese	recluido
recluyeras o recluyeses	hubieras o -ieses	,,
recluyera o recluyese	hubiera o -iese	,,
recluyéramos o recluyésemos	hubiéramos o -iésemos	,,
recluyerais o recluyeseis	hubierais o -ieseis	,,
recluyeran o recluyesen	hubieran o -iesen	,,

Futuro imperfecto	*Futuro perfecto*	
recluyere	hubiere	recluido
recluyeres	hubieres	,,
recluyere	hubiere	,,
recluyéremos	hubiéremos	,,
recluyereis	hubiereis	,,
recluyeren	hubieren	,,

IMPERATIVO

	recluyamos
recluye	recluid
recluya	recluyan

INDICATIVO

Presente
reduzco
reduces
reduce
reducimos
reducís
reducen

Pretérito perfecto
he reducido
has   ,,
ha   ,,
hemos   ,,
habéis   ,,
han   ,,

Pretérito imperfecto
reducía
reducías
reducía
reducíamos
reducíais
reducían

Pret. pluscuamperfecto
había reducido
habías   ,,
había   ,,
habíamos   ,,
habíais   ,,
habían   ,,

Pretérito indefinido
reduje
redujiste
redujo
redujimos
redujisteis
redujeron

Pretérito anterior
hube reducido
hubiste   ,,
hubo   ,,
hubimos   ,,
hubisteis   ,,
hubieron   ,,

Futuro imperfecto
reduciré
reducirás
reducirá
reduciremos
reduciréis
reducirán

Futuro perfecto
habré reducido
habrás   ,,
habrá   ,,
habremos   ,,
habréis   ,,
habrán   ,,

INFINITIVO	GERUNDIO	PARTICIPIO
Simple	*Simple*	reducido
reducir	reduciendo	
Compuesto	*Compuesto*	
haber reducido	habiendo reducido	

CONDICIONAL (o POTENCIAL)

Simple	*Perfecto*	
reduciría	habría	reducido
reducirías	habrías	"
reduciría	habría	"
reduciríamos	habríamos	"
reduciríais	habríais	"
reducirían	habrían	"

SUBJUNTIVO

Presente	*Pretérito perfecto*	
reduzca	haya	reducido
reduzcas	hayas	"
reduzca	haya	"
reduzcamos	hayamos	"
reduzcáis	hayáis	"
reduzcan	hayan	"

Pretérito imperfecto	*Pret. pluscuamperfecto*	
redujera o redujese	hubiera o -iese	reducido
redujeras o redujeses	hubieras o -ieses	"
redujera o redujese	hubiera o -iese	"
redujéramos o redujésemos	hubiéramos o -iésemos	"
redujerais o redujeseis	hubierais o -ieseis	"
redujeran o redujesen	hubieran o -iesen	"

Futuro imperfecto	*Futuro perfecto*	
redujere	hubiere	reducido
redujeres	hubieres	"
redujere	hubiere	"
redujéremos	hubiéremos	"
redujereis	hubiereis	"
redujeren	hubieren	"

IMPERATIVO

	reduzcamos
reduce	reducid
reduzca	reduzcan

INDICATIVO

Presente
río
ríes
ríe

reímos
reís
ríen

Pretérito perfecto
he   reído
has   "
ha   "

hemos   "
habéis "
han   "

Pretérito imperfecto
reía
reías
reía

reíamos
reíais
reían

Pret. pluscuamperfecto
había   reído
habías   "
había   "

habíamos "
habíais "
habían   "

Pretérito indefinido
reí
reíste
rió

reímos
reísteis
rieron

Pretérito anterior
hube   reído
hubiste "
hubo   "

hubimos "
hubisteis "
hubieron "

Futuro imperfecto
reiré
reirás
reirá

reiremos
reiréis
reirán

Futuro perfecto
habré   reído
habrás   "
habrá   "

habremos "
habréis "
habrán   "

INFINITIVO	GERUNDIO	PARTICIPIO
Simple	*Simple*	reído
reír	riendo	
Compuesto	*Compuesto*	
haber reído	habiendo reído	

CONDICIONAL (o POTENCIAL)

Simple	*Perfecto*	
reiría	habría	reído
reirías	habrías	,,
reiría	habría	,,
reiríamos	habríamos	,,
reiríais	habríais	,,
reirían	habrían	,,

SUBJUNTIVO

Presente	*Pretérito perfecto*	
ría	haya	reído
rías	hayas	,,
ría	haya	,,
riamos	hayamos	,,
riáis	hayáis	,,
rían	hayan	,,

Pretérito imperfecto	*Pret. pluscuamperfecto*	
riera o riese	hubiera o -iese	reído
rieras o rieses	hubieras o -ieses	,,
riera o riese	hubiera o -iese	,,
riéramos o riésemos	hubiéramos o -iésemos	,,
rierais o rieseis	hubierais o -ieseis	,,
rieran o riesen	hubieran o -iesen	,,

Futuro imperfecto	*Futuro perfecto*	
riere	hubiere	reído
rieres	hubieres	,,
riere	hubiere	,,
riéremos	hubiéremos	,,
riereis	hubiereis	,,
rieren	hubieren	,,

IMPERATIVO

	riamos
ríe	reíd
ría	rían

INDICATIVO

Presente
reluzco
reluces
reluce

relucimos
relucís
relucen

Pretérito imperfecto
relucía
relucías
relucía

relucíamos
relucíais
relucían

Pretérito indefinido
relucí
reluciste
relució

relucimos
relucisteis
relucieron

Futuro imperfecto
reluciré
relucirás
relucirá

reluciremos
reluciréis
relucirán

Pretérito perfecto
he   relucido
has   ,,
ha   ,,

hemos   ,,
habéis   ,,
han   ,,

Pret. pluscuamperfecto
había   relucido
habías   ,,
había   ,,

habíamos ,,
habíais   ,,
habían   ,,

Pretérito anterior
hube   relucido
hubiste   ,,
hubo   ,,

hubimos   ,,
hubisteis ,,
hubieron ,,

Futuro perfecto
habré   relucido
habrás   ,,
habrá   ,,

habremos ,,
habréis   ,,
habrán   ,,

INFINITIVO	GERUNDIO	PARTICIPIO
Simple	*Simple*	relucido
relucir	reluciendo	
Compuesto	*Compuesto*	
haber relucido	habiendo relucido	

CONDICIONAL (o POTENCIAL)

Simple	*Perfecto*	
reluciría	habría	relucido
relucirías	habrías	"
reluciría	habría	"
reluciríamos	habríamos	"
reluciríais	habríais	"
relucirían	habrían	"

SUBJUNTIVO

Presente	*Pretérito perfecto*	
reluzca	haya	relucido
reluzcas	hayas	"
reluzca	haya	"
reluzcamos	hayamos	"
reluzcáis	hayáis	"
reluzcan	hayan	"

Pretérito imperfecto	*Pret. pluscuamperfecto*	
reluciera o reluciese	hubiera o -iese	relucido
relucieras o relucieses	hubieras o -ieses	"
reluciera o reluciese	hubiera o -iese	"
reluciéramos o -iésemos	hubiéramos o -iésemos	"
relucierais o relucieseis	hubierais o -ieseis	"
relucieran o reluciesen	hubieran o -iesen	"

Futuro imperfecto	*Futuro perfecto*	
reluciere	hubiere	relucido
relucieres	hubieres	"
reluciere	hubiere	"
reluciéremos	hubiéremos	"
reluciereis	hubiereis	"
relucieren	hubieren	"

IMPERATIVO

	reluzcamos
reluce	relucid
reluzca	reluzcan

INDICATIVO

Presente	*Pretérito perfecto*	
roo, roigo o royo	he	roído
roes	has	,,
roe	ha	,,
roemos	hemos	,,
roéis	habéis	,,
roen	han	,,

Pretérito imperfecto	*Pret. pluscuamperfecto*	
roía	había	roído
roías	habías	,,
roía	había	,,
roíamos	habíamos	,,
roíais	habíais	,,
roían	habían	,,

Pretérito indefinido	*Pretérito anterior*	
roí	hube	roído
roíste	hubiste	,,
royó	hubo	,,
roímos	hubimos	,,
roísteis	hubisteis	,,
royeron	hubieron	,,

Futuro imperfecto	*Futuro perfecto*	
roeré	habré	roído
roerás	habrás	,,
roerá	habrá	,,
roeremos	habremos	,,
roeréis	habréis	,,
roerán	habrán	,,

INFINITIVO	GERUNDIO	PARTICIPIO
Simple	*Simple*	roído
roer	royendo	
Compuesto	*Compuesto*	
haber roído	habiendo roído	

CONDICIONAL (o POTENCIAL)

Simple	*Perfecto*	
roería	habría	roído
roerías	habrías	"
roería	habría	"
roeríamos	habríamos	"
roeríais	habríais	"
roerían	habrían	"

SUBJUNTIVO

Presente	*Pretérito perfecto*	
roa, roiga o roya	haya	roído
roas, roigas o royas	hayas	"
roa, roiga o roya	haya	"
roamos, roigamos o royamos	hayamos	"
roáis, roigáis o royáis	hayáis	"
roan, roigan o royan	hayan	"

Pretérito imperfecto	*Pret. pluscuamperfecto*	
royera o royese	hubiera o -iese	roído
royeras o royeses	hubieras o -ieses	"
royera o royese	hubiera o -iese	"
royéramos o royésemos	hubiéramos o -iésemos	"
royerais o royeseis	hubierais o -ieseis	"
royeran o royesen	hubieran o -iesen	"

Futuro imperfecto	*Futuro perfecto*	
royere	hubiere	roído
royeres	hubieres	"
royere	hubiere	"
royéremos	hubiéremos	"
royereis	hubiereis	"
royeren	hubieren	"

IMPERATIVO

	roamos, roigamos o royamos
roe	roed
roa, roiga o roya	roigan o royan

INDICATIVO

Presente	*Pretérito perfecto*	
sé	he	sabido
sabes	has	,,
sabe	ha	,,
sabemos	hemos	,,
sabéis	habéis	,,
saben	han	,,

Pretérito imperfecto	*Pret. pluscuamperfecto*	
sabía	había	sabido
sabías	habías	,,
sabía	había	,,
sabíamos	habíamos	,,
sabíais	habíais	,,
sabían	habían	,,

Pretérito indefinido	*Pretérito anterior*	
supe	hube	sabido
supiste	hubiste	,,
supo	hubo	,,
supimos	hubimos	,,
supisteis	hubisteis	,,
supieron	hubieron	,,

Futuro imperfecto	*Futuro perfecto*	
sabré	habré	sabido
sabrás	habrás	,,
sabrá	habrá	,,
sabremos	habremos	,,
sabréis	habréis	,,
sabrán	habrán	,,

INFINITIVO	GERUNDIO	PARTICIPIO
Simple	*Simple*	sabido
saber	sabiendo	
Compuesto	*Compuesto*	
haber sabido	habiendo sabido	

CONDICIONAL (o POTENCIAL)

Simple	*Perfecto*	
sabría	habría	sabido
sabrías	habrías	,,
sabría	habría	,,
sabríamos	habríamos	,,
sabríais	habríais	,,
sabrían	habrían	,,

SUBJUNTIVO

Presente	*Pretérito perfecto*	
sepa	haya	sabido
sepas	hayas	,,
sepa	haya	,,
sepamos	hayamos	,,
sepáis	hayáis	,,
sepan	hayan	,,

Pretérito imperfecto	*Pret. pluscuamperfecto*	
supiera o supiese	hubiera o -iese	sabido
supieras o supieses	hubieras o -ieses	,,
supiera o supiese	hubiera o -iese	,,
supiéramos o supiésemos	hubiéramos o -iésemos	,,
supierais o supieseis	hubierais o -ieseis	,,
supieran o supiesen	hubieran o -iesen	,,

Futuro imperfecto	*Futuro perfecto*	
supiere	hubiere	sabido
supieres	hubieres	,,
supiere	hubiere	,,
supiéremos	hubiéremos	,,
supiereis	hubiereis	,,
supieren	hubieren	,,

IMPERATIVO

	sepamos
sabe	sabed
sepa	sepan

INDICATIVO

Presente		*Pretérito perfecto*	
salgo		he	salido
sales		has	"
sale		ha	"
salimos		hemos	"
salís		habéis	"
salen		han	"

Pretérito imperfecto		*Pret. pluscuamperfecto*	
salía		había	salido
salías		habías	"
salía		había	"
salíamos		habíamos	"
salíais		habíais	"
salían		habían	"

Pretérito indefinido		*Pretérito anterior*	
salí		hube	salido
saliste		hubiste	"
salió		hubo	"
salimos		hubimos	"
salisteis		hubisteis	"
salieron		hubieron	"

Futuro imperfecto		*Futuro perfecto*	
saldré		habré	salido
saldrás		habrás	"
saldrá		habrá	"
saldremos		habremos	"
saldréis		habréis	"
saldrán		habrán	"

INFINITIVO	GERUNDIO	PARTICIPIO
Simple	*Simple*	salido
salir	saliendo	
Compuesto	*Compuesto*	
haber salido	habiendo salido	

CONDICIONAL (o POTENCIAL)

Simple	*Perfecto*	
saldría	habría	salido
saldrías	habrías	”
saldría	habría	”
saldríamos	habríamos	”
saldríais	habríais	”
saldrían	habrían	”

SUBJUNTIVO

Presente	*Pretérito perfecto*	
salga	haya	salido
salgas	hayas	”
salga	haya	”
salgamos	hayamos	”
salgáis	hayáis	”
salgan	hayan	

Pretérito imperfecto	*Pret. pluscuamperfecto*	
saliera o saliese	hubiera o -iese	salido
salieras o salieses	hubieras o -ieses	”
saliera o saliese	hubiera o -iese	”
saliéramos o saliésemos	hubiéramos o -iésemos	”
salierais o salieseis	hubierais o -ieseis	”
salieran o saliesen	hubieran o -iesen	”

Futuro imperfecto	*Futuro perfecto*	
saliere	hubiere	salido
salieres	hubieres	”
saliere	hubiere	”
saliéremos	hubiéremos	”
saliereis	hubiereis	”
salieren	hubieren	”

IMPERATIVO

	salgamos
sal	salid
salga	salgan

INDICATIVO

Presente		*Pretérito perfecto*	
salpreso		he	salpresado
salpresas		has	,,
salpresa		ha	,,
salpresamos		hemos	,,
salpresáis		habéis	,,
salpresan		han	,,

Pretérito imperfecto		*Pret. pluscuamperfecto*	
salpresaba		había	salpresado
salpresabas		habías	,,
salpresaba		había	,,
salpresábamos		habíamos	,,
salpresabais		habíais	,,
salpresaban		habían	,,

Pretérito indefinido		*Pretérito anterior*	
salpresé		hube	salpresado
salpresaste		hubiste	,,
salpresó		hubo	,,
salpresamos		hubimos	,,
salpresasteis		hubisteis	,,
salpresaron		hubieron	,,

Futuro imperfecto		*Futuro perfecto*	
salpresaré		habré	salpresado
salpresarás		habrás	,,
salpresará		habrá	,,
salpresaremos		habremos	,,
salpresaréis		habréis	,,
salpresarán		habrán	,,

INFINITIVO	GERUNDIO	PARTICIPIO
Simple	*Simple*	salpresado
salpresar	salpresando	(o salpreso)
Compuesto	*Compuesto*	
haber salpresado	habiendo salpresado	

CONDICIONAL (o POTENCIAL)

Simple	*Perfecto*	
salpresaría	habría	salpresado
salpresarías	habrías	,,
salpresaría	habría	,,
salpresaríamos	habríamos	,,
salpresaríais	habríais	,,
salpresarían	habrían	,,

SUBJUNTIVO

Presente	*Pretérito perfecto*	
salprese	haya	salpresado
salpreses	hayas	,,
salprese	haya	,,
salpresemos	hayamos	,,
salpreséis	hayáis	,,
salpresen	hayan	,,

Pretérito imperfecto	*Pret. pluscuamperfecto*	
salpresara o salpresase	hubiera o -iese	salpresado
salpresaras o salpresases	hubieras o -ieses	,,
salpresara o salpresase	hubiera o -iese	,,
salpresáramos o salpresásemos	hubiéramos o -iésemos	,,
salpresarais o salpresaseis	hubierais o -ieseis	,,
salpresaran o salpresasen	hubieran o -iesen	,,

Futuro imperfecto	*Futuro perfecto*	
salpresare	hubiere	salpresado
salpresares	hubieres	,,
salpresare	hubiere	,,
salpresáremos	hubiéremos	,,
salpresareis	hubiereis	,,
salpresaren	hubieren	,,

IMPERATIVO

	salpresemos
salpresa	salpresad
salprese	salpresen

INDICATIVO

Presente	*Pretérito perfecto*	
salvo	he	salvado
salvas	has	,,
salva	ha	,,
salvamos	hemos	,,
salváis	habéis	,,
salvan	han	,,

Pretérito imperfecto	*Pret. pluscuamperfecto*	
salvaba	había	salvado
salvabas	habías	,,
salvaba	había	,,
salvábamos	habíamos	,,
salvabais	habíais	,,
salvaban	habían	,,

Pretérito indefinido	*Pretérito anterior*	
salvé	hube	salvado
salvaste	hubiste	,,
salvó	hubo	,,
salvamos	hubimos	,,
salvasteis	hubisteis	,,
salvaron	hubieron	,,

Futuro imperfecto	*Futuro perfecto*	
salvaré	habré	salvado
salvarás	habrás	,,
salvará	habrá	,,
salvaremos	habremos	,,
salvaréis	habréis	,,
salvarán	habrán	,,

INFINITIVO	GERUNDIO	PARTICIPIO
Simple	*Simple*	salvado
salvar	salvando	(o salvo)
Compuesto	*Compuesto*	
haber salvado	habiendo salvado	

CONDICIONAL (o POTENCIAL)

Simple	*Perfecto*	
salvaría	habría	salvado
salvarías	habrías	"
salvaría	habría	"
salvaríamos	habríamos	"
salvaríais	habríais	"
salvarían	habrían	"

SUBJUNTIVO

Presente	*Pretérito perfecto*	
salve	haya	salvado
salves	hayas	"
salve	haya	"
salvemos	hayamos	"
salvéis	hayáis	"
salven	hayan	"

Pretérito imperfecto	*Pret. pluscuamperfecto*	
salvara o salvase	hubiera o -iese	salvado
salvaras o salvases	hubieras o -ieses	"
salvara o salvase	hubiera o -iese	"
salváramos o salvásemos	hubiéramos o -iésemos	"
salvarais o salvaseis	hubierais o -ieseis	"
salvaran o salvasen	hubieran o -iesen	"

Futuro imperfecto	*Futuro perfecto*	
salvare	hubiere	salvado
salvares	hubieres	"
salvare	hubiere	"
salváremos	hubiéremos	"
salvareis	hubiereis	"
salvaren	hubieren	"

IMPERATIVO

	salvemos
salva	salvad
salve	salven

INDICATIVO

Presente	*Pretérito perfecto*	
satisfago	he	satisfecho
satisfaces	has	”
satisface	ha	”
satisfacemos	hemos	”
satisfacéis	habéis	”
satisfacen	han	”

Pretérito imperfecto	*Pret. pluscuamperfecto*	
satisfacía	había	satisfecho
satisfacías	habías	”
satisfacía	había	”
satisfacíamos	habíamos	”
satisfacíais	habíais	”
satisfacían	habían	”

Pretérito indefinido	*Pretérito anterior*	
satisfice	hube	satisfecho
satisficiste	hubiste	”
satisfizo	hubo	”
satisficimos	hubimos	”
satisficisteis	hubisteis	”
satisficieron	hubieron	”

Futuro imperfecto	*Futuro perfecto*	
satisfaré	habré	satisfecho
satisfarás	habrás	”
satisfará	habrá	”
satisfaremos	habremos	”
satisfaréis	habréis	”
satisfarán	habrán	”

INFINITIVO	GERUNDIO	PARTICIPIO
Simple	*Simple*	satisfecho
satisfacer	satisfaciendo	
Compuesto	*Compuesto*	
haber satisfecho	habiendo satisfecho	

CONDICIONAL (o POTENCIAL)

Simple	*Perfecto*	
satisfaría	habría	satisfecho
satisfarías	habrías	”
satisfaría	habría	”
satisfaríamos	habríamos	”
satisfaríais	habríais	”
satisfarían	habrían	”

SUBJUNTIVO

Presente	*Préterito perfecto*	
satisfaga	haya	satisfecho
satisfagas	hayas	”
satisfaga	haya	”
satisfagamos	hayamos	”
satisfagáis	hayáis	”
satisfagan	hayan	”

Pretérito imperfecto	*Pret. pluscuamperfecto*	
satisficiera o satisficiese	hubiera o -iese	satisfecho
satisficieras o satisficieses	hubieras o -ieses	”
satisficiera o satisficiese	hubiera o -iese	”
satisficiéramos o satisficiésemos	hubiéramos o -iésemos	”
satisficierais o satisficieseis	hubierais o -ieseis	”
satisficieran o satisficiesen	hubieran o -iesen	”

Futuro imperfecto	*Futuro perfecto*	
satisficiere	hubiere	satisfecho
satisficieres	hubieres	”
satisficiere	hubiere	”
satisficiéremos	hubiéremos	”
satisficiereis	hubiereis	”
satisficieren	hubieren	”

IMPERATIVO

	satisfagamos
satisfaz o satisface	satisfaced
satisfaga	satisfagan

INDICATIVO

Presente	*Pretérito perfecto*	
siento	he	sentido
sientes	has	"
siente	ha	"
sentimos	hemos	"
sentís	habéis	"
sienten	han	"

Pretérito imperfecto	*Pret. pluscuamperfecto*	
sentía	había	sentido
sentías	habías	"
sentía	había	"
sentíamos	habíamos	"
sentíais	habíais	"
sentían	habían	"

Pretérito indefinido	*Pretérito anterior*	
sentí	hube	sentido
sentiste	hubiste	"
sintió	hubo	"
sentimos	hubimos	"
sentisteis	hubisteis	"
sintieron	hubieron	"

Futuro imperfecto	*Futuro perfecto*	
sentiré	habré	sentido
sentirás	habrás	"
sentirá	habrá	"
sentiremos	habremos	"
sentiréis	habréis	"
sentirán	habrán	"

INFINITIVO	GERUNDIO	PARTICIPIO
Simple	*Simple*	sentido
sentir	sintiendo	
Compuesto	*Compuesto*	
haber sentido	habiendo sentido	

CONDICIONAL (o POTENCIAL)

Simple	*Perfecto*	
sentiría	habría	sentido
sentirías	habrías	"
sentiría	habría	"
sentiríamos	habríamos	"
sentiríais	habríais	"
sentirían	habrían	"

SUBJUNTIVO

Presente	*Pretérito perfecto*	
sienta	haya	sentido
sientas	hayas	"
sienta	haya	"
sintamos	hayamos	"
sintáis	hayáis	"
sientan	hayan	"

Pretérito imperfecto	*Pret. pluscuamperfecto*	
sintiera o sintiese	hubiera o -iese	sentido
sintieras o sintieses	hubieras o -ieses	"
sintiera o sintiese	hubiera o -iese	"
sintiéramos o sintiésemos	hubiéramos o -iésemos	"
sintierais o sintieseis	hubierais o -ieseis	"
sintieran o sintiesen	hubieran o -iesen	"

Futuro imperfecto	*Futuro perfecto*	
sintiere	hubiere	sentido
sintieres	hubieres	"
sintiere	hubiere	"
sintiéremos	hubiéremos	"
sintiereis	hubiereis	"
sintieren	hubieren	"

IMPERATIVO

	sintamos
siente	sentid
sienta	sientan

INDICATIVO

Presente	*Pretérito perfecto*
sepulto	he sepultado
sepultas	has "
sepulta	ha "
sepultamos	hemos "
sepultáis	habéis "
sepultan	han "

Pretérito imperfecto	*Pret. pluscuamperfecto*
sepultaba	había sepultado
sepultabas	habías "
sepultaba	había "
sepultábamos	habíamos "
sepultabais	habíais "
sepultaban	habían "

Pretérito indefinido	*Pretérito anterior*
sepulté	hube sepultado
sepultaste	hubiste "
sepultó	hubo "
sepultamos	hubimos "
sepultasteis	hubisteis "
sepultaron	hubieron "

Futuro imperfecto	*Futuro perfecto*
sepultaré	habré sepultado
sepultarás	habrás "
sepultará	habrá "
sepultaremos	habremos "
sepultaréis	habréis "
sepultarán	habrán "

INFINITIVO	GERUNDIO	PARTICIPIO
Simple	*Simple*	sepultado
sepultar	sepultando	(o sepulto)
Compuesto	*Compuesto*	
haber sepultado	habiendo sepultado	

CONDICIONAL (o POTENCIAL)

Simple	*Perfecto*	
sepultaría	habría	sepultado
sepultarías	habrías	,,
sepultaría	habría	,,
sepultaríamos	habríamos	,,
sepultaríais	habríais	,,
sepultarían	habrían	,,

SUBJUNTIVO

Presente	*Pretérito perfecto*	
sepulte	haya	sepultado
sepultes	hayas	,,
sepulte	haya	,,
sepultemos	hayamos	,,
sepultéis	hayáis	,,
sepulten	hayan	,,

Pretérito imperfecto	*Pret. pluscuamperfecto*	
sepultara o sepultase	hubiera o -iese	sepultado
sepultaras o sepultases	hubieras o -ieses	,,
sepultara o sepultase	hubiera o -iese	,,
sepultáramos o sepultásemos	hubiéramos o -iésemos	,,
sepultarais o sepultaseis	hubierais o -ieseis	,,
sepultaran o sepultasen	hubieran o -iesen	,,

Futuro imperfecto	*Futuro perfecto*	
sepultare	hubiere	sepultado
sepultares	hubieres	,,
sepultare	hubiere	,,
sepultáremos	hubiéremos	,,
sepultareis	hubiereis	,,
sepultaren	hubieren	,,

IMPERATIVO

	sepultemos
sepulta	sepultad
sepulte	sepulten

INDICATIVO

Presente	*Pretérito perfecto*
soy	he sido
eres	has "
es	ha "
somos	hemos "
sois	habéis "
son	han "

Pretérito imperfecto	*Pret. pluscuamperfecto*
era	había sido
eras	habías "
era	había "
éramos	habíamos "
erais	habíais "
eran	habían "

Pretérito indefinido	*Pretérito anterior*
fui	hube sido
fuiste	hubiste "
fue	hubo "
fuimos	hubimos "
fuisteis	hubisteis "
fueron	hubieron "

Futuro imperfecto	*Futuro perfecto*
seré	habré sido
serás	habrás "
será	habrá "
seremos	habremos "
seréis	habréis "
serán	habrán "

INFINITIVO	GERUNDIO	PARTICIPIO
Simple	*Simple*	sido
ser	siendo	
Compuesto	*Compuesto*	
haber sido	habiendo sido	

CONDICIONAL (o POTENCIAL)

Simple	*Perfecto*	
sería	habría	sido
serías	habrías	"
sería	habría	"
seríamos	habríamos	"
seríais	habríais	"
serían	habrían	"

SUBJUNTIVO

Presente	*Pretérito perfecto*	
sea	haya	sido
seas	hayas	"
sea	haya	"
seamos	hayamos	"
seáis	hayamos	"
sean	hayan	"

Pretérito imperfecto	*Pret. pluscuamperfecto*	
fuera o fuese	hubiera o -iese	sido
fueras o fueses	hubieras o -ieses	"
fuera o fuese	hubiera o -iese	"
fuéramos o fuésemos	hubiéramos o -iésemos	"
fuerais o fueseis	hubierais o -ieseis	"
fueran o fuesen	hubieran o -iesen	"

Futuro imperfecto	*Futuro perfecto*	
fuere	hubiere	sido
fueres	hubieres	"
fuere	hubiere	"
fuéremos	hubiéremos	"
fuereis	hubiereis	"
fueren	hubieren	"

IMPERATIVO

	seamos
sé	sed
sea	sean

INDICATIVO

Presente
sirvo
sirves
sirve

servimos
servís
sirven

Pretérito perfecto
he servido
has „
ha „

hemos „
habéis „
han „

Pretérito imperfecto
servía
servías
servía

servíamos
servíais
servían

Pret. pluscuamperfecto
había servido
habías „
había „

habíamos „
habíais „
habían „

Pretérito indefinido
serví
serviste
sirvió

servimos
servisteis
sirvieron

Pretérito anterior
hube servido
hubiste „
hubo „

hubimos „
hubisteis „
hubieron „

Futuro imperfecto
serviré
servirás
servirá

serviremos
serviréis
servirán

Futuro perfecto
habré servido
habrás „
habrá „

habremos „
habréis „
habrán „

INFINITIVO	GERUNDIO	PARTICIPIO
Simple	*Simple*	servido
servir	sirviendo	
Compuesto	*Compuesto*	
haber servido	habiendo servido	

CONDICIONAL (o POTENCIAL)

Simple
serviría
servirías
serviría

serviríamos
serviríais
servirían

Perfecto
habría servido
habrías "
habría "

habríamos "
habríais "
habrían "

SUBJUNTIVO

Presente
sirva
sirvas
sirva

sirvamos
sirváis
sirvan

Pretérito perfecto
haya servido
hayas "
haya "

hayamos "
hayáis "
hayan "

Pretérito imperfecto
sirviera o sirviese
sirvieras o sirvieses
sirviera o sirviese

sirviéramos o sirviésemos
sirvierais o sirvieseis
sirvieran o sirviesen

Pret. pluscuamperfecto
hubiera o -iese servido
hubieras o -ieses "
hubiera o -iese "

hubiéramos o -iésemos "
hubierais o -ieseis "
hubieran o -iesen "

Futuro imperfecto
sirviere
sirvieres
sirviere

sirviéremos
sirviereis
sirvieren

Futuro perfecto
hubiere servido
hubieres "
hubiere "

hubiéremos "
hubiereis "
hubieren "

IMPERATIVO

sirvamos
sirve servid
sirva sirvan

INDICATIVO

Presente		*Pretérito perfecto*	
suelo		he	solido
sueles		has	"
suele		ha	"
solemos		hemos	"
soléis		habéis	"
suelen		han	"

Pretérito imperfecto		*Pret. pluscuamperfecto*	
solía		había	solido
solías		habías	"
solía		había	"
solíamos		habíamos	"
solíais		habíais	"
solían		habían	"

Pretérito indefinido		*Pretérito anterior*	
solí		hube	solido
soliste		hubiste	"
solió		hubo	"
solimos		hubimos	"
solisteis		hubisteis	"
solieron		hubieron	"

Futuro imperfecto	*Futuro perfecto*
(carece)	(carece)

INFINITIVO	GERUNDIO	PARTICIPIO
Simple	*Simple*	solido
soler	soliendo	
Compuesto	*Compuesto*	
haber solido	habiendo solido	

CONDICIONAL (o POTENCIAL)

Simple   *Perfecto*

(carece)   *(carece)*

SUBJUNTIVO

Presente	*Pretérito perfecto*	
suela	haya	solido
suelas	hayas	"
suela	haya	"
solamos	hayamos	"
soláis	hayáis	"
suelan	hayan	"

Pretérito imperfecto	*Pret. pluscuamperfecto*	
soliera o soliese	hubiera o -iese	solido
solieras o solieses	hubieras o -ieses	"
soliera o soliese	hubiera o -iese	"
soliéramos o soliésemos	hubiéramos o -iésemos	"
solierais o solieseis	hubierais o -ieseis	"
solieran o soliesen	hubieran o -iesen	"

Futuro imperfecto   *Futuro perfecto*

(carece)   *(carece)*

IMPERATIVO

(carece)

INDICATIVO

Presente		*Pretérito perfecto*	
suelto		he	soltado
sueltas		has	”
suelta		ha	”
soltamos		hemos	”
soltáis		habéis	”
sueltan		han	”

Pretérito imperfecto		*Pret. pluscuamperfecto*	
soltaba		había	soltado
soltabas		habías	”
soltaba		había	”
soltábamos		habíamos	”
soltabais		habíais	”
soltaban		habían	”

Pretérito indefinido		*Pretérito anterior*	
solté		hube	soltado
soltaste		hubiste	”
soltó		hubo	”
soltamos		hubimos	”
soltasteis		hubisteis	”
soltaron		hubieron	”

Futuro imperfecto		*Futuro perfecto*	
soltaré		habré	soltado
soltarás		habrás	”
soltará		habrá	”
soltaremos		habremos	”
soltaréis		habréis	”
soltarán		habrán	”

INFINITIVO	GERUNDIO	PARTICIPIO
Simple	*Simple*	soltado
soltar	soltando	(o suelto)
Compuesto	*Compuesto*	
haber soltado	habiendo soltado	

CONDICIONAL (o POTENCIAL)

Simple
soltaría
soltarías
soltaría
soltaríamos
soltaríais
soltarían

Perfecto
habría	soltado
habrías	"
habría	"
habríamos	"
habríais	"
habrían	"

SUBJUNTIVO

Presente
suelte
sueltes
suelte
soltemos
soltéis
suelten

Pretérito perfecto
haya	soltado
hayas	"
haya	"
hayamos	"
hayáis	"
hayan	"

Pretérito imperfecto
soltara o soltase
soltaras o soltases
soltara o soltase
soltáramos o soltásemos
soltarais o soltaseis
soltaran o soltasen

Pret. pluscuamperfecto
hubiera o -iese	soltado
hubieras o -ieses	"
hubiera o -iese	"
hubiéramos o -iésemos	"
hubierais o -ieseis	"
hubieran o -iesen	"

Futuro imperfecto
soltare
soltares
soltare
soltáremos
soltareis
soltaren

Futuro perfecto
hubiere	soltado
hubieres	"
hubiere	"
hubiéremos	"
hubiereis	"
hubieren	"

IMPERATIVO

	soltemos
suelta	soltad
suelte	suelten

INDICATIVO

Presente	*Pretérito perfecto*	
substituyo	he	substituido
substituyes	has	”
substituye	ha	”
substituimos	hemos	”
substituís	habéis	”
substituyen	han	”

Pretérito imperfecto	*Pret. pluscuamperfecto*	
substituía	había	substituido
substituías	habías	”
substituía	había	”
substituíamos	habíamos	”
substituíais	habíais	”
substituían	habían	”

Pretérito indefinido	*Pretérito anterior*	
substituí	hube	substituido
substituiste	hubiste	”
substituyó	hubo	”
substituimos	hubimos	”
substituisteis	hubisteis	”
substituyeron	hubieron	”

Futuro imperfecto	*Futuro perfecto*	
substituiré	habré	substituido
substituirás	habrás	”
substituirá	habrá	”
substituiremos	habremos	”
substituiréis	habréis	”
substituirán	habrán	”

INFINITIVO	GERUNDIO	PARTICIPIO
Simple	*Simple*	substituido
substituir	substituyendo	(o substituto)
Compuesto	*Compuesto*	
haber substituido	habiendo substituido	

CONDICIONAL (o POTENCIAL)

Simple	*Perfecto*	
substituiría	habría	substituido
substituirías	habrías	"
substituiría	habría	"
substituiríamos	habríamos	"
substituiríais	habríais	"
substituirían	habrían	"

SUBJUNTIVO

Presente	*Pretérito perfecto*	
substituya	haya	substituido
substituyas	hayas	"
substituya	haya	"
substituyamos	hayamos	"
substituyáis	hayáis	"
substituyan	hayan	"

Pretérito imperfecto	*Pret. pluscuamperfecto*	
substituyera o substituyese	hubiera o -iese	substituido
substituyeras o substituyeses	hubieras o -ieses	"
substituyera o substituyese	hubiera o -iese	"
substituyéramos o -yésemos	hubiéramos o -iésemos	"
substituyerais o substituyeseis	hubierais o -ieseis	"
substituyeran o substituyesen	hubieran o -iesen	"

Futuro imperfecto	*Futuro perfecto*	
substituyere	hubiere	substituido
substituyeres	hubieres	"
substituyere	hubiere	"
substituyéremos	hubiéremos	"
substituyereis	hubiereis	"
substituyeren	hubieren	"

IMPERATIVO

	substituyamos
substituye	substituid
substituya	substituyan

INDICATIVO

Presente
sujeto
sujetas
sujeta

sujetamos
sujetáis
sujetan

Pretérito imperfecto
sujetaba
sujetabas
sujetaba

sujetábamos
sujetabais
sujetaban

Pretérito indefinido
sujeté
sujetaste
sujetó

sujetamos
sujetasteis
sujetaron

Futuro imperfecto
sujetaré
sujetarás
sujetará

sujetaremos
sujetaréis
sujetarán

Pretérito perfecto
he   sujetado
has   "
ha   "

hemos   "
habéis   "
han   "

Pret. pluscuamperfecto
había   sujetado
habías   "
había   "

habíamos   "
habíais   "
habían   "

Pretérito anterior
hube   sujetado
hubiste   "
hubo   "

hubimos   "
hubisteis   "
hubieron   "

Futuro perfecto
habré   sujetado
habrás   "
habrá   "

habremos   "
habréis   "
habrán   "

INFINITIVO	GERUNDIO	PARTICIPIO
Simple	*Simple*	sujetado
sujetar	sujetando	(o sujeto)
Compuesto	*Compuesto*	
haber sujetado	habiendo sujetado	

CONDICIONAL (o POTENCIAL)

Simple
sujetaría
sujetarías
sujetaría
sujetaríamos
sujetaríais
sujetarían

Perfecto
habría   sujetado
habrías   "
habría   "
habríamos   "
habríais   "
habrían   "

SUBJUNTIVO

Presente
sujete
sujetes
sujete
sujetemos
sujetéis
sujeten

Pretérito perfecto
haya   sujetado
hayas   "
haya   "
hayamos   "
hayáis   "
hayan   "

Pretérito imperfecto
sujetara o sujetase
sujetaras o sujetases
sujetara o sujetase
sujetáramos o sujetásemos
sujetarais o sujetaseis
sujetaran o sujetasen

Pret. pluscuamperfecto
hubiera o -iese   sujetado
hubieras o -ieses   "
hubiera o -iese   "
hubiéramos o -iésemos   "
hubierais o -ieseis   "
hubieran o -iesen   "

Futuro imperfecto
sujetare
sujetares
sujetare
sujetáremos
sujetareis
sujetaren

Futuro perfecto
hubiere   sujetado
hubieres   "
hubiere   "
hubiéremos   "
hubiereis   "
hubieren   "

IMPERATIVO

         sujetemos
sujeta   sujetad
sujete   sujeten

INDICATIVO

Presente
suprimo
suprimes
suprime
suprimimos
suprimís
suprimen

Pretérito perfecto
he   suprimido
has   "
ha   "
hemos   "
habéis   "
han   "

Pretérito imperfecto
suprimía
suprimías
suprimía
suprimíamos
suprimíais
suprimían

Pret. pluscuamperfecto
había   suprimido
habías   "
había   "
habíamos "
habíais   "
habían   "

Pretérito indefinido
suprimí
suprimiste
suprimió
suprimimos
suprimisteis
suprimieron

Pretérito anterior
hube   suprimido
hubiste   "
hubo   "
hubimos   "
hubisteis "
hubieron "

Futuro imperfecto
suprimiré
suprimirás
suprimirá
suprimiremos
suprimiréis
suprimirán

Futuro perfecto
habré   suprimido
habrás   "
habrá   "
habremos "
habréis   "
habrán   "

INFINITIVO	GERUNDIO	PARTICIPIO
Simple	*Simple*	suprimido
suprimir	suprimiendo	(o supreso)
Compuesto	*Compuesto*	
haber suprimido	habiendo suprimido	

CONDICIONAL (o POTENCIAL)

Simple	*Perfecto*	
suprimiría	habría	suprimido
suprimirías	habrías	,,
suprimiría	habría	,,
suprimiríamos	habríamos	,,
suprimiríais	habríais	,,
suprimirían	habrían	,,

SUBJUNTIVO

Presente	*Pretérito perfecto*	
suprima	haya	suprimido
suprimas	hayas	,,
suprima	haya	,,
suprimamos	hayamos	,,
suprimáis	hayáis	,,
supriman	hayan	,,

Pretérito imperfecto	*Pret. pluscuamperfecto*	
suprimiera o suprimiese	hubiera o -iese	suprimido
suprimieras o suprimieses	hubieras o -ieses	,,
suprimiera o suprimiese	hubiera o -iese	,,
suprimiéramos o suprimiésemos	hubiéramos o -iésemos	,,
suprimierais o suprimieseis	hubierais o -ieseis	,,
suprimieran o suprimiesen	hubieran o -iesen	,,

Futuro imperfecto	*Futuro perfecto*	
suprimiere	hubiere	suprimido
suprimieres	hubieres	,,
suprimiere	hubiere	,,
suprimiéremos	hubiéremos	,,
suprimiereis	hubiereis	,,
suprimieren	hubieren	,,

IMPERATIVO

	suprimamos
suprime	suprimid
suprima	supriman

INDICATIVO

Presente	*Pretérito perfecto*	
suspendo	he	suspendido
suspendes	has	"
suspende	ha	"
suspendemos	hemos	"
suspendéis	habéis	"
suspenden	han	"

Pretérito imperfecto	*Pret. pluscuamperfecto*	
suspendía	había	suspendido
suspendías	habías	"
suspendía	había	"
suspendíamos	habíamos	"
suspendíais	habíais	"
suspendían	habían	"

Pretérito indefinido	*Pretérito anterior*	
suspendí	hube	suspendido
suspendiste	hubiste	"
suspendió	hubo	"
suspendimos	hubimos	"
suspendisteis	hubisteis	"
suspendieron	hubieron	"

Futuro imperfecto	*Futuro perfecto*	
suspenderé	habré	suspendido
suspenderás	habrás	"
suspenderá	habrá	"
suspenderemos	habremos	"
suspenderéis	habréis	"
suspenderán	habrán	"

INFINITIVO	GERUNDIO	PARTICIPIO
Simple	*Simple*	suspendido
suspender	suspendiendo	(o suspenso)
Compuesto	*Compuesto*	
haber suspendido	habiendo suspendido	

CONDICIONAL (o POTENCIAL)

Simple	*Perfecto*	
suspendería	habría	suspendido
suspenderías	habrías	"
suspendería	habría	"
suspenderíamos	habríamos	"
suspenderíais	habríais	"
suspenderían	habrían	"

SUBJUNTIVO

Presente	*Pretérito perfecto*	
suspenda	haya	suspendido
suspendas	hayas	"
suspenda	haya	"
suspendamos	hayamos	"
suspendáis	hayáis	"
suspendan	hayan	"

Pretérito imperfecto	*Pret. pluscuamperfecto*	
suspendiera o suspendiese	hubiera o -iese	suspendido
suspendieras o suspendieses	hubieras o -ieses	"
suspendiera o suspendiese	hubiera o -iese	"
suspendiéramos o iésemos	hubiéramos o -iésemos	"
suspendierais o ieseis	hubierais o -ieseis	"
suspendieran o suspendiesen	hubieran o -iesen	"

Futuro imperfecto	*Futuro perfecto*	
suspendiere	hubiere	suspendido
suspendieres	hubieres	"
suspendiere	hubiere	"
suspendiéremos	hubiéremos	"
suspendiereis	hubiereis	"
suspendieren	hubieren	"

IMPERATIVO

	suspendamos
suspende	suspended
suspenda	suspendan

INDICATIVO

Presente		*Pretérito perfecto*	
taño		he	tañido
tañes		has	"
tañe		ha	"
tañemos		hemos	"
tañéis		habéis	"
tañen		han	"

Pretérito imperfecto		*Pret. pluscuamperfecto*	
tañía		había	tañido
tañías		habías	"
tañía		había	"
tañíamos		habíamos	"
tañíais		habíais	"
tañían		habían	"

Pretérito indefinido		*Pretérito anterior*	
tañí		hube	tañido
tañiste		hubiste	"
tañó		hubo	"
tañimos		hubimos	"
tañisteis		hubisteis	"
tañeron		hubieron	"

Futuro imperfecto		*Futuro perfecto*	
tañeré		habré	tañido
tañerás		habrás	"
tañerá		habrá	"
tañeremos		habremos	"
tañeréis		habréis	"
tañerán		habrán	"

INFINITIVO	GERUNDIO	PARTICIPIO
Simple	*Simple*	tañido
tañer	tañendo	
Compuesto	*Compuesto*	
haber tañido	habiendo tañido	

CONDICIONAL (o POTENCIAL)

Simple
tañería
tañerías
tañería

tañeríamos
tañeríais
tañerían

Perfecto
habría tañido
habrías "
habría "

habríamos "
habríais "
habrían "

SUBJUNTIVO

Presente
taña
tañas
taña

tañamos
tañáis
tañan

Pretérito perfecto
haya tañido
hayas "
haya "

hayamos "
hayáis "
hayan "

Pretérito imperfecto
tañera o tañese
tañeras o tañeses
tañera o tañese

tañéramos o tañésemos
tañerais o tañeseis
tañeran o tañesen

Pret. pluscuamperfecto
hubiera o -iese tañido
hubieras o -ieses "
hubiera o -iese "

hubiéramos o -iésemos "
hubierais o -ieseis "
hubieran o -iesen "

Futuro imperfecto
tañere
tañeres
tañere

tañéremos
tañereis
tañeren

Futuro perfecto
hubiere tañido
hubieres "
hubiere "

hubiéremos "
hubiereis "
hubieren "

IMPERATIVO

tañamos
tañe tañed
taña tañan

INDICATIVO

Presente	*Pretérito perfecto*
temo	he temido
temes	has "
teme	ha "
tememos	hemos "
teméis	habéis "
temen	han "

Pretérito imperfecto	*Pret. pluscuamperfecto*
temía	había temido
temías	habías "
temía	había "
temíamos	habíamos "
temíais	habíais "
temían	habían "

Pretérito indefinido	*Pretérito anterior*
temí	hube temido
temiste	hubiste "
temió	hubo "
temimos	hubimos "
temisteis	hubisteis "
temieron	hubieron "

Futuro imperfecto	*Futuro perfecto*
temeré	habré temido
temerás	habrás "
temerá	habrá "
temeremos	habremos "
temeréis	habréis "
temerán	habrán "

INFINITIVO	GERUNDIO	PARTICIPIO
Simple	*Simple*	temido
temer	temiendo	
Compuesto	*Compuesto*	
haber temido	habiendo temido	

* Este verbo modelo lleva la desinencia señalada con negrita.

CONDICIONAL (o POTENCIAL)

Simple	*Perfecto*	
temería	habría	temido
temerías	habrías	"
temería	habría	"
temeríamos	habríamos	"
temeríais	habríais	"
temerían	habrían	"

SUBJUNTIVO

Presente	*Pretérito perfecto*	
tema	haya	temido
temas	hayas	"
tema	haya	"
temamos	hayamos	"
temáis	hayáis	"
teman	hayan	"

Pretérito imperfecto	*Pret. pluscuamperfecto*	
temiera o temiese	hubiera o -iese	temido
temieras o temieses	hubieras o -ieses	"
temiera o temiese	hubiera o -iese	"
temiéramos o temiésemos	hubiéramos o -iésemos	"
temierais o temieseis	hubierais o -ieseis	"
temieran o temiesen	hubieran o -iesen	"

Futuro imperfecto	*Futuro perfecto*	
temiere	hubiere	temido
temieres	hubieres	"
temiere	hubiere	"
temiéremos	hubiéremos	"
temiereis	hubiereis	"
temieren	hubieren	"

IMPERATIVO

	temamos
teme	temed
tema	teman

---

* Este verbo modelo lleva la desinencia señalada con negrita.

INDICATIVO

Presente		*Pretérito perfecto*	
tengo		he	tenido
tienes		has	"
tiene		ha	"
tenemos		hemos	"
tenéis		habéis	"
tienen		han	"

Pretérito imperfecto		*Pret. pluscuamperfecto*	
tenía		había	tenido
tenías		habías	"
tenía		había	"
teníamos		habíamos	"
teníais		habíais	"
tenían		habían	"

Pretérito indefinido		*Pretérito anterior*	
tuve		hube	tenido
tuviste		hubiste	"
tuvo		hubo	"
tuvimos		hubimos	"
tuvisteis		hubisteis	"
tuvieron		hubieron	"

Futuro imperfecto		*Futuro perfecto*	
tendré		habré	tenido
tendrás		habrás	"
tendrá		habrá	"
tendremos		habremos	"
tendréis		habréis	"
tendrán		habrán	"

INFINITIVO	GERUNDIO	PARTICIPIO
Simple	*Simple*	tenido
tener	teniendo	
Compuesto	*Compuesto*	
haber tenido	habiendo tenido	

CONDICIONAL (o POTENCIAL)

Simple	*Perfecto*	
tendría	habría	tenido
tendrías	habrías	,,
tendría	habría	,,
tendríamos	habríamos	,,
tendríais	habríais	,,
tendrían	habrían	,,

SUBJUNTIVO

Presente	*Pretérito perfecto*	
tenga	haya	tenido
tengas	hayas	,,
tenga	haya	,,
tengamos	hayamos	,,
tengáis	hayáis	,,
tengan	hayan	,,

Pretérito imperfecto	*Pret. pluscuamperfecto*	
tuviera o tuviese	hubiera o -iese	tenido
tuvieras o tuvieses	hubieras o -ieses	,,
tuviera o tuviese	hubiera o -iese	,,
tuviéramos o tuviésemos	hubiéramos o -iésemos	,,
tuvierais o tuvieseis	hubierais o -ieseis	,,
tuvieran o tuviesen	hubieran o -iesen	,,

Futuro imperfecto	*Futuro perfecto*	
tuviere	hubiere	tenido
tuvieres	hubieres	,,
tuviere	hubiere	,,
tuviéremos	hubiéremos	,,
tuviereis	hubiereis	,,
tuvieren	hubieren	,,

IMPERATIVO

	tengamos
ten	tened
tenga	tengan

INDICATIVO

Presente
tiño
tiñes
tiñe

teñimos
teñís
tiñen

Pretérito imperfecto
teñía
teñías
teñía

teñíamos
teñíais
teñían

Pretérito indefinido
teñí
teñiste
tiñó

teñimos
teñisteis
tiñeron

Futuro imperfecto
teñiré
teñirás
teñirá

teñiremos
teñiréis
teñirán

Pretérito perfecto
he teñido
has ”
ha ”

hemos ”
habéis ”
han ”

Pret. pluscuamperfecto
había teñido
habías ”
había ”

habíamos ”
habíais ”
habían ”

Pretérito anterior
hube teñido
hubiste ”
hubo ”

hubimos ”
hubisteis ”
hubieron ”

Futuro perfecto
habré teñido
habrás ”
habrá ”

habremos ”
habréis ”
habrán ”

INFINITIVO	GERUNDIO	PARTICIPIO
Simple	*Simple*	teñido
teñir	tiñendo	(o tinto)
Compuesto	*Compuesto*	
haber teñido	habiendo teñido	

CONDICIONAL (o POTENCIAL)

Simple	*Perfecto*	
teñiría	habría	teñido
teñirías	habrías	"
teñiría	habría	"
teñiríamos	habríamos	"
teñiríais	habríais	"
teñirían	habrían	"

SUBJUNTIVO

Presente	*Pretérito perfecto*	
tiña	haya	teñido
tiñas	hayas	"
tiña	haya	"
tiñamos	hayamos	"
tiñáis	hayáis	"
tiñan	hayan	"

Pretérito imperfecto	*Pret. pluscuamperfecto*	
tiñera o tiñese	hubiera o -iese	teñido
tiñeras o tiñeses	hubieras o -ieses	"
tiñera o tiñese	hubiera o -iese	"
tiñéramos o tiñésemos	hubiéramos o -iésemos	"
tiñerais o tiñeseis	hubierais o -ieseis	"
tiñeran o tiñesen	hubieran o -iesen	"

Futuro imperfecto	*Futuro perfecto*	
tiñere	hubiere	teñido
tiñeres	hubieres	"
tiñere	hubiere	"
tiñéremos	hubiéremos	"
tiñereis	hubiereis	"
tiñeren	hubieren	"

IMPERATIVO

	tiñamos
tiñe	teñid
tiña	tiñan

INDICATIVO

Presente	*Pretérito perfecto*	
tuerzo	he	torcido
tuerces	has	”
tuerce	ha	”
torcemos	hemos	”
torcéis	habéis	”
tuercen	han	”

Pretérito imperfecto	*Pret. pluscuamperfecto*	
torcía	había	torcido
torcías	habías	”
torcía	había	”
torcíamos	habíamos	”
torcíais	habíais	”
torcían	habían	”

Pretérito indefinido	*Pretérito anterior*	
torcí	hube	torcido
torciste	hubiste	”
torció	hubo	”
torcimos	hubimos	”
torcisteis	hubisteis	”
torcieron	hubieron	”

Futuro imperfecto	*Futuro perfecto*	
torceré	habré	torcido
torcerás	habrás	”
torcerá	habrá	”
torceremos	habremos	”
torceréis	habréis	”
torcerán	habrán	”

INFINITIVO	GERUNDIO	PARTICIPIO
Simple	*Simple*	torcido
torcer	torciendo	(o tuerto)
Compuesto	*Compuesto*	
haber torcido	habiendo torcido	

CONDICIONAL (o POTENCIAL)

Simple	*Perfecto*	
torcería	habría	torcido
torcerías	habrías	,,
torcería	habría	,,
torceríamos	habríamos	,,
torceríais	habríais	,,
torcerían	habrían	,,

SUBJUNTIVO

Presente	*Pretérito perfecto*	
tuerza	haya	torcido
tuerzas	hayas	,,
tuerza	haya	,,
torzamos	hayamos	,,
torzáis	hayáis	,,
tuerzan	hayan	,,

Pretérito imperfecto	*Pret. pluscuamperfecto*	
torciera o torciese	hubiera o -iese	torcido
torcieras o torcieses	hubieras o -ieses	,,
torciera o torciese	hubiera o -iese	,,
torciéramos o torciésemos	hubiéramos o -iésemos	,,
torcierais o torcieseis	hubierais o -ieseis	,,
torcieran o torciesen	hubieran o -iesen	,,

Futuro imperfecto	*Futuro perfecto*	
torciere	hubiere	torcido
torcieres	hubieres	,,
torciere	hubiere	,,
torciéremos	hubiéremos	,,
torciereis	hubiereis	,,
torcieren	hubieren	,,

IMPERATIVO

	torzamos
tuerce	torced
tuerza	tuerzan

INDICATIVO

Presente		*Pretérito perfecto*	
traigo		he	traído
traes		has	"
trae		ha	"
traemos		hemos	"
traéis		habéis	"
traen		han	"

Pretérito imperfecto		*Pret. pluscuamperfecto*	
traía		había	traído
traías		habías	"
traía		había	"
traíamos		habíamos	"
traíais		habíais	"
traían		habían	"

Pretérito indefinido		*Pretérito anterior*	
traje		hube	traído
trajiste		hubiste	"
trajo		hubo	"
trajimos		hubimos	"
trajisteis		hubisteis	"
trajeron		hubieron	"

Futuro imperfecto		*Futuro perfecto*	
traeré		habré	traído
traerás		habrás	"
traerá		habrá	"
traeremos		habremos	"
traeréis		habréis	"
traerán		habrán	"

INFINITIVO	GERUNDIO	PARTICIPIO
Simple	*Simple*	traído
traer	trayendo	
Compuesto	*Compuesto*	
haber traído	habiendo traído	

CONDICIONAL (o POTENCIAL)

Simple	*Perfecto*	
traería	habría	traído
traerías	habrías	"
traería	habría	"
traeríamos	habríamos	"
traeríais	habríais	"
traerían	habrían	"

SUBJUNTIVO

Presente	*Pretérito perfecto*	
traiga	haya	traído
traigas	hayas	"
traiga	haya	"
traigamos	hayamos	"
traigáis	hayáis	"
traigan	hayan	"

Pretérito imperfecto	*Pret. pluscuamperfecto*	
trajera o trajese	hubiera o -iese	traído
trajeras o trajeses	hubieras o -ieses	"
trajera o trajese	hubiera o -iese	"
trajéramos o trajésemos	hubiéramos o -iésemos	"
trajerais o trajeseis	hubierais o -ieseis	"
trajeran o trajesen	hubieran o -iesen	"

Futuro imperfecto	*Futuro perfecto*	
trajere	hubiere	traído
trajeres	hubieres	"
trajere	hubiere	"
trajéremos	hubiéremos	"
trajereis	hubiereis	"
trajeren	hubieren	"

IMPERATIVO

	traigamos
trae	traed
traiga	traigan

INDICATIVO

Presente	*Pretérito perfecto*	
uno	he	unido
unes	has	"
une	ha	"
unimos	hemos	"
unís	habéis	"
unen	han	"

Pretérito imperfecto	*Pret. pluscuamperfecto*	
unía	había	unido
unías	habías	"
unía	había	"
uníamos	habíamos	"
uníais	habíais	"
unían	habían	"

Pretérito indefinido	*Pretérito anterior*	
uní	hube	unido
uniste	hubiste	"
unió	hubo	"
unimos	hubimos	"
unisteis	hubisteis	"
unieron	hubieron	"

Futuro imperfecto	*Futuro perfecto*	
uniré	habré	unido
unirás	habrás	"
unirá	habrá	"
uniremos	habremos	"
uniréis	habréis	"
unirán	habrán	"

INFINITIVO	GERUNDIO	PARTICIPIO
Simple	*Simple*	unido
unir	uniendo	
Compuesto	*Compuesto*	
haber unido	habiendo unido	

CONDICIONAL (o POTENCIAL)

Simple	*Perfecto*	
uniría	habría	unido
unirías	habrías	"
uniría	había	"
uniríamos	habríamos	"
uniríais	habríais	"
unirían	habrían	"

SUBJUNTIVO

Presente	*Pretérito perfecto*	
una	haya	unido
unas	hayas	"
una	haya	"
unamos	hayamos	"
unáis	hayáis	"
unan	hayan	"

Pretérito imperfecto	*Pret. pluscuamperfecto*	
uniera o uniese	hubiera o -iese	unido
unieras o unieses	hubieras o -ieses	"
uniera o uniese	hubiera o -iese	"
uniéramos o uniésemos	hubiéramos o -iésemos	"
unierais o unieseis	hubierais o -ieseis	"
unieran o uniesen	hubieran o -iesen	"

Futuro imperfecto	*Futuro perfecto*	
uniere	hubiere	unido
unieres	hubieres	"
uniere	hubiere	"
uniéremos	hubiéremos	"
uniereis	hubiéreis	"
unieren	hubieren	"

IMPERATIVO

	unamos
une	unid
una	unan

*(carece de
cuadro flexivo)*

INFINITIVO	GERUNDIO	PARTICIPIO
Simple	*Simple*	usucapido
usucapir	usucapiendo	
Compuesto	*Compuesto*	
haber usucapido	habiendo usucapido	

*(carece de
cuadro flexivo)*

INDICATIVO

Presente.	*Pretérito perfecto*	
valgo	he	valido
vales	has	”
vale	ha	”
valemos	hemos	”
valéis	habéis	”
valen	han	”

Pretérito imperfecto	*Pret. pluscuamperfecto*	
valía	había	valido
valías	habías	”
valía	había	”
valíamos	habíamos	”
valíais	habíais	”
valían	habían	”

Pretérito indefinido	*Pretérito anterior*	
valí	hube	valido
valiste	hubiste	”
valió	hubo	”
valimos	hubimos	”
valisteis	hubisteis	”
valieron	hubieron	”

Futuro imperfecto	*Futuro perfecto*	
valdré	habré	valido
valdrás	habrás	”
valdrá	habrá	”
valdremos	habremos	”
valdréis	habréis	”
valdrán	habrán	”

INFINITIVO	GERUNDIO	PARTICIPIO
Simple	*Simple*	valido
valer	valiendo	
Compuesto	*Compuesto*	
haber valido	habiendo valido	

CONDICIONAL (o POTENCIAL)

Simple	*Perfecto*	
valdría	habría	valido
valdrías	habrías	"
valdría	habría	"
valdríamos	habríamos	"
valdríais	habríais	"
valdrían	habrían	"

SUBJUNTIVO

Presente	*Pretérito perfecto*	
valga	haya	valido
valgas	hayas	"
valga	haya	"
valgamos	hayamos	"
valgáis	hayáis	"
valgan	hayan	"

Pretérito imperfecto	*Pret. pluscuamperfecto*	
valiera o valiese	hubiera o -iese	valido
valieras o valieses	hubieras o -ieses	"
valiera o valiese	hubiera o -iese	"
valiéramos o valiésemos	hubiéramos o -iésemos	"
valierais o valieseis	hubierais o -ieseis	"
valieran o valiesen	hubieran o -iesen	"

Futuro imperfecto	*Futuro perfecto*	
valiere	hubiere	valido
valieres	hubieres	"
valiere	hubiere	"
valiéremos	hubiéremos	"
valiereis	hubiereis	"
valieren	hubieren	"

IMPERATIVO

	valgamos
vale o val	valed
valga	valgan

INDICATIVO

Presente
vendo
vendes
vende

vendemos
vendéis
venden

Pretérito imperfecto
vendía
vendías
vendía

vendíamos
vendíais
vendían

Pretérito indefinido
vendí
vendiste
vendió

vendimos
vendisteis
vendieron

Futuro imperfecto
venderé
venderás
venderá

venderemos
venderéis
venderán

Pretérito perfecto
he vendido
has "
ha "

hemos "
habéis "
han "

Pret. pluscuamperfecto
había vendido
habías "
había "

habíamos "
habíais "
habían "

Pretérito anterior
hube vendido
hubiste "
hubo "

hubimos "
hubisteis "
hubieron "

Futuro perfecto
habré vendido
habrás "
habrá "

habremos "
habréis "
habrán "

INFINITIVO	GERUNDIO	PARTICIPIO
Simple	*Simple*	vendido
vender	vendiendo	
Compuesto	*Compuesto*	
haber vendido	habiendo vendido	

CONDICIONAL (o POTENCIAL)

Simple	*Perfecto*	
vendería	habría	vendido
venderías	habrías	"
vendería	habría	"
venderíamos	habríamos	"
venderíais	habríais	"
venderían	habrían	"

SUBJUNTIVO

Presente	*Pretérito perfecto*	
venda	haya	vendido
vendas	hayas	"
venda	haya	"
vendamos	hayamos	"
vendáis	hayáis	"
vendan	hayan	

Pretérito imperfecto	*Pret. pluscuamperfecto*	
vendiera o vendiese	hubiera o -iese	vendido
vendieras o vendieses	hubieras o -ieses	"
vendiera o vendiese	hubiera o -iese	"
vendiéramos o vendiésemos	hubiéramos o -iésemos	"
vendierais o vendieseis	hubierais o -ieseis	"
vendieran o vendiesen	hubieran o -iesen	"

Futuro imperfecto	*Futuro perfecto*	
vendiere	hubiere	vendido
vendieres	hubieres	"
vendiere	hubiere	"
vendiéremos	hubiéremos	"
vendiereis	hubiereis	"
vendieren	hubieren	

IMPERATIVO

	vendamos
vende	vended
venda	vendan

INDICATIVO

Presente		*Pretérito perfecto*	
vengo		he	venido
vienes		has	"
viene		ha	"
venimos		hemos	"
venís		habéis	"
vienen		han	"

Pretérito imperfecto		*Pret. pluscuamperfecto*	
venía		había	venido
venías		habías	"
venía		había	"
veníamos		habíamos	"
veníais		habíais	"
venían		habían	"

Pretérito indefinido		*Pretérito anterior*	
vine		hube	venido
viniste		hubiste	"
vino		hubo	"
vinimos		hubimos	"
vinisteis		hubisteis	"
vinieron		hubieron	"

Futuro imperfecto		*Futuro perfecto*	
vendré		habré	venido
vendrás		habrás	"
vendrá		habrá	"
vendremos		habremos	"
vendréis		habréis	"
vendrán		habrán	"

INFINITIVO	GERUNDIO	PARTICIPIO
Simple	*Simple*	venido
venir	viniendo	
Compuesto	*Compuesto*	
haber venido	habiendo venido	

CONDICIONAL (o POTENCIAL)

Simple	*Perfecto*	
vendría	habría	venido
vendrías	habrías	"
vendría	habría	"
vendríamos	habríamos	"
vendríais	habríais	"
vendrían	habrían	"

SUBJUNTIVO

Presente	*Pretérito perfecto*	
venga	haya	venido
vengas	hayas	"
venga	haya	"
vengamos	hayamos	"
vengáis	hayáis	"
vengan	hayan	"

Pretérito imperfecto	*Pret. pluscuamperfecto*	
viniera o viniese	hubiera o -iese	venido
vinieras o vinieses	hubieras o -ieses	"
viniera o viniese	hubiera o -iese	"
viniéramos o viniésemos	hubiéramos o -iésemos	"
vinierais o vinieseis	hubierais o -ieseis	"
vinieran o viniesen	hubieran o -iesen	"

Futuro imperfecto	*Futuro perfecto*	
viniere	hubiere	venido
vinieres	hubieres	"
viniere	hubiere	"
viniéremos	hubiéremos	"
viniereis	hubiereis	"
vinieren	hubieren	"

IMPERATIVO

	vengamos
ven	venid
venga	vengan

INDICATIVO

Presente	*Pretérito perfecto*	
veo	he	visto
ves	has	”
ve	ha	”
vemos	hemos	”
veis	habéis	”
ven	han	”

Pretérito imperfecto	*Pret. pluscuamperfecto*	
veía	había	visto
veías	habías	”
veía	había	”
veíamos	habíamos	”
veíais	habíais	”
veían	habían	”

Pretérito indefinido	*Pretérito anterior*	
vi	hube	visto
viste	hubiste	”
vio	hubo	”
vimos	hubimos	”
visteis	hubisteis	”
vieron	hubieron	”

Futuro imperfecto	*Futuro perfecto*	
veré	habré	visto
verás	habrás	”
verá	habrá	”
veremos	habremos	”
veréis	habréis	”
verán	habrán	”

INFINITIVO	GERUNDIO	PARTICIPIO
Simple	*Simple*	visto
ver	viendo	
Compuesto	*Compuesto*	
haber visto	habiendo visto	

CONDICIONAL (o POTENCIAL)

Simple	*Perfecto*	
vería	habría	visto
verías	habrías	"
vería	habría	"
veríamos	habríamos	"
veríais	habríais	"
verían	habrían	"

SUBJUNTIVO

Presente	*Pretérito perfecto*	
vea	haya	visto
veas	hayas	"
vea	haya	"
veamos	hayamos	"
veáis	hayáis	"
vean	hayan	"

Pretérito imperfecto	*Pret. pluscuamperfecto*	
viera o viese	hubiera o -iese	visto
vieras o vieses	hubieras o -ieses	"
viera o viese	hubiera o -iese	"
viéramos o viésemos	hubiéramos o -iésemos	"
vierais o vieseis	hubierais o -ieseis	"
vieran o viesen	hubieran o -iesen	"

Futuro imperfecto	*Futuro perfecto*	
viere	hubiere	visto
vieres	hubieres	"
viere	hubiere	"
viéremos	hubiéremos	"
viereis	hubiereis	"
vieren	hubieren	"

IMPERATIVO

	veamos
ve	ved
vea	vean

INDICATIVO

Presente		*Pretérito perfecto*	
visto		he	vestido
vistes		has	"
viste		ha	"
vestimos		hemos	"
vestís		habéis	"
visten		han	"

Pretérito imperfecto		*Pret. pluscuamperfecto*	
vestía		había	vestido
vestías		habías	"
vestía		había	"
vestíamos		habíamos	"
vestíais		habíais	"
vestían		habían	"

Pretérito indefinido		*Pretérito anterior*	
vestí		hube	vestido
vestiste		hubiste	"
vistió		hubo	"
vestimos		hubimos	"
vestisteis		hubisteis	"
vistieron		hubieron	"

Futuro imperfecto		*Futuro perfecto*	
vestiré		habré	vestido
vestirás		habrás	"
vestirá		habrá	"
vestiremos		habremos	"
vestiréis		habréis	"
vestirán		habrán	"

INFINITIVO	GERUNDIO	PARTICIPIO
Simple	*Simple*	vestido
vestir	vistiendo	
Compuesto	*Compuesto*	
haber vestido	habiendo vestido	

CONDICIONAL (o POTENCIAL)

Simple	*Perfecto*	
vestiría	habría	vestido
vestirías	habrías	"
vestiría	habría	"
vestiríamos	habríamos	"
vestiríais	habríais	"
vestirían	habrían	"

SUBJUNTIVO

Presente	*Pretérito perfecto*	
vista	haya	vestido
vistas	hayas	"
vista	haya	"
vistamos	hayamos	"
vistáis	hayáis	"
vistan	hayan	"

Pretérito imperfecto	*Pret. pluscuamperfecto*	
vistiera o vistiese	hubiera o -iese	vestido
vistieras o vistieses	hubieras o -ieses	"
vistiera o vistiese	hubiera o -iese	"
vistiéramos o vistiésemos	hubiéramos o -iésemos	"
vistierais o vistieseis	hubierais o -ieseis	"
vistieran o vistiesen	hubieran o -iesen	"

Futuro imperfecto	*Futuro perfecto*	
vistiere	hubiere	vestido
vistieres	hubieres	"
vistiere	hubiere	"
vistiéremos	hubiéremos	"
vistiereis	hubiereis	"
vistieren	hubieren	"

IMPERATIVO

	vistamos
viste	vestid
vista	vistan

INDICATIVO

Presente
vuelo
vuelas
vuela

volamos
voláis
vuelan

Pretérito perfecto

he	volado
has	"
ha	"
hemos	"
habéis	"
han	"

Pretérito imperfecto
volaba
volabas
volaba

volábamos
volabais
volaban

Pret. pluscuamperfecto

había	volado
habías	"
había	"
habíamos	"
habíais	"
habían	"

Pretérito indefinido
volé
volaste
voló

volamos
volasteis
volaron

Pretérito anterior

hube	volado
hubiste	"
hubo	"
hubimos	"
hubisteis	"
hubieron	"

Futuro imperfecto
volaré
volarás
volará

volaremos
volaréis
volarán

Futuro perfecto

habré	volado
habrás	"
habrá	"
habremos	"
habréis	"
habrán	"

INFINITIVO	GERUNDIO	PARTICIPIO
Simple	*Simple*	volado
volar	volando	
Compuesto	*Compuesto*	
haber volado	habiendo volado	

CONDICIONAL (o POTENCIAL)

Simple
volaría
volarías
volaría
volaríamos
volaríais
volarían

Perfecto
habría   volado
habrías   ,,
habría   ,,
habríamos   ,,
habríais   ,,
habrían   ,,

SUBJUNTIVO

Presente
vuele
vueles
vuele
volemos
voléis
vuelen

Pretérito perfecto
haya   volado
hayas   ,,
haya   ,,
hayamos   ,,
hayáis   ,,
hayan   ,,

Pretérito imperfecto
volara o volase
volaras o volases
volara o volase
voláramos o volásemos
volarais o volaseis
volaran o volasen

Pret. pluscuamperfecto
hubiera o -iese   volado
hubieras o -ieses   ,,
hubiera o -iese   ,,
hubiéramos o -iésemos   ,,
hubierais o -ieseis   ,,
hubieran o -iesen   ,,

Futuro imperfecto
volare
volares
volare
voláremos
volareis
volaren

Futuro perfecto
hubiere   volado
hubieres   ,,
hubiere   ,,
hubiéremos   ,,
hubiereis   ,,
hubieren   ,,

IMPERATIVO

volemos
vuela   volad
vuele   vuelen

INDICATIVO

Presente
vuelvo
vuelves
vuelve

volvemos
volvéis
vuelven

Pretérito imperfecto
volvía
volvías
volvía

volvíamos
volvíais
volvían

Pretérito indefinido
volví
volviste
volvió

volvimos
volvisteis
volvieron

Futuro imperfecto
volveré
volverás
volverá

volveremos
volveréis
volverán

Pretérito perfecto

he	vuelto
has	,,
ha	,,
hemos	,,
habéis	,,
han	,,

Pret. pluscuamperfecto

había	vuelto
habías	,,
había	,,
habíamos	,,
habíais	,,
habían	,,

Pretérito anterior

hube	vuelto
hubiste	,,
hubo	,,
hubimos	,,
hubisteis	,,
hubieron	,,

Futuro perfecto

habré	vuelto
habrás	,,
habrá	,,
habremos	,,
habréis	,,
habrán	,,

INFINITIVO	GERUNDIO	PARTICIPIO
Simple	*Simple*	vuelto
volver	volviendo	
Compuesto	*Compuesto*	
haber vuelto	habiendo vuelto	

CONDICIONAL (o POTENCIAL)

Simple	*Perfecto*	
volvería	habría	vuelto
volverías	habrías	,,
volvería	habría	,,
volveríamos	habríamos	,,
volveríais	habríais	,,
volverían	habrían	,,

SUBJUNTIVO

Presente	*Pretérito perfecto*	
vuelva	haya	vuelto
vuelvas	hayas	,,
vuelva	haya	,,
volvamos	hayamos	,,
volváis	hayáis	,,
vuelvan	hayan	,,

Pretérito imperfecto	*Pret. pluscuamperfecto*	
volviera o volviese	hubiera o -iese	vuelto
volvieras o volvieses	hubieras o -ieses	,,
volviera o volviese	hubiera o -iese	,,
volviéramos o volviésemos	hubiéramos o -iésemos	,,
volvierais o volvieseis	hubierais o -ieseis	,,
volvieran o volviesen	hubieran o -iesen	,,

Futuro imperfecto	*Futuro perfecto*	
volviere	hubiere	vuelto
volvieres	hubieres	,,
volviere	hubiere	,,
volviéremos	hubiéremos	,,
volviereis	hubiereis	,,
volvieren	hubieren	,,

IMPERATIVO

	volvamos
vuelve	volved
vuelva	vuelvan

INDICATIVO

Presente
yazco, yazgo o yago
yaces
yace

yacemos
yacéis
yacen

Pretérito imperfecto
yacía
yacías
yacía

yacíamos
yacíais
yacían

Pretérito indefinido
yací
yaciste
yació

yacimos
yacisteis
yacieron

Futuro imperfecto
yaceré
yacerás
yacerá

yaceremos
yaceréis
yacerán

Pretérito perfecto
he   yacido
has   "
ha   "

hemos   "
habéis   "
han   "

Pret. pluscuamperfecto
había   yacido
habías   "
había   "

habíamos "
habíais   "
habían   "

Pretérito anterior
hube   yacido
hubiste   "
hubo   "

hubimos   "
hubisteis "
hubieron "

Futuro perfecto
habré   yacido
habrás   "
habrá   "

habremos "
habréis   "
habrán   "

INFINITIVO	GERUNDIO	PARTICIPIO
Simple	*Simple*	yacido
yacer	yaciendo	
Compuesto	*Compuesto*	
haber yacido	habiendo yacido	

CONDICIONAL (o POTENCIAL)

Simple	*Perfecto*	
yacería	habría	yacido
yacerías	habrías	"
yacería	habría	"
yaceríamos	habríamos	"
yaceríais	habríais	"
yacerían	habrían	"

SUBJUNTIVO

Presente	*Pretérito perfecto*	
yazca, yazga o yaga	haya	yacido
yazcas, yazgas o yagas	hayas	"
yazca, yazga o yaga	haya	"
yazcamos, yazgamos o yagamos	hayamos	"
yazcáis, yazgáis o yagáis	hayáis	"
yazcan, yazgan o yagan	hayan	"

Pretérito imperfecto	*Pret. pluscuamperfecto*	
yaciera o yaciese	hubiera o -iese	yacido
yacieras o yacieses	hubieras o -ieses	"
yaciera o yaciese	hubiera o -iese	"
yaciéramos o yaciésemos	hubiéramos o -iésemos	"
yacierais o yacieseis	hubierais o -ieseis	"
yacieran o yaciesen	hubieran o -iesen	"

Futuro imperfecto	*Futuro perfecto*	
yaciere	hubiere	yacido
yacieres	hubieres	"
yaciere	hubiere	"
yaciéremos	hubiéremos	"
yaciereis	hubiereis	"
yacieren	hubieren	"

IMPERATIVO

	yazcamos, yazgamos o yagamos
yace o yaz	yaced
yazca, yazga o yaga	yazcan, yazgan o yagan

ÍNDICE

ababillarse	36	abatanar	36	abonar	36
abadernar	36	abatir	200	aboquillar	36
abajar	36	abatojar	36	abordar	36
abalanzar	36	abdicar	36	aborrajarse	36
abalar	36	abejorrear	36	aborrascarse	36
abaldonar	36	abellacar	36	aborrecer	40
abalear	36	abemolar	36	aborregarse	36
abalizar	36	aberrar	36	aborronar	36
abaluartar	36	abetunar	36	abortar	36
aballar	36	abieldar	36	aborujar	36
aballestar	36	abigarrar	36	abotagarse	36
abanar	36	abinar	36	abotargarse	36
abancalar	36	abisagrar	36	abotonar	36
abandalizar	36	abiselar	36	abovedar	36
abanderar	36	abismar	36	aboyar	36
abanderizar	36	abitar	36	abozalar	36
abandonar	36	abjurar	36	abracar	36
abanear	36	ablandar	36	abrahonar	36
abanicar	36	ablandecer	40	abrasar	36
abañar	36	ablentar	36	abravecer	40
abarañar	36	abnegar	192	abrazar	36
abaratar	36	abobar	36	abretonar	36
abarbechar	36	abocadear	36	abrevar	36
abarcar	36	abocanar	36	abreviar	36
abarcuzar	36	abocar	36	abrezar	36
abarloar	36	abocardar	36	abrigar	36
abarquillar	36	abocetar	36	abrillantar	36
abarracar	36	abocinar	36	abriolar	36
abarraganarse	36	abochornar	36	abrir	18
abarrajar	36	abofarse	36	abrochar	36
abarrancar	36	abofetear	36	abrogar	36
abarrar	36	abogar	36	abroncar	36
abarrer	276	abolir	16	abroquelar	36
abarrotar	36	abolsarse	36	abrotoñar	36
abarse	14	abollar	36	abrumar	36
abastar	36	abollonar	36	abrumarse	36
abastardar	36	abombar	36	abruzarse	36
abastecer	40	abominar	36	absolver	302
abastionar	36	abonanzar	36	absorber	20

A

A

absortar	36	acanelonar	36	acensuar	36
abstenerse	278	acantalear	36	acentuar	36
absterger	292	acantarar	36	acepar	36
abstraer	22	acantear	36	acepillar	36
abuchear	36	acantilar	36	aceptar	36
abulagar	36	acantonar	36	acequiar	36
abultar	36	acañaverear	36	acerar	36
abundar	36	acañonear	36	acercar	36
abuñolar	36	acaparar	36	acerrar	36
abuñuelar	36	acaparrarse	36	acerrojar	36
aburar	36	acapillar	36	acertar	32
aburguesarse	36	acapizarse	36	acetificar	36
aburrarse	36	acapullarse	36	acetrinar	36
aburrir	200	acaramelar	36	acezar	36
aburujar	36	acarar	36	acibarar	36
abusar	36	acardenalar	36	acibarrar	36
abuzarse	36	acarear	36	aciberar	36
acabalar	36	acariciar	36	acicalar	36
acaballar	36	acaronar	36	acicatear	36
acaballerar	36	acarralar	36	acidificar	36
acaballonar	36	acarrarse	36	acidular	36
acabañar	36	acarrazarse	36	aciemar	36
acabar	36	acarrear	36	aciguatar	36
acabestrillar	36	acarretar	36	acinturar	36
acabildar	36	acartonarse	36	aclamar	36
acachetar	36	acaserarse	36	aclarar	36
acachetear	36	acatar	36	aclarecer	40
acaecer	24	acatarrar	36	aclimatar	36
acaguasarse	36	acaudalar	36	aclocar	300
acairelar	36	acaudillar	36	acobardar	36
acalabrotar	36	acautelarse	36	acobijar	36
acalambrarse	36	acceder	292	acocarse	36
acaldar	36	accidentar	36	acocear	36
acalenturarse	36	accionar	36	acoclarse	36
acalorar	36	acebadar	36	acocotar	36
acalugar	36	acecinar	36	acocharse	36
acallantar	36	acechar	36	acochinar	36
acallar	36	acedar	36	acodalar	36
acamar	36	aceitar	36	acodar	36
acampanar	36	acelerar	36	acoderar	36
acampar	36	acendrar	36	acodiciar	36
acanalar	36	acensar	36	acodillar	36

acoger	276	acorullar	36	acurdarse	36
acogollar	36	acorvar	36	acurrucarse	36
acogombrar	36	acosar	36	acurrullar	36
acogotar	36	acosijar	36	acusar	36
acohombrar	36	acostar	36	achabacanar	36
acojinar	36	acostumbrar	36	achacar	36
acolar	36	acotar	36	achaflanar	36
acolchar	36	acotolar	36	achajuanarse	36
acolchonar	36	acoyundar	36	achantar	36
acolitar	36	acoyuntar	36	achaparrarse	36
acollar	300	acrecentar	32	acharar	36
acollarar	36	acrecer	40	acharolar	36
acollonar	36	acreditar	36	achatar	36
acombar	36	acrianzar	36	achernar	36
acomedirse	260	acribar	36	achicar	36
acometer	276	acribillar	36	achicharrar	36
acomodar	36	acriminar	36	achiguarse	36
acompañar	36	acriollarse	36	achinar	36
acompasar	36	acrisolar	36	achiquitar	36
acomplejar	36	acristalar	36	achispar	36
acomunarse	36	acristianar	36	achocar	36
aconchabarse	36	acromatizar	36	achocharse	36
aconchar	36	actitar	36	acholar	36
acondicionar	36	activar	36	achubascarse	36
acongojar	36	actualizar	36	achucuyar	36
aconsejar	36	actuar	36	achuchar	36
aconsonantar	36	acuadrillar	36	achucharrar	36
acontecer	24	acuantiar	36	achulaparse	36
acopar	36	acuartar	36	achularse	36
acopiar	36	acuartelar	36	achuntar	36
acoplar	36	acuartillar	36	achurar	36
acoquinar	36	acuatizar	36	adaguar	36
acorar	36	acubilar	36	adamarse	36
acorazar	36	acuciar	36	adamascar	36
acorcharse	36	acuclillarse	36	adaptar	36
acordar	300	acuchillar	36	adargar	36
acordelar	36	acudir	200	adarvar	36
acordonar	36	acuitar	36	adatar	36
acornear	36	acular	36	adecenar	36
acorralar	36	acumular	36	adecentar	36
acorrer	276	acunar	36	adecuar	36
acortar	36	acuñar	36	adehesar	36

A

A

adelantar	36	adquirir	26	afirmar	36
adelgazar	36	adrar	36	afirolar	36
ademar	36	adrizar	36	afistular	36
adempribiar	36	adscribir	28	aflatarse	36
adentellar	36	adsorber	292	afligir	30
adentrarse	36	adstringir	200	aflojar	36
aderezar	36	aduanar	36	aflorar	36
adermar	36	aducir	236	afluir	152
adestrar	32	adueñarse	36	afofarse	36
adeudar	36	adular	36	afogarar	36
adherir	106	adulear	36	afollar	300
adhibir	200	adulterar	36	afondar	36
adiar	36	adulzar	36	aforar	36
adicionar	36	adulzorar	36	(hacer aforos)	
adiestrar	36	adumbrar	36	aforar	300
adietar	36	adunar	36	(dar fueros)	
adinerar	36	advenir	294	aforrar	36
adivinar	36	adverar	36	afortunar	36
adjetivar	36	adverbializar	36	afosarse	36
adjudicar	36	advertir	106	afoscarse	36
adjuntar	36	afamar	36	afrailar	36
adminicular	36	afanar	36	afrancesar	36
administrar	36	afascalar	36	afrecharse	36
admirar	36	afatar	36	afrenillar	36
admitir	200	afear	36	afrentar	36
adobar	36	afeblecerse	40	afreñir	200
adocenar	36	afectar	36	afretar	36
adocilar	36	afeitar	36	africanizar	36
adoctrinar	36	afelpar	36	afrontar	36
adolecer	40	afeminar	36	afrontilar	36
adolorar	36	aferrar	36	afufar	36
adonecer	40	afervorar	36	agabachar	36
adonizarse	36	afervorizar	36	agachar	36
adoptar	36	afianzar	36	agafar	36
adoquinar	36	aficionar	36	agalerar	36
adorar	36	afiebrarse	36	agamitar	36
adormecer	40	afielar	36	agangrenarse	36
adormilarse	36	afilar	36	agañotar	36
adormir	108	afiliar	36	agarbanzar	36
adormitarse	36	afiligranar	36	agarbarse	36
adornar	36	afinar	36	agarbillar	36
adosar	36	afincar	36	agardamarse	36

agarrafar	36	agrietar	36	ahorrar	36
agarrar	36	agrumar	36	ahoyar	36
agarrochar	36	agrupar	36	ahuchar	36
agarrotar	36	aguachar	36	ahuchear	36
agarrotear	36	aguacharnar	36	ahuecar	36
agasajar	36	aguachinar	36	ahuevar	36
agatizarse	36	aguaitar	36	ahumar	36
agavillar	36	aguantar	36	ahumear	36
agazapar	36	aguar	36	ahusar	36
agenciar	36	aguardar	36	ahuyentar	36
agermanarse	36	aguasarse	36	airar	36
agestarse	36	aguazar	36	airear	36
agigantar	36	agudizar	36	aislar	36
agigotar	36	aguerrir	16	ajamonarse	36
agilitar	36	aguijar	36	ajaquecarse	36
agilizar	36	aguijonear	36	ajar	36
agitanar	36	aguiscar	36	ajardinar	36
agitar	36	aguizgar	36	ajear	36
aglomerar	36	agujerear	36	ajetrear	36
aglutinar	36	agusanarse	36	ajironar	36
agobiar	36	aguzar	36	ajobar	36
agolar	36	achechar	36	ajorar	300
agolpar	36	ahelear	36	ajordar	36
agonizar	36	aherrojar	36	ajornalar	36
agorar	300	aherrumbrar	36	ajorrar	36
agorgojarse	36	ahervar	36	ajotar	36
agostar	36	ahervorarse	36	ajuarar	36
agotar	36	ahijar	36	ajuglarar	36
agraciar	36	ahilar	36	ajuiciar	36
agradar	36	ahincar	36	ajumar	36
agradecer	40	ahitar	36	ajustar	36
agramar	36	ahocicar	36	ajusticiar	36
agramilar	36	ahocinarse	36	alabar	36
agrandar	36	ahogar	36	alabear	36
agravar	36	ahojar	36	aladrar	36
agraviar	36	ahondar	36	alagar	36
agrazar	36	ahorcajarse	36	alagartarse	36
agrear	36	ahorcar	36	alambicar	36
agredir	16	ahormar	36	alambrar	36
agregar	36	ahornagarse	36	alambrear	36
agremiar	36	ahornar	36	alampar	36
agriar	36	ahorquillar	36	alancear	36

A

alandrearse	36	alelar	36	almagrar	36
alanzar	36	alenguar	36	almarbatar	36
alardear	36	alentar	32	almenar	36
alargar	36	alertar	36	almendrar	36
alarmar	36	aletargar	36	almiarar	36
alastrar	36	aletear	36	almibarar	36
albañilear	36	aleudar	36	almidonar	36
albardar	36	alfabetizar	36	almizclar	36
albardear	36	alfalfar	36	almohadillar	36
albear	36	alfar	36	almohazar	36
albeldar	36	alfardar	36	almonedear	36
albergar	36	alfarrazar	36	almorzar	34
alboguear	36	alfeñicarse	36	alobar	36
alborear	36	alfombrar	36	alocar	36
alborotar	36	alforrochar	36	alojar	36
alborozar	36	alforzar	36	alomar	36
albriciar	36	algaliar	36	alombar	36
albuminar	36	algaracear	36	alongar	300
alcachofar	36	algodonar	36	alotar	36
alcahazar	36	alhajar	36	alpargatar	36
alcahuetear	36	alheñar	36	alquilar	36
alcalizar	36	aliar	36	alquitarar	36
alcanforar	36	alicatar	36	alquitranar	36
alcantarillar	36	alicortar	36	altanar	36
alcanzar	36	alienar	36	altear	36
alcayatar	36	alifar	36	alterar	36
alcoholar	36	aligerar	36	altercar	36
alcoholizar	36	alijar	36	alternar	36
alcorzar	36	alijarar	36	altivecer	40
aldabear	36	alimentar	36	aluciar	36
alear	36	alindar	36	alucinar	36
alebrarse	32	alinear	36	aluchar	36
alebrastarse	36	aliñar	36	aludir	286
alebronarse	36	aliquebrar	32	alufrar	36
aleccionar	36	alisar	36	alumbrar	36
alechugar	36	alistar	36	alunarse	36
alegamar	36	alivianar	36	alunizar	36
aleganarse	36	aliviar	36	alustrar	36
alegar	36	aljofarar	36	aluzar	36
alegorizar	36	aljofifar	36	alzaprimar	36
alegrar	36	almacenar	36	alzar	36
alejar	36	almadiar	36	allanar	36

allegar	36	ambiciar	36	amontazgar	36
amacollar	36	ambicionar	36	amontonar	36
amachetear	36	ambientar	36	amoragar	36
amachinarse	36	amblar	36	amoratarse	36
amadrigar	36	ambutar	36	amorcar	36
amadrinar	36	amechar	36	amordazar	36
amaestrar	36	amedrentar	36	amorecer	40
amagar	36	amelar	36	amorgar	36
amainar	36	amelcochar	36	amorgonar	36
amaitinar	36	amelgar	36	amorrar	36
amajadar	36	amellar	36	amorronar	36
amajanar	36	amenazar	36	amortajar	36
amalgamar	36	amenguar	36	amortecer	40
amalladar	36	amenizar	36	amortiguar	36
amallarse	36	amenorar	36	amortizar	36
amamantar	36	amentar	32	amoscar	36
amancebarse	36	amerar	36	amosquilarse	36
amancillar	36	americanizar	36	amostazar	36
amanecer	40	ametalar	36	amotinar	36
amanerarse	36	ametrallar	36	amover	186
amaniatar	36	amigar	36	amparar	36
amanojar	36	amilanar	36	ampliar	36
amansar	36	amillarar	36	amplificar	36
amantar	36	aminorar	36	ampollar	36
amantillar	36	amistar	36	amprar	36
amanzanar	36	amnistiar	36	amputar	36
amañar	36	amoblar	300	amueblar	36
amar	36	amochar	36	amuelar	36
amarar	30	amodorrarse	36	amugronar	36
amarecer	40	amodorrecer	40	amular	36
amargar	36	amohinar	36	amunicionar	36
amarillear	36	amojamar	36	amurallar	36
amarillecer	40	amojelar	36	amurar	36
amarinar	36	amojonar	36	amurcar	36
amarizar	36	amolar	300	amurriñarse	36
amaromar	36	amoldar	36	amusgar	36
amarrar	36	amollar	36	amustiar	36
amarrequear	36	amollentar	36	anadear	36
amartelar	36	amonarse	36	analizar	36
amartillar	36	amonedar	36	anaranjear	36
amasar	36	amonestar	36	anarquizar	36
amayorazgar	36	amontar	36	anastomosarse	36

A

A	anatematizar	36	antever	296	aparcar	36
	anatomizar	36	anticipar	36	aparear	36
	anclar	36	anticuar	36	aparecer	40
	ancorar	36	antipatizar	36	aparejar	36
	anchoar	36	antipocar	36	aparentar	36
	andar	38	antojarse	36	aparragarse	36
	andorrear	36	antruejar	36	aparrar	36
	anear	36	anublar	36	aparroquiar	36
	aneblar	32	anudar	36	apartar	36
	aneciarse	36	anular	36	apartidar	36
	anegar	36	anudrirse	200	aparvar	36
	anestesiar	36	anunciar	36	apasionar	36
	anexar	36	anzolar	36	apastar	36
	anexionar	36	añadir	286	apastragarse	36
	angarillar	36	añascar	36	apayasar	36
	angelizar	36	añejar	36	apealar	36
	angostar	36	añilar	36	apear	36
	angustiar	36	añorar	36	apechugar	36
	anhelar	36	añozgar	36	apedazar	36
	anidar	36	añublar	36	apedrear	36
	anidiar	36	añudar	36	apegualar	36
	anieblar	36	añusgar	36	apelambrar	36
	anihilar	36	aojar	36	apelar	36
	anillar	36	aovar	36	apeldar	36
	animalizar	36	aovillarse	36	apelgararse	36
	animar	36	apabilar	36	apelmazar	36
	aniñarse	36	apabullar	36	apelotonar	36
	aniquilar	36	apacentar	32	apellar	36
	anisar	36	apaciguar	36	apellidar	36
	anochecer	40	apadrinar	36	apenar	36
	anonadar	36	apagar	36	apencar	36
	anotar	36	apalabrar	36	apensionar	36
	anquilosar	36	apalancar	36	apeñuscar	36
	ansiar	36	apalear	36	apeonar	36
	antainar	36	apalpar	36	aperar	36
	anteceder	292	apandar	36	apercibir	200
	antecoger	276	apandillar	36	apercollar	300
	antedatar	36	apantanar	36	aperdigar	36
	antedecir	210	apañar	36	apergaminarse	36
	antepagar	36	apañuscar	36	apernar	32
	anteponer	206	aparar	36	aperrear	36
	antevenir	294	aparatarse	36	apersogar	36

apersonarse	36	apontocar	36	aproximar	36
apesadumbrar	36	apoquinar	36	aptar	36
apesarar	36	aporcar	36	apulgarar	36
apesgar	36	aporismarse	36	apunarse	36
apestar	36	aporracear	36	apunchar	36
apestillar	36	aporrar	36	apuntalar	36
apetecer	40	aporrear	36	apuntar	36
apezuñar	36	aporrillarse	36	apuntillar	36
apiadar	36	aportar	36	apuñadar	36
apianar	36	aportillar	36	apuñalar	36
apicararse	36	aposar	36	apuñar	36
apilar	36	aposentar	36	apuñear	36
apimpollarse	36	apostar	300	apuñetear	36
apiñar	36	(de hacer apuestas)		apurar	36
apiojarse	36	apostatar	36	apurrir	200
apiolar	36	apostemar	36	aquebrazarse	36
apiparse	36	apostillar	36	aquejar	36
apiporrarse	36	apostrofar	36	aquerarse	36
apirgüinarse	36	apotrerar	36	aquerenciarse	36
apisonar	36	apoyar	36	aqueresar	36
apitar	36	apozarse	36	aquietar	36
apitonar	36	apreciar	36	aquilatar	36
aplacar	36	aprehender	292	aquintralarse	36
aplacer	202	apremiar	36	aquistar	36
aplanar	36	aprender	292	arabizar	36
aplantillar	36	aprensar	36	arañar	36
aplastar	36	apresar	36	arar	36
aplatanar	36	aprestar	36	arbitrar	36
aplaudir	200	aprestigiar	36	arbolar	36
aplayar	36	apresurar	36	arborecer	40
aplazar	36	apretar	32	arborizar	36
aplebeyar	36	apretujar	36	arcabucear	36
aplicar	36	aprimar	36	arcaizar	36
aplomar	36	apriscar	36	arcar	36
apocar	36	aprisionar	36	arcillar	36
apocopar	36	aproar	36	archivar	36
apodar	36	aprobar	300	ardalear	36
apoderar	36	aprontar	36	arder	292
apolillar	36	apropiar	36	arelar	36
apoltronarse	36	apropincuarse	36	arenar	36
apolvillarse	36	aprovechar	36	arencar	36
apomazar	36	aprovisionar	36	arengar	36

A

A

areolar	36	arrebujar	36	arrojar	36
arfar	36	arrecadar	36	arrollar	36
argamasar	36	arreciar	36	arromadizar	36
argayar	36	arrecifar	36	arromanzar	36
argentar	36	arrecirse	16	arromar	36
arguellarse	36	arrechuchar	36	arromper	292
argüir	152	arredilar	36	arronzar	36
argumentar	36	arredomar	36	arropar	36
aricar	36	arredondear	36	arrostrar	36
aridecer	40	arredrar	36	arroyar	36
arietar	36	arregazar	36	arruar	36
ariscarse	36	arreglar	36	arruchar	36
arisquear	36	arregostarse	36	arrugar	36
aristocratizar	36	arrejacar	36	arruinar	36
arlar	36	arrellanarse	36	arrullar	36
armar	36	arremeter	276	arrumar	36
armiñar	36	arremolinarse	36	arrumbar	36
armonizar	36	arrendar	32	arrunflar	36
aromar	36	arrepasarse	36	arrutar	36
aromatizar	36	arrepentirse	254	arrutinar	36
arpar	36	arrepistar	36	artesonar	36
arpegiar	36	arrequesonarse	36	articular	36
arpillar	36	arrestar	36	artigar	36
arponar	36	arrevistar	36	artillar	36
arponear	36	arrezagar	36	artizar	36
arquear	36	arriar	36	asacar	36
arracimarse	36	arribar	36	asaetear	36
arraigar	36	arridar	36	asainetear	36
arramblar	36	arriesgar	36	asalariar	36
arramplar	36	arrimar	36	asaltar	36
arranarse	36	arrinconar	36	asar	36
arrancar	36	arriostrar	36	ascender	116
arranciarse	36	arriscar	36	asear	36
arranchar	36	arritar	36	asechar	36
arrapar	36	arrizar	36	asedar	36
arrasar	36	arrobar	36	asediar	36
arrastrar	36	arrobiñar	36	aseglararse	36
arrear	36	arrocinar	36	asegundar	36
arrebañar	36	arrodajarse	36	asegurar	36
arrebatar	36	arrodillar	36	aselarse	36
arrebolar	36	arrodrigonar	36	asemejar	36
arrebozar	36	arrogar	36	asemillar	36

asenderear	36	asperear	36	atediar	36
asentar	32	asperjar	36	atemorizar	36
asentir	254	aspillar	36	atemperar	36
aserenar	36	aspillerar	36	atenacear	36
aseriarse	36	aspirar	36	atenazar	36
aserrar	32	asquear	36	atendar	36
aserruchar	36	astillar	36	atender	46
asesar	36	astreñir	54	atenebrarse	36
asesinar	36	astringir	200	atentar	32
asesorar	36	astrologar	36	atenuar	36
asestar	36	asubiar	36	aterir	16
aseverar	36	asumir	44	aterrajar	36
asfaltar	36	asurar	36	aterrar	32
asfixiar	36	asustar	36	aterrerar	36
asibilar	36	asutilar	36	aterrizar	36
asignar	36	atabalear	36	aterronar	36
asilar	36	atabillar	36	aterrorizar	36
asimilar	36	atablar	36	atesorar	36
asir	42	atacar	36	atestar	32
asistir	200	atafagar	36	atestiguar	36
asobarcar	36	atagallar	36	atetar	36
asobinarse	36	atairar	36	atetillar	36
asocairarse	36	atajar	36	atezar	36
asociar	36	atalajar	36	atibar	36
asolanar	36	atalantar	36	atiborrar	36
asolapar	36	atalayar	36	atiesar	36
asolar	300	ataludar	36	atildar	36
(destruir)		atañer	274	atinar	35
asoldadar	36	ataquizar	36	atinconar	36
asoldar	300	atar	36	atiparse	36
asolear	36	ataracear	36	atiplar	36
asomar	36	atarantar	36	atirantar	36
asombrar	36	atarazar	36	atiriciarse	36
asonantar	36	atardecer	40	atisbar	36
asonar	300	atarear	36	atizar	36
asordar	36	atarquinar	36	atizonar	36
asorocharse	36	atarragar	36	atoar	36
asosegar	192	atarrajar	36	atocinar	36
asotanar	36	atarugar	36	atochar	36
aspar	36	atasajar	36	atojar	36
aspaventar	36	atascar	36	atolondrar	36
aspearse	36	ataviar	36	atollar	36

A

atomizar	36	aturrullar	36	aviciar	36
atondar	36	atusar	36	aviejar	36
atontar	36	augurar	36	avigorar	36
atontolinar	36	aullar	36	avilantarse	36
atorar	300	aumentar	36	avillanar	36
(de partir leña)		aunar	36	avinagrar	36
atorar	36	aupar	36	avisar	36
(de atascar)		aureolar	36	avispar	36
atormentar	36	ausentar	36	avispedar	36
atornillar	36	auspiciar	36	avistar	36
atortolar	36	autenticar	36	avituallar	36
atortorar	36	autentificar	36	avivar	36
atortujar	36	autografiar	36	avizorar	36
atosigar	36	automatizar	36	avocar	36
atrabancar	36	autorizar	36	axiomatizar	36
atracar	36	autosugestionarse	36	ayermar	36
atraer	284	auxiliar	36	ayudar	36
atrafagar	36	avadar	36	ayunar	36
atragantar	36	avahar	36	ayustar	36
atraillar	36	avalar	36	azacanear	36
atrampar	36	avalentar	36	azafranar	36
atrancar	36	avalorar	36	azagar	36
atrapar	36	avaluar	36	azarar	36
atrasar	36	avanecerse	40	azarearse	36
atravesar	32	avanzar	36	azemar	36
atreguar	36	avasallar	36	azoar	36
atresnalar	36	avecinar	36	azocar	36
atreudar	36	avecindar	36	azogar	36
atrever	276	avejentar	36	azolar	300
atribuir	152	avejigar	36	azolvar	36
atribular	36	avellanar	36	azorar	36
atrincar	36	avenar	36	azorrarse	36
atrincherar	36	avenir	294	azotar	36
atrochar	36	aventajar	36	azucarar	36
atrofiar	36	aventar	32	azufrar	36
atrojar	36	aventurar	36	azular	36
atronerar	36	averdugar	36	azulear	36
atropar	36	avergonzar	300	azulejar	36
atropellar	36	averiarse	36	azumar	36
atufar	36	averiguar	36	azurronarse	36
atumultuar	36	avezar	36	azuzar	36
aturdir	286	aviar	36		

babear	36	barbechar	36	bellaquear	36
babosear	36	barbotar	36	bellotear	36
bachear	36	barbotear	36	bendecir	48
bachillerar	36	barbullar	36	beneficiar	36
bachillerear	36	barcinar	36	berlingar	36
badajear	36	bardar	36	bermejear	36
badallar	36	barloar	36	berrar	36
bafear	36	barloventear	36	berrear	36
bagar	36	barnizar	36	berrendearse	36
bailar	36	barquear	36	besar	36
bailotear	36	barrear	36	bestializarse	36
bajar	36	barrenar	36	besucar	36
baladrar	36	barrer	292	besuquear	36
baladronear	36	barretear	36	bienquerer	228
balancear	36	barriscar	36	bienquistar	36
balar	36	barritar	36	bienvivir	200
balastar	36	barruntar	36	bifurcarse	36
balbucear	36	bartulear	36	bigardear	36
balbucir	240	barzonear	36	bilocarse	36
baldar	36	basar	36	binar	36
baldear	36	bascular	36	birlar	36
baldonar	36	basquear	36	bisar	36
balear	36	bastantear	36	bisbisear	36
balitar	36	bastar	36	bisecar	36
balotar	36	bastardear	36	biselar	36
balsear	36	bastear	36	bistraer	284
ballestear	36	bastimentar	36	bitar	36
bambalear	36	bastonear	36	bizarrear	36
bambanear	36	batallar	36	bizcar	36
bambolear	36	batanear	36	bizcochar	36
bandear	36	batir	200	bizcornear	36
banderillear	36	batojar	36	bizmar	36
banquetear	36	bautizar	36	bizquear	36
bañar	36	bazucar	36	blandear	36
baquear	36	bazuquear	36	blandir	16
baquetear	36	beatificar	36	blanquear	36
barajar	36	beber	276	blanquecer	40
baratear	36	beborrotear	36	blasfemar	36
baraustar	36	becar	36	blasmar	36
barbar	36	befar	36	blasonar	36
barbarizar	36	bejuquear	36	blindar	36
barbear	36	beldar	192	bloquear	36

C

bobear	36	bramar	36	cabecear	36
bobinar	36	bravear	36	caballar	36
bocadear	36	brear	36	caber	50
bocear	36	brechar	36	cabestrar	36
bocelar	36	bregar	36	cabestrear	36
bocezar	36	brescar	36	cabildear	36
bocinar	36	brezar	36	cablegrafiar	36
bochar	36	bribonear	36	cabrahigar	36
bofarse	36	brillar	36	cabrear	36
bogar	36	brincar	36	cabrevar	36
boicotear	36	brindar	36	cabrillear	36
bojar	36	briscar	36	cabriolar	36
bojear	36	brizar	36	cabruñar	36
bolear	36	brocearse	36	cacarañar	36
boletar	36	brollar	36	cacarear	36
bolichear	36	bromar	36	cacear	36
bolinear	36	bromear	36	caciquear	36
bolsear	36	broncear	36	caculear	36
bolsiquear	36	brotar	36	cachar	36
bollar	36	brujear	36	cachear	36
bombardear	36	brujir	200	cachetear	36
bombear	36	brujulear	36	cachifollar	36
bonificar	36	brumar	36	cachipodar	36
boquear	36	bruñir	144	cachiporrearse	36
borbollar	36	brutalizarse	36	cachondearse	36
borboritar	36	bruzar	36	caducar	36
borbotar	36	bucear	36	caer	52
bordar	36	bufar	36	cafetear	36
bordear	36	bufonearse	36	cagar	36
bordonear	36	bufonizar	36	cairelar	36
bornear	36	buitrear	36	calabacear	36
borrachear	36	bullar	36	calafatear	36
borrajear	36	bullir	188	calamonarse	36
borrar	36	burbujear	36	calandrar	36
borronear	36	burilar	36	calar	36
bosquejar	36	burlar	36	calaverear	36
bostear	36	buscar	36	calcar	36
bostezar	36	buzar	36	calcetar	36
botar	36			calcificar	36
boxear	36	cabalgar	36	calcinar	36
boyar	36	caballear	36	calcografiar	36
bracear	36	caballerear	36	calcorrear	36

calcular	36	candar	36	carbonar	36
caldear	36	candiletear	36	carbonatar	36
calecer	40	candirse	36	carbonear	36
calecerse	40	candonguear	36	carbonizar	36
calendar	36	canear	36	carburar	36
calentar	32	cangallar	36	carcajear	36
caler	36	cangar	36	carcavinar	36
caletear	36	canjear	36	carcomer	36
calibrar	36	canonizar	36	cardar	36
calificar	36	cansar	36	carear	36
caligrafiar	36	cantalear	36	carecer	40
calimbar	36	cantaletear	36	carenar	36
calmar	36	cantar	36	cargar	36
calofriarse	36	cantear	36	cargosear	36
calumbarse	36	cantonear	36	cariar	36
calumniar	36	canturriar	36	caricaturizar	36
calvar	36	cañaverear	36	cariñar	36
calzar	36	cañear	36	carlear	36
callar	36	cañonear	36	carmenar	36
callear	36	capacear	36	carnear	36
callejear	36	capacitar	36	carnerear	36
camandulear	36	capar	36	carnificarse	36
cambalachear	36	capear	36	caroncharse	36
cambar	36	caperucear	36	carpintear	36
cambiar	36	capialzar	36	carraspear	36
cambizar	36	capitalizar	36	carretear	36
camelar	36	capitanear	36	carrochar	36
caminar	36	capitular	36	carroñar	36
camochar	36	capolar	36	carrozar	36
camodar	36	caponar	36	carrucar	36
camorrear	36	capotar	36	cartear	36
camotear	36	capotear	36	cartografiar	36
campanear	36	capsular	36	casar	36
campanillear	36	captar	36	cascabelear	36
campar	36	capturar	36	cascar	36
campear	36	capuzar	36	cascarrinar	36
camuflar	36	carabear	36	caseificar	36
canalizar	36	carabritear	36	castañetear	36
cancanear	36	caracolear	36	castellanizar	36
cancelar	36	caracterizar	36	castigar	36
cancerar	36	caramelizar	36	castrar	36
canchear	36	caramillar	36	catalanizar	36

C

catalogar	36	centellear	36	circuncidar	56
catapultar	36	centonar	36	circundar	36
catar	36	centralizar	36	circunferir	254
catatar	36	centrar	36	circunnavegar	36
catear	36	centuplicar	36	circunscribir	58
catequizar	36	ceñar	36	circunstanciar	36
catitear	36	ceñir	54	circunvalar	36
catolizar	36	cepillar	36	circunvolar	300
catonizar	36	cercar	36	ciscar	36
caucionar	36	cercear	36	cismar	36
causar	36	cercenar	36	citar	36
causear	36	cerciorar	36	civilizar	36
causticar	36	cerchar	36	cizallar	36
cautelar	36	cerchearse	36	cizañar	36
cauterizar	36	cerdear	36	clamar	36
cautivar	36	cernear	36	clamorear	36
cavar	36	cerner	116	clarear	36
cavilar	36	cernir	102	clarecer	40
cayapear	36	cerotear	36	clarificar	36
cazar	36	cerrajear	36	clasificar	36
cazcalear	36	cerrar	192	claudicar	36
cazoletear	36	cerrebojar	36	claustrar	36
cazumbrar	36	cerrillar	36	clausular	36
cebadar	36	certificar	36	clausurar	36
cebar	36	cesar	36	clavar	36
cecear	36	ciar	36	clavetear	36
cedacear	36	cicatear	36	climatizar	36
ceder	292	cicatrizar	36	clisar	36
cefear	36	ciclar	36	clisterizar	36
cegar	192	cifrar	36	cloquear	36
cejar	36	cilindrar	36	clorurar	36
celar	36	cimbrar	36	coaccionar	36
celebrar	36	cimbrear	36	coacervar	36
celeminear	36	cimentar	32	coadunar	36
cellisquear	36	cincelar	36	coadyuvar	36
cementar	36	cinchar	36	coagular	36
cenar	36	cinglar	36	coartar	36
cencerrear	36	cintar	36	cobardear	36
cendrar	36	cintarear	36	cobijar	36
cenegar	36	cintilar	36	cobrar	36
censar	36	circuir	152	cobrear	36
censurar	36	circular	36	cocar	36

cocarar	36	colorear	36	complementar	36
cocear	36	colorir	200	completar	36
cocer	60	columbrar	36	complicar	36
cocinar	36	columpiar	36	componer	206
cochear	36	comadrear	36	comportar	36
codear	36	comandar	36	comprar	36
codiciar	36	comanditar	36	comprender	66
codificar	36	comarcar	36	comprimir	68
coercer	290	combar	36	comprobar	300
coextenderse	116	combatir	200	comprometer	276
coger	276	combinar	36	compulsar	36
cohabitar	36	comediar	36	compungir	200
cohechar	36	comedir	260	compurgar	36
coheredar	36	comentar	36	computar	36
cohibir	200	comenzar	32	comulgar	36
cohobar	36	comer	276	comunicar	36
cohonestar	36	comercializar	36	concadenar	36
coincidir	200	comerciar	36	concebir	260
coinquinar	36	cometer	276	conceder	290
coitar	36	comichear	36	concentrar	36
cojear	36	cominear	36	conceptear	36
colaborar	36	comiquear	36	conceptuar	36
colacionar	36	comisar	36	concernir	102
colar	300	comiscar	36	concertar	32
colchar	36	comisionar	36	conciliar	36
colear	36	compactar	36	concitar	36
coleccionar	36	compadecer	40	concluir	70
colectar	36	compadrar	36	concomerse	276
colectivizar	36	compadrear	36	concomitar	36
colegiarse	36	compaginar	36	concordar	264
colegir	260	comparar	36	concrecionar	36
colerizar	36	comparecer	40	concretar	36
colgar	300	compartir	200	conculcar	36
colicuar	36	compasar	36	concurrir	200
colicuecer	40	compeler	62	concursar	36
coligarse	36	compendiar	36	conchabar	36
colimar	36	compenetrarse	36	condecir	200
colindar	36	compensar	36	condecorar	36
colmar	36	competer	276	condenar	36
colocar	36	competir	260	condensar	36
colonizar	36	compilar	36	condescender	116
colorar	36	complacer	64	condicionar	36

C

condimentar	36	conllevar	36	contemplar	36
condolecerse	276	conllorar	36	contemporizar	36
condoler	186	conmemorar	36	contender	116
condonar	36	conmensurar	36	contener	278
conducir	236	conminar	36	contentar	36
condurar	36	conmover	186	contestar	36
conectar	36	conmutar	36	contextuar	36
conexionarse	36	connaturalizar	36	continuar	36
confabular	36	connotar	36	contonearse	36
confeccionar	36	connumerar	36	contorcerse	282
confederar	36	conocer	74	contornear	36
conferenciar	36	conquistar	36	contorsionarse	36
conferir	254	conrear	36	contraatacar	36
confesar	32	conreinar	36	contrabalancear	36
confiar	36	consagrar	36	contrabandear	36
configurar	36	conseguir	260	contrabatir	200
confinar	36	consentir	254	contradecir	210
confingir	200	conservar	36	contraer	78
confirmar	36	considerar	36	contrafallar	36
confiscar	36	consignar	36	contrafirmar	36
confitar	36	consistir	200	contrahacer	148
conflagrar	36	consolar	300	contraindicar	36
confluir	152	consolidar	36	contralorear	36
conformar	36	consonantizar	36	contramallar	36
confortar	36	consonar	300	contramandar	36
confricar	36	conspirar	36	contramarcar	36
confrontar	36	constar	36	contramarchar	36
confundir	72	constatar	36	contraminar	36
confutar	36	consternar	36	contrapasar	36
congelar	36	constipar	36	contrapear	36
congeniar	36	constituir	152	contrapechar	36
congestionar	36	constreñir	54	contrapelear	36
conglobar	36	construir	152	contrapesar	36
conglomerar	36	consuegrar	36	contraponer	206
conglutinar	36	consultar	36	contrapuntarse	36
congraciar	36	consumar	36	contrapuntear	36
congratular	36	consumir	76	contrapunzar	36
congregar	36	contabilizar	36	contrariar	36
conhortar	36	contagiar	36	contrarrestar	36
conjeturar	36	contaminar	36	contrasellar	36
conjugar	36	contar	300	contrastar	36
conjurar	36	contemperar	36	contratar	36

contravalar	36	cordelar	36	cribar	36
contravenir	294	corear	36	crinar	36
contribuir	152	corlar	36	crispar	36
contribular	36	cornear	36	crispir	200
contristar	36	coronar	36	cristalizar	36
controlar	36	corporificar	36	cristianar	36
controvertir	106	correar	36	cristianizar	36
contundir	200	corregir	84	criticar	36
conturbar	36	correntiar	36	critiquizar	36
convalecer	40	correr	276	croar	36
convalidar	36	corresponder	292	cromar	36
convelerse	290	corretear	36	cronometrar	36
convencer	80	corroborar	36	crotorar	36
convenir	294	corroer	242	crucificar	36
converger	290	corromper	86	crujir	286
convergir	200	corsear	36	cruzar	36
conversar	36	cortar	36	cuadrar	36
convertir	82	cortejar	36	cuadricular	36
convidar	36	cortisquear	36	cuadruplicar	36
convivir	200	coruscar	36	cuajar	36
convocar	36	corvetear	36	cualificar	36
convoyar	36	coscarse	36	cuantiar	36
convulsionar	36	cosechar	36	cuartar	36
coñearse	36	coser	276	cuartear	36
cooperar	36	cosquillear	36	cuartelar	36
coordinar	36	costalearse	36	cuatrodoblar	36
copar	36	costar	300	cubicar	36
copear	36	costear	36	cubilar	36
copelar	36	cotejar	36	cubiletear	36
copiar	36	cotillear	36	cubrir	88
copinar	36	cotizar	36	cucar	36
coplear	36	cotorrear	36	cuchar	36
copularse	36	coyundear	36	cucharear	36
coquetear	36	craquear	36	cucharetear	36
coquizar	36	crascitar	36	cuchichear	36
corar	36	crear	36	cuchichiar	36
corbatear	36	crecer	40	cuchillar	36
corcarse	36	creer	276	cuerear	36
corcovar	36	crenchar	36	cuestionar	36
corcovear	36	creosotar	36	cuidar	36
corcusir	286	crepitar	36	cuitear	36
corchar	36	criar	36	culebrear	36

C

D

culminar	36	chapear	36	chirrisquear	36
culpar	36	chapecar	36	chiscar	36
cultiparlar	36	chapescar	36	chismar	36
cultivar	36	chapodar	36	chismear	36
culturar	36	chapotear	36	chismorrear	36
cumplir	286	chapucear	36	chismotear	36
cundir	286	chapurrar	36	chispear	36
cunear	36	chapurrear	36	chisporrotear	36
cuquear	36	chapuzar	36	chistar	36
curar	36	chaquetear	36	chivar	36
curiosear	36	charlar	36	chivarse	36
cursar	36	charlatanear	36	chivatear	36
curvar	36	charlear	36	chocar	36
custodiar	36	charolar	36	chocarrear	36
		charquear	36	choclar	36
chacanear	36	charranear	36	chochear	36
chacolotear	36	chascar	36	chopear	36
chacotear	36	chasconear	36	chorar	36
chacharear	36	chaspar	36	chorrear	36
chafallar	36	chaspear	36	chotear	36
chafar	36	chasquear	36	chozpar	36
chafarrinar	36	chatear	36	chucanear	36
chalanear	36	chazar	36	chuchear	36
chalar	36	cherchar	36	chufar	36
chambonear	36	chicolear	36	chuflar	36
chamelar	36	chicotear	36	chupar	36
champar	36	chichear	36	chupetear	36
champear	36	chiflar	36	chuperretear	36
chamullar	36	chillar	36	churrar	36
chamurrar	36	chinar	36	churrascar	36
chamurrir	286	chinchar	36	churrasquear	36
chamuscar	36	chinear	36	churritar	36
chancar	36	chingar	36	churruscar	36
chancear	36	chinglar	36	chuzar	36
chancletear	36	chinguear	36		
chanelar	36	chiquear	36	dadivar	36
changar	36	chirigotear	36	dallar	36
chantar	36	chiripear	36	damasquinar	36
chapalear	36	chirlar	36	danzar	36
chapaletear	36	chirlatar	36	dañar	36
chapar	36	chirlear	36	dar	90
chaparrear	36	chirriar	36	datar	36

					D
deambular	36	deificar	36	depilar	36
debatir	200	dejar	36	deplorar	36
debelar	36	delatar	36	deponer	206
deber	292	delegar	36	deportar	36
debilitar	36	deleitar	36	depositar	36
debruzar	36	deletrear	36	depravar	36
decaer	52	deleznarse	36	deprecar	36
decalvar	36	deliberar	36	depreciar	36
decampar	36	delimitar	36	depredar	36
decantar	36	delinear	36	deprimir	200
decapitar	36	delinquir	200	depurar	36
decentar	32	delirar	36	deputar	36
decepcionar	36	deludir	286	derivar	36
decidir	200	demacrarse	36	derogar	36
decir	92	demandar	36	derrabar	36
declamar	36	demarcar	36	derramar	36
declarar	36	demasiarse	36	derelinquir	200
declinar	36	demediar	36	derrenegar	192
decolorar	36	dementar	36	derrengar	192
decomisar	36	democratizar	36	derretir	260
decorar	36	demoler	186	derribar	36
decrecer	40	demorar	36	derrocar	36
decrepitar	36	demostrar	300	derrochar	36
decretar	36	demurar	36	derrostrarse	36
decuplicar	36	denegar	192	derrotar	36
dedicar	36	denegrecer	40	derrubiar	36
deducir	236	denguear	36	derruir	152
defecar	36	denigrar	36	derrumbar	36
defender	116	denodarse	36	desabarrancar	36
defenecer	40	denominar	36	desabastecer	40
deferir	254	denostar	300	desabejar	36
definir	200	denotar	36	desabollar	36
deflagar	36	densificar	36	desabonarse	36
deflegmar	36	dentar	192	desabordarse	36
deforestar	36	dentellar	36	desabotonar	36
deformar	36	dentellear	36	desabrigar	36
defraudar	36	denudar	36	desabrir	18
degenerar	36	denunciar	36	desabrochar	36
deglutir	286	deparar	36	desacalorarse	36
degollar	300	departir	200	desacantonar	36
degradar	36	depauperar	36	desacatar	36
degustar	36	depender	290	desacedar	36

D

desaceitar	36	desahuciar	36	desanublar	36
desacerar	36	desahumar	36	desanudar	36
desacerbar	36	desainar	36	desaojar	36
desacertar	32	desairar	36	desapadrinar	36
desacobardar	36	desaislarse	36	desapañar	36
desacollar	300	desajustar	36	desaparear	36
desacomodar	36	desalabar	36	desaparecer	40
desacompañar	36	desalabear	36	desaparejar	36
desaconsejar	36	desalagar	36	desaparroquiar	36
desacoplar	36	desalar	36	desapasionar	36
desacordar	300	desalentar	32	desapegar	36
desacorralar	36	desalfombrar	36	desapestar	36
desacostumbrar	36	desalforjar	36	desapiolar	36
desacotar	36	desalhajar	36	desaplicar	36
desacreditar	36	desalinear	36	desaplomar	36
desacuartelar	36	desaliñar	36	desapoderar	36
desaderezar	36	desalivar	36	desapolillar	36
desadeudar	36	desalmar	36	desaporcar	36
desadorar	36	desalmenar	36	desaposentar	36
desadormecer	40	desalmidonar	36	desaposesionar	36
desadornar	36	desalojar	36	desapoyar	36
desadvertir	106	desalquilar	36	desapreciar	36
desafear	36	desalterar	36	desaprender	292
desaferrar	32	desamar	36	desaprensar	36
desafiar	36	desamarrar	36	desapretar	32
desaficionar	36	desamartelar	36	desaprisionar	36
desafilar	36	desamigar	36	desaprobar	300
desafinar	36	desamistarse	36	desapropiarse	36
desaforar	300	desamoblar	300	desaprovechar	36
desaforrar	36	desamoldar	36	desapuntalar	36
desagarrar	36	desamorar	36	desapuntar	36
desagraciar	36	desamorrar	36	desarbolar	36
desagradar	36	desamortizar	36	desarenar	36
desagradecer	40	desamotinarse	36	desarmar	36
desagraviar	36	desamparar	36	desarraigar	36
desagregar	36	desamueblar	36	desarrancarse	36
desaguar	36	desamurar	36	desarrebozar	36
desaguazar	36	desancorar	36	desarrebujar	36
desaherrojar	36	desandar	38	desarreglar	36
desahijar	36	desangrar	36	desarrendar	32
desahitarse	36	desanidar	36	desarrevolver	302
desahogar	36	desanimar	36	desarrimar	36

desarrollar	36	desavecindarse	36
desarropar	36	desavenir	294
desarrugar	36	desaviar	36
desarrumar	36	desavisar	36
desarticular	36	desayudar	36
desartillar	36	desayunarse	36
desarzonar	36	desazogar	36
desasear	36	desazonar	36
desasegurar	36	desbabar	36
desasentar	32	desbagar	36
desasir	42	desbalagar	36
desasistir	200	desbancar	36
desasnar	36	desbandarse	36
desasociar	36	desbarajustar	36
desasosegar	192	desbaratar	36
desastillar	36	desbarbar	36
desatacar	36	desbarbillar	36
desatancar	36	desbardar	36
desatar	36	desbarrar	36
desatascar	36	desbarretar	36
desataviar	36	desbarrigar	36
desatender	116	desbastar	36
desatentar	32	desbautizarse	36
desaterrar	36	desbeber	36
desatesorar	36	desbecerrar	36
desatibar	36	desbinzar	36
desatinar	36	desbloquear	36
desatolondrar	36	desbocar	36
desatollar	36	desbonetarse	36
desatontarse	36	desboquillar	36
desatorar	36	desbordar	36
desatornillar	36	desbornizar	36
desatracar	36	desborrar	36
desatraer	284	desbotonar	36
desatraillar	36	desbragar	36
desatrampar	36	desbravar	36
desatrancar	36	desbravecer	40
desatravesar	32	desbrazarse	36
desatufarse	36	desbridar	36
desaturdir	286	desbriznar	36
desautorizar	36	desbrozar	36
desavahar	36	desbruar	36

desbullar	36	
descabalar	36	**D**
decabalgar	36	
descabellar	36	
descabezar	36	
descabritar	36	
descabullirse	188	
descacharrar	36	
descachazar	36	
descaderar	36	
descadillar	36	
descaecer	40	
descaer	52	
descafilar	36	
descalabazarse	36	
descalabrar	36	
descalandrajar	36	
descalcar	36	
descalcificar	36	
descalicharse	36	
descalificar	36	
descalimar	36	
descalzar	94	
descaminar	36	
descamisar	36	
descansar	36	
descantar	36	
descantear	36	
descanterar	36	
descantillar	36	
descañar	36	
descañonar	36	
descaperuzar	36	
descapillar	36	
descapirotar	36	
descapotar	36	
descapullar	36	
descararse	36	
descarbonatar	36	
descarburar	36	
descarcañalar	36	
descargar	36	

D

descariñarse	36	descolmar	36	descortezar	36
descarnar	36	descolmillar	36	descortinar	36
descarozar	36	descolocar	36	descoser	276
descarriar	36	descolorar	36	descostarse	300
descarrilar	36	descollar	300	descostillar	36
descarrillar	36	descombrar	36	descostrar	36
descartar	36	descomedirse	260	descoyuntar	36
descasar	36	descomer	276	descreer	276
descascarar	36	descompadrar	36	descrestar	36
descascarillar	36	descompaginar	36	descriarse	36
descaspar	36	descompensar	36	describir	122
descastar	36	descompletar	36	descrismar	36
descatolizar	36	descomponer	206	descristianizar	36
descebar	36	descomulgar	36	descruzar	36
descender	116	desconceptuar	36	descuadrillarse	36
descentralizar	36	desconcertar	32	descuajar	36
descentrar	36	desconchar	36	descuajaringar	36
desceñir	54	desconectar	36	descuartizar	36
descepar	36	desconfiar	36	descubrir	88
descerar	36	desconformar	36	descuerar	36
descercar	36	descongelar	36	descuidar	36
descerezar	36	descongestionar	36	descular	36
descerrajar	36	descongojar	36	deschuponar	36
descerrar	32	desconocer	74	desdar	90
descerrumarse	36	desconsentir	254	desdecir	92
descervigar	36	desconsiderar	36	desdentar	32
descifrar	36	desconsolar	300	desdeñar	36
descimbrar	36	descontagiar	36	desdevanar	36
descimentar	32	descontaminar	36	desdibujarse	36
descinchar	36	descontar	300	desdinerar	36
desclavar	36	descontentar	36	desdoblar	36
descoagular	36	desconvenir	294	desdorar	36
descobajar	36	desconvidar	36	desear	36
descobijar	36	descorazonar	36	desecar	36
descocar	36	descorchar	36	desechar	36
descocer	60	descordar	300	desedificar	36
descodar	36	descorderar	36	deseducar	36
descoger	276	descoritar	36	deselectrizar	36
descogollar	36	descornar	300	desellar	36
descolar	36	descoronar	36	desembalar	36
descolchar	36	descorrear	36	desembaldosar	36
descolgar	300	descorrer	276	desembalsar	36

D

desemballestar	36	desempernar	36	desencuadernar	36
desembanastar	36	desempolvar	36	desenchufar	36
desembarazar	36	desemponzoñar	36	desendemoniar	36
desembarcar	36	desempotrar	36	desendiosar	36
desembargar	36	desempozar	36	desenfadar	36
desembarrancar	36	desempulgar	36	desenfaldar	36
desembarrar	36	desempuñar	36	desenfardar	36
desembaular	36	desenalbardar	36	desenfilar	36
desembebecerse	40	desenamorar	36	desenfocar	36
desembelesarse	36	desenastar	36	desenfrailar	36
desemblantarse	36	desencabalgar	36	desenfrenar	36
desembocar	36	desencabestrar	36	desenfundar	36
desembojar	36	desencadenar	36	desenfurecer	40
desembolsar	36	desencajar	36	desenfurruñar	36
desemboscarse	36	desencajonar	36	desenganchar	36
desembotar	36	desencalabrinar	36	desengañar	36
desembozar	36	desencalcar	36	desengañilar	36
desembragar	36	desencallar	36	desengarrafar	36
desembravecer	40	desencaminar	36	desengarzar	36
desembrazar	36	desencantar	36	desengastar	36
desembriagar	36	desencantarar	36	desengranar	36
desembridar	36	desencapar	36	desengrasar	36
desembrollar	36	desencapillar	36	desengrilletar	36
desembrujar	36	desencapotar	36	desengrosar	96
desembuchar	36	desencaprichar	36	desengrudar	36
desemejar	36	desencarecer	40	desenguantarse	36
desempacar	36	desencargar	36	desenhebrar	36
desempachar	36	desencarnar	36	desenhetrar	36
desempalagar	36	desencastillar	36	desenhornar	36
desempañar	36	desencerrar	32	desenjaezar	36
desempapelar	36	desencintar	36	desenjalmar	36
desempaquetar	36	desenclavijar	36	desenjaular	36
desemparejar	36	desencofrar	36	desenladrillar	36
desemparvar	36	desencoger	276	desenlazar	36
desempastelar	36	desencolar	36	desenlodar	36
desempatar	36	desencolerizar	36	desenlosar	36
desempedrar	32	desenconar	36	desenlutar	36
desempegar	36	desencordar	300	desenmallar	36
desempeñar	36	desencordelar	36	desenmarañar	36
desempeorarse	36	desencorvar	36	desenmascarar	36
desempercudir	286	desencovar	300	desenmohecer	40
desemperezar	36	desencrespar	36	desenmudecer	40

D

desenojar	36	desfalcar	36	desguazar	36
desenredar	36	desfallecer	40	desguindar	36
desenronar	36	desfasar	36	desguinzar	36
desenroscar	36	desfavorecer	40	deshabitar	36
desenrudecer	40	desfibrar	36	deshabituar	36
desensamblar	36	desfigurar	36	deshacer	148
desensañar	36	desfijar	36	deshebillar	36
desensartar	36	desflecar	36	deshebrar	36
desensebar	36	desflemar	36	deshechizar	36
desenseñar	36	desflorar	36	deshelar	32
desensillar	36	desflocar	300	desherbar	32
desensoberbecer	40	desflorecer	40	desheredar	36
desentablar	36	desfogar	36	deshermanar	36
desentalingar	36	defogonar	36	desherrar	32
desentarimar	36	desfollonar	36	desherrumbrar	36
desentenderse	292	desfondar	36	deshidratar	36
desenterrar	32	desfortalecer	40	deshijar	36
desentoldar	36	desgalgar	36	deshilachar	36
desentonar	36	desgalgar	36	deshilar	36
desentorpecer	40	desganar	36	deshilvanar	36
desentrampar	36	desganchar	36	deshincar	36
desentrañar	36	desgañitarse	36	deshinchar	36
desentrenar	36	desgargolar	36	deshipotecar	36
desentumecer	40	desgaritar	36	dehojar	36
desenvainar	36	desgarrar	36	deshollejar	36
desenvelejar	36	desgastar	36	deshollinar	36
desenvergar	36	desgatar	36	deshonorar	36
desenviolar	36	desglosar	36	deshonrar	36
desenvolver	302	desgobernar	32	deshuesar	96
desenzarzar	36	desgolletar	36	deshumanizar	36
desequilibrar	36	desgomar	36	deshumedecer	40
desertar	36	desgorrarse	36	designar	36
deservir	260	desgoznar	36	desigualar	36
desespaldar	36	desgraciar	36	desilusionar	36
desespañolizar	36	desgramar	36	desimaginar	36
desesperanzar	36	desgranar	36	desimantar	36
desesperar	36	desgranzar	36	desimponer	206
desestancar	36	desgrasar	36	desimpresionar	36
desestañar	36	desgravar	36	desinclinar	36
desesterar	36	desgreñar	36	desincorporar	36
desestimar	36	desguarnecer	40	desincrustar	36
desfajar	36			desinfartar	36

desinfectar	36	desmanchar	36	desmurar	36
desinflamar	36	desmandar	36	desnacionalizar	36
desinflar	36	desmanear	36	desnarigar	36
desinsacular	36	desmangar	36	desnatar	36
desinsectar	36	desmantecar	36	desnaturalizar	36
desintegrar	36	desmantelar	36	desnevar	192
desinteresarse	36	desmaridar	36	desnivelar	36
desintestinar	36	desmarojar	36	desnortarse	36
desintoxicar	36	desmatar	36	desnucar	36
desinvernar	32	desmayar	36	desnudar	36
desistir	200	desmedirse	260	desnutrirse	200
desjarretar	36	desmedrar	36	desobedecer	40
desjugar	36	desmejorar	36	desobligar	36
desjuntar	36	desmelancolizar	36	desobstruir	152
deslabonar	36	desmelar	32	desocupar	36
deslamar	36	desmelenar	36	desoír	194
deslastrar	36	desmembrar	32	desojar	36
deslatar	36	desmemoriarse	36	desolar	300
deslateralizar	36	desmenguar	36	desolazar	36
deslavar	36	desmentir	254	desoldar	36
deslechar	36	desmenuzar	36	desollar	300
deslechugar	36	desmeollar	36	desonzar	36
desleír	238	desmerecer	40	desopilar	36
deslendrar	32	desmesurar	36	desopinar	36
deslenguar	36	desmicar	36	desoprimir	200
desliar	36	desmigajar	36	desorbitar	36
desligar	36	desmilitarizar	36	desordenar	36
deslindar	36	desmochar	36	desorejar	36
desliñar	36	desmogar	36	desorganizar	36
deslizar	36	desmoler	186	desorientar	36
desloar	36	desmonetizar	36	desorillar	36
deslomar	36	desmontar	36	desortijar	36
deslucir	240	desmoñar	36	desosar	96
deslumbrar	36	desmoralizar	36	desovar	36
deslustrar	36	desmorecerse	40	desovillar	36
desmadejar	36	desmoronar	36	desoxidar	36
desmadrar	36	desmostarse	36	despavilar	36
desmajolar	300	desmotar	36	despachar	36
desmalezar	36	desmovilizar	36	despachurrar	36
desmallar	36	desmugrar	36	despajar	36
desmamar	36	desmultiplicar	36	despaldillar	36
desmamonar	36	desmullir	188	despalillar	36

D

D

despalmar	36	despernar	32	despreocuparse	36
despampanar	36	despersonalizar	36	despresar	36
despamplonar	36	despertar	98	desprestigiar	36
despanar	36	despescar	36	desproporcionar	36
despancar	36	despestañar	36	desproveer	224
despanzurrar	36	despezar	32	despulpar	36
despapar	36	despezonar	36	despulsar	36
desparedar	36	despezuñarse	36	despuntar	36
desparejar	36	despicar	36	desquejar	36
desparpajar	36	despicarazar	36	desquerer	228
desparramar	36	despicarse	36	desquiciar	36
despartir	200	despichar	36	desquijarar	36
desparvar	36	despilarar	36	desquijerar	36
despasar	36	despilfarrar	36	desquilatar	36
despatarrar	36	despimpollar	36	desquitar	36
despatillar	36	despinochar	36	desrabotar	36
despavesar	36	despintar	36	desraizar	36
despavonar	36	despinzar	36	desramar	36
despavorir	16	despiojar	36	desrancharse	36
despearse	36	despistar	36	desratizar	36
despechar	36	despizcar	36	desrelingar	36
despechugar	36	desplacer	64	desriñonar	36
despedazar	36	desplatar	36	desriscar	36
despedir	260	desplazar	36	desrizar	36
despedregar	36	desplegar	192	desroblar	36
despegar	36	despleguetear	36	desroñar	36
despeinar	36	desplomar	36	destacar	36
despejar	36	desplumar	36	destaconar	36
despelotar	36	despoblar	300	destachonar	36
despelucar	36	despoetizar	36	destajar	36
despeluzar	36	despojar	36	destalonar	36
despellejar	36	despolarizar	36	destallar	36
despenar	36	despolvorear	36	destapar	36
despender	292	despopularizar	36	destapiar	36
despenolar	36	desportillar	36	destaponar	36
despeñar	36	desposar	36	destarar	36
despepitar	36	desposeer	208	destazar	36
despercudir	286	despostar	36	destebrechar	36
desperdiciar	36	despotizar	36	destechar	36
desperdigar	36	despotricar	36	destejar	36
desperezarse	36	despreciar	36	destejer	36
desperfollar	36	desprender	292	destellar	36

destemplar	36	desvalorizar	36	devanear	36
destentar	32	desvanecer	40	devastar	36
desteñir	54	desvarar	36	develizar	36
desterminar	36	desvaretar	36	devengar	36
desternillarse	36	desvariar	36	devenir	294
desterrar	32	desvastigar	36	devolver	302
desterronar	36	desvedar	36	devorar	36
destetar	36	desvelar	36	diablear	36
destilar	36	desvenar	36	diaconar	36
destinar	36	desvencijar	36	diafanizar	36
destituir	152	desvendar	36	diafragmar	36
destocar	36	desventar	32	diagnosticar	36
destorcer	282	desvergonzarse	300	dializar	36
destorgar	36	desvestir	298	dialogar	36
destormar	36	desvezar	36	diamantar	36
destornillar	36	desviar	36	dibujar	36
destrabar	36	desviejar	36	dictar	36
destramar	36	desvincular	36	diezmar	36
destrejar	36	desvirar	36	difamar	36
destrenzar	36	desvirgar	36	diferenciar	36
destrincar	36	desvirtuar	36	diferir	254
destripar	36	desvitrificar	36	dificultar	36
destriunfar	36	desvivirse	200	difluir	152
destrizar	36	desvolver	302	difractar	36
destrocar	300	desyemar	36	difundir	100
destronar	36	deszafrar	36	digerir	106
destroncar	36	deszocar	36	dignarse	36
destrozar	36	deszulacar	36	dignificar	36
destruir	152	deszumar	36	dilacerar	36
destullecer	40	detallar	36	dilapidar	36
destusar	36	detectar	36	dilatar	36
desudar	36	detener	278	diligenciar	36
desuncir	286	detentar	36	dilucidar	36
desunir	286	deterger	276	diluir	152
desuñar	36	deteriorar	36	diluviar	36
desurcar	36	determinar	36	dimanar	36
desurdir	200	detestar	36	dimir	200
desusar	36	detonar	36	dimitir	200
desustanciar	36	detraer	284	dintelar	36
desvahar	36	detrar	36	diñar	36
desvalijar	36	devaluar	36	diplomar	36
desvalorar	36	devanar	36	diptongar	36

E

diputar	36	distender	116	drenar	36
diquelar	36	distinguir	200	drogar	36
dirigir	200	distraer	284	duchar	36
dirimir	200	distribuir	152	dudar	36
discernir	102	disturbar	36	dulcificar	36
disciplinar	36	disuadir	200	duplicar	36
discipular	36	divagar	36	durar	36
discontinuar	36	divergir	200		
discordar	300	diversificar	36	eclesiastizar	36
discrepar	36	divertir	106	eclipsar	36
discretear	36	dividir	200	economizar	36
discriminar	36	divinizar	36	echacorvear	36
disculpar	36	divisar	36	echar	36
discurrir	286	divorciar	36	edificar	36
discursear	36	divulgar	36	editar	36
discutir	200	dobladillar	36	edrar	36
disecar	36	doblar	36	educar	36
diseminar	36	doblegar	36	educir	236
disentir	254	docilitar	36	edulcorar	36
diseñar	36	doctorar	36	efectuar	36
disertar	36	doctrinar	36	eflorecerse	40
disfrazar	36	documentar	36	egresar	36
disfrutar	36	dogmatizar	36	ejabrir	200
disgregar	36	dolar	300	ejecutar	36
disgustar	36	doler	186	ejecutoriar	36
disidir	200	domar	36	ejemplificar	36
disimilar	36	domeñar	36	ejercer	276
disimular	36	domesticar	36	ejercitar	36
disipar	36	domiciliar	36	elaborar	36
dislocar	36	dominar	36	electrificar	36
disminuir	152	donar	36	electrizar	36
disociar	36	doñear	36	electrocutar	36
disolver	104	dorar	36	electrolizar	36
disonar	300	dormir	108	elegantizar	36
disparar	36	dormitar	36	elegir	110
disparatar	36	dosificar	36	elevar	36
dispensar	36	dotar	36	elidir	200
dispersar	36	dovelar	36	elijar	36
disponer	206	dragar	36	eliminar	36
disputar	36	dragonear	36	elogiar	36
distanciar	36	dramatizar	36	elucidar	36
distar	36	drapear	36	eludir	286

emanar	36	embicar	36	embribar	36
emancipar	36	embijar	36	embridar	36
emascular	36	embizcar	36	embrisar	36
embachar	36	emblanquecer	40	embrocar	36
embadurnar	36	embobar	36	embrochalar	36
embaír	16	embobecer	40	embrollar	36
embalar	36	embocar	36	embromar	36
embaldosar	36	embochinchar	36	embroquetar	36
embalsamar	36	embodegar	36	embrosquilar ·	36
embalsar	36	embojar	36	embrujar	36
embalumar	36	embolar	36	embrutecer	40
emballenar	36	embolatar	36	embuchar	36
emballestarse	36	embolicar	36	embudar	36
embanastar	36	embolismar	36	embullar	36
embancarse	36	embolsar	36	embuñegar	36
embanderar	36	embonar	36	emburriar	36
embarazar	36	emboñigar	36	emburujar	36
embarbascarse	36	emboquillar	36	embustear	36
embarbecer	40	emborrachar	36	embutar	36
embarbillar	36	emborrar	36	embutir	286
embarcar	36	emborrascar	36	emerger	276
embargar	36	emborrazar	36	emigrar	36
embarnecer	40	emborricarse	36	emitir	200
embarrancar	36	emborrizar	36	emocionar	36
embarrar	36	emborronar	36	empacar	36
embarrillar	36	emborrullarse	36	empachar	36
embarullar	36	emboscar	36	empadrarse	36
embastar	36	embosquecer	40	empadronar	36
embastecer	40	embostar	36	empajar	36
embaucar	36	embotar	36	empajolar	36
embaular	36	embotellar	36	empalagar	36
embazar	36	embotijar	36	empalar	36
embebecer	40	embozalar	36	empalicar	36
embeber	276	embozar	36	empalizar	36
embelecar	36	embracilar	36	empalmar	36
embelesar	36	embragar	36	empalomar	36
embellaquecerse	40	embravecer	40	empamparse	36
embellecer	40	embrazar	36	empanar	36
embermejecer	40	embrear	36	empandar	36
emberrincharse	36	embregarse	36	empandillar	36
embestir	298	embreñarse	36	empantanar	36
embetunar	36	embriagar	36	empanzarse	36

empañar	36	emperejilar	36	emprimar	36
empañetar	36	emperezar	36	empuchar	36
empañicar	36	empergaminar	36	empujar	36
empapar	36	emperifollar	36	empulgar	36
empapelar	36	empernar	36	empuntar	36
empapizar	36	emperrarse	36	empuñar	36
empapujar	36	empertigar	36	empurrarse	36
empapuzar	36	empesgar	36	emputecer	40
empaquetar	36	empetatar	36	emular	36
emparamarse	36	empezar	32	emulsionar	36
emparamentar	36	empicotar	36	enaceitar	36
emparar	36	empilcharse	36	enacerar	36
emparchar	36	empilonar	36	enaguachar	36
empardar	36	empinar	36	enaguar	36
emparedar	36	empingorotar	36	enaguazar	36
emparejar	36	empiparse	36	enajenar	36
emparentar	32	empitonar	36	enalbar	36
emparrar	36	empizarrar	36	enalbardar	36
emparrillar	36	emplantillar	36	enalmagrar	36
emparvar	36	emplastar	36	enaltecer	40
empastar	36	emplastecer	40	enamorar	36
empastelar	36	emplazar	36	enamoricarse	36
empatar	36	emplear	36	enancarse	36
empavesar	36	emplebeyecer	40	enanzar	36
empavonar	36	emplomar	36	enarbolar	36
empecinar	36	emplumar	36	enarcar	36
empedernir	16	emplumecer	40	enardecer	40
empedrar	32	empobrecer	40	enarenar	36
empegar	36	empodrecer	40	enarmonar	36
empelar	36	empolvar	36	enartar	36
empelazgarse	36	empollar	36	enastar	36
empelechar	36	emponcharse	36	enastillar	36
empelotarse	40	emponzoñar	36	encabalgar	36
empeller	112	empopar	36	encaballar	36
empellejar	36	emporcar	300	encabar	36
empenachar	36	empotrar	36	encabellecerse	40
empentar	36	empotrerar	36	encabestrar	36
empeñar	36	empozar	36	encabezar	36
empeorar	36	empradizar	36	encabriar	36
empequeñecer	40	emprar	36	encabrillar	36
empercudir	286	emprender	292	encabritarse	36
emperchar	36	empreñar	36	encabuyar	36

encachar	36	encañar	36	encastrar	36
encadarse	36	encañizar	36	encatalejar	36
encadenar	36	encañonar	36	encauchar	36
encajar	36	encapachar	36	encausar	36
encajerarse	36	encapar	36	encauzar	36
encajetillar	36	encaperuzar	36	encavarse	36
encajonar	36	encapillar	36	encebadar	36
encalabozar	36	encapirotar	36	encebollar	35
encalabrinar	36	encapotar	36	enceguecer	40
encalambrarse	36	encapricharse	36	encelajarse	36
encalamocar	36	encapsular	36	encelar	36
encalar	36	encapuchar	36	enceldar	36
encalcar	36	encapuzar	36	encellar	36
encalmarse	36	encaramar	36	encenagarse	36
encalostrarse	36	encarar	36	encender	116
encalvecer	40	encaratularse	36	encenizar	36
encallar	36	encarcavinar	36	encentar	32
encallecer	40	encarcelar	36	encepar	36
encallejonar	36	encarecer	40	encerar	36
encamar	36	encargar	36	encernadar	36
encamarar	36	encariñar	36	encerotar	36
encambijar	36	encarnar	36	encerrar	32
encambronar	36	encarnecer	40	encerrizar	36
encaminar	36	encarnizar	36	encespedar	36
encamisar	36	encarpar	36	encestar	36
encamotarse	36	encarpetar	36	encielar	36
encampanar	36	encarrilar	36	encimar	36
encanalar	36	encarrillar	36	encintar	36
encanallar	36	encarroñar	36	encismar	36
encanarse	36	encarrujarse	36	enclaustrar	36
encanastar	36	encartar	36	enclavar	36
encandecer	40	encartonar	36	enclavijar	36
encandelar	36	encartuchar	36	enclocar	300
encandelillar	36	encasar	36	encobar	36
encandilar	36	encascabelar	36	encobilarse	36
encanecer	40	encascar	36	encobrar	36
encanijar	36	encascotar	36	encocorar	36
encanillar	36	encasillar	36	encodillarse	36
encantar	36	encasquetar	36	encofinar	36
encantarar	36	encasquillar	36	encofrar	36
encanutar	36	encastar	36	encoger	276
encañamar	36	encastillar	36	encogollarse	36

E

encohetar	36	encubar	36	endosar	36
encojar	36	encubertar	32	endoselar	36
encolar	36	encubrir	88	endrogarse	36
encolerizar	36	encucar	36	endulzar	36
encomendar	32	encuerar	36	endurecer	40
encomiar	36	encuitarse	36	enejar	36
encompadrar	36	enculatar	36	enemistar	36
enconar	36	encumbrar	36	energizar	36
enconcharse	36	encunar	36	enervar	36
encontrar	300	encurdarse	36	enfadar	36
encopetar	36	encureñar	36	enfaldar	36
encorachar	36	encurtir	36	enfangar	36
encorajar	36	enchancletar	36	enfardar	36
encorajinar	36	enchapar	36	enfatizar	36
encorar	300	encharcar	36	enfermar	36
encorchar	36	enchavetar	36	enfervorizar	36
encorchetar	36	enchicar	36	enfeudar	36
encordar	300	enchilar	36	enfielar	36
encordelar	36	enchinar	36	enfierecerse	40
encordonar	36	enchinarrar	36	enfiestarse	36
encorecer	40	enchipar	36	enfilar	36
encornudar	36	enchiquerar	36	enfistolarse	36
encorozar	36	enchironar	36	enflaquecer	40
encorralar	36	enchivarse	36	enflautar	36
encorrear	36	enchuecar	36	enflorar	36
encorsetar	36	enchufar	36	enfocar	36
encortinar	36	enchularse	36	enfrailar	36
encorujarse	36	enchuletar	36	enfranquecer	40
encorvar	36	enchumbar	36	enfracarse	36
encostalar	36	endechar	36	enfrenar	36
encostarse	300	endehesar	36	enfrentar	36
encostrar	36	endemoniar	36	enfriar	36
encovar	300	endentar	32	enfrontar	36
encrasar	36	endentecer	40	enfrontilar	36
encrespar	36	endeñarse	36	enfullar	36
encrestarse	36	enderezar	36	enfunchar	36
encristalar	36	endeudarse	36	enfundar	36
encrudecer	40	endiablar	36	enfurecer	40
encruelecer	40	endilgar	36	enfurruñarse	36
encuadernar	36	endiosar	36	enfurtir	286
encuadrar	36	endoblar	36	enfusir	286
encuartar	36	endomingarse	36	engafar	36

engafetar	36	engonzar	36	enhastillar	36
engaitar	36	engorar	300	enhatijar	36
engalanar	36	engordar	36	enhebillar	36
engalgar	36	engorgoritar	36	enhebrar	36
engaliar	36	engorronarse	36	enhenar	36
engallarse	36	engoznar	36	enherbolar	36
enganchar	36	engranar	36	enhestar	32
engañar	36	engrandecer	40	enhielar	36
engarabatar	36	engranerar	36	enhollinarse	36
engarabitar	36	engranujarse	36	enhorcar	36
engaratusar	36	engrapar	36	enhornar	36
engarbarse	36	engrasar	36	enhorquetar	36
engarberar	36	engravecer	40	enhuerar	36
engarbullar	36	engredar	36	enjabonar	36
engargantar	36	engreir	238	enjaezar	36
engargolar	36	engrescar	36	enjalbegar	36
engaritar	36	engrifar	36	enjalmar	36
engarmarse	36	engrillar	36	enjambrar	36
engarrafar	36	engrilletar	36	enjaquimar	36
engarriar	36	engringarse	36	enjarciar	36
engarronar	36	engrosar	96	enjardar	36
engarrotar	36	engrudar	36	enjardinar	36
engarzar	36	engruesar	36	enjaretar	36
engasgarse	36	engrumecerse	40	enjaular	36
engastar	36	engruñar	36	enjebar	36
engatar	36	enguachinar	36	enjergar	36
engatillar	36	engualdrapar	36	enjicar	36
engatuñarse	36	enguantar	36	enjorguinarse	36
engatusar	36	enguatar	36	enjoyar	36
engaviar	36	enguerar	36	enjuagar	36
engendrar	36	enguijarrar	36	enjugar	114
engerir	106	enguillotarse	36	enjuiciar	36
engibar	36	enguirnaldar	36	enjuncar	36
englobar	36	enguitarrarse	36	enjunciar	36
engocetar	36	enguizgar	36	enjutar	36
engolar	36	engullir	188	enlabiar	36
engolfar	36	engurrar	36	enlaciar	36
engolondrinar	36	engurruminar	36	enladrillar	36
engolosinar	36	engurruñir	286	enlagunar	36
engolletarse	36	engusgarse	36	enlamar	36
engolliparse	36	enharinar	36	enlaminarse	36
engomar	36	enhastiar	36	enlanchar	36

E

E

enlatar	36	enmontarse	36	enrobinarse	36
enlazar	36	enmostar	36	enrocar	300
enlechar	36	enmotar	36	enrodar	300
enlegajar	36	enmudecer	40	enrojecer	40
enlegiar	36	enmugrecer	40	enrolar	36
enlenzar	32	enneciarse	36	enrollar	36
enlerdar	36	ennegrecer	40	enromar	36
enligar	36	ennoblecer	40	enronquecer	40
enlizar	36	ennudecer	40	enroñar	36
enlobreguecer	40	enojar	36	enroscar	36
enlodar	36	enorgullecer	40	enrostrar	36
enlomarse	36	enquiciar	36	enrubiar	36
enloquecer	40	enquillotrar	36	enrudecer	40
enlosar	36	enquistarse	36	enruinecer	40
enlozar	36	enrabar	36	enrunar	36
enlucir	240	enrabiar	36	ensabanar	36
enlustrecer	40	enrafar	36	ensacar	36
enlutar	36	enraigonar	36	ensalivar	36
enllantar	36	enraizar	36	ensalmar	36
enllentecer	40	enralecer	36	ensalobrarse	36
enmadejar	36	enramar	36	ensalzar	36
enmaderar	36	enramblar	36	ensambenitar	36
enmadrarse	36	enranciar	36	ensamblar	36
enmagrecer	40	enrarecer	40	ensanchar	36
enmalecer	40	enrasar	36	ensandecer	40
enmallarse	36	enrasillar	36	ensangrentar	32
enmangar	36	enrastrar	36	ensañar	36
enmaniguarse	36	enrayar	36	ensarmentar	32
enmantar	36	enreciar	36	ensarnecer	40
enmarañar	36	enredar	36	ensartar	36
enmararse	36	enrehojar	36	ensayar	36
enmarcar	36	enrejalar	36	ensebar	36
enmaridar	36	enrejar	36	enselvar	36
enmarillecerse	40	enresmar	36	ensenar	36
enmaromar	36	enriar	36	enseñar	36
enmascarar	36	enridar	36	enseñorearse	36
enmasillar	36	enrielar	36	enserar	36
enmatarse	36	enrigidecer	40	enseriarse	36
enmelar	32	enripiar	36	ensilar	36
enmendar	32	enriquecer	40	ensilvecerse	40
enmohecer	40	enriscar	36	ensillar	36
enmollecer	40	enristrar	36	ensimismarse	36

ensobear	36	entestecer	40	entrejuntar	36
ensoberbecer	40	entibar	36	entrelazar	36
ensobinarse	36	entibiar	36	entrelinear	36
ensobrar	36	entigrecerse	40	entrelucir	240
ensogar	36	entilar	36	entremediar	36
ensolerar	36	entinar	36	entremesear	36
ensolver	302	entintar	36	entremeter	36
ensombrecer	40	entisar	36	entremezclar	36
ensoñar	36	entizar	36	entremorir	184
ensopar	36	entolar	36	entrenar	36
ensordecer	40	entoldar	36	entrencar	36
ensortijar	36	entomizar	36	entrenzar	36
ensotarse	36	entonar	36	entreoír	194
ensuciar	36	entonelar	36	entreparecerse	40
entabacarse	36	entongar	36	entrepelar	36
entablar	36	entontecer	40	entrepernar	32
entablerarse	36	entoñar	36	entrepunzar	36
entablillar	36	entorcarse	36	entrerrenglonar	36
entalegar	36	entorchar	36	entresacar	36
entalingar	36	entorilar	36	entretallar	36
entalonar	36	entornar	36	entretejer	276
entallar	36	entornillar	36	entretelar	36
entallecer	40	entorpecer	40	entretener	278
entamar	36	entortar	300	entreuntar	36
entandar	36	entramar	36	entrevar	36
entapizar	36	entrampar	36	entrevenarse	36
entapujar	36	entrampillar	36	entrever	296
entarascar	36	entrañar	36	entreverar	36
entarimar	36	entrapajar	36	entrevigar	36
entarquinar	36	entrapazar	36	entrevistar	36
entarugar	36	entrar	36	entrillar	36
entejar	36	entreabrir	18	entristecer	40
entender	116	entrecavar	36	entrizar	36
entenebrecer	40	entrecerrar	36	entrojar	36
enterar	36	entrecoger	276	entrometer	276
entercarse	36	entrecomar	36	entroncar	36
enterciar	36	entrecomillar	36	entronerar	36
enternecer	40	entrecortar	36	entronizar	36
enterrar	32	entrecriarse	36	entruchar	36
enterriar	36	entrecruzar	36	entrujar	36
entesar	32	entrechocar	36	entubajar	36
entestar	36	entregar	36	entubar	36

E

entullecer	276	enyerbarse	36	escabullir	188
entumecer	40	enyesar	36	escachar	36
entumirse	286	enyugar	36	escacharrar	36
entunicar	36	enzainarse	36	escaecer	40
entuñarse	36	enzalamar	36	escafilar	36
entupir	200	enzarzar	36	escagarruzarse	36
enturar	36	enzoquetar	36	escalar	36
enturbiar	36	enzunchar	36	escaldar	36
entusiasmar	36	enzurdecer	40	escaldufar	36
enumerar	36	enzurizar	36	escalecer	40
enunciar	36	enzurronar	36	escalfar	36
envacar	36	epilogar	36	escalfecerse	40
envainar	36	epitimar	36	escaliar	36
envalentonar	36	epitomar	36	escalibar	36
envalijar	36	equidistar	36	escalofriar	36
envanecer	40	equilibrar	36	escalonar	36
envarar	36	equipar	36	escamar	36
envarbascar	36	equiparar	36	escamochar	36
envaronar	36	equiponderar	36	escamochear	36
envasar	36	equivaler	290	escamondar	36
envedijarse	36	equivocar	36	escamonearse	36
envegarse	36	erar	36	escamotear	36
envejecer	40	ergotizar	36	escampar	36
envenenar	36	erguir	118	escamujar	36
enverar	36	erigir	200	escanciar	36
enverdecer	40	erisipelar	36	escandalar	36
envergar	36	erizar	36	escandalizar	36
envesar	36	erogar	36	escandallar	36
envestir	298	erosionar	36	escandir	200
enviar	36	erradicar	36	escantillar	36
enviciar	36	errar	120	escañarse	36
envidar	36	eructar	36	escapar	36
envidiar	36	esbarar	36	escapular	36
envigar	36	esbarizar	36	escarabajear	36
envilecer	40	esbatimentar	36	escaramucear	36
envilortar	36	esbinzar	36	escaramuzar	36
envinagrar	36	esborregar	36	escarapelar	36
envinar	36	esbozar	36	escarbar	36
envirar	36	esbrencar	36	escarcear	36
enviscar	36	escabechar	36	escarcuñar	36
enviudar	36	escabuchar	36	escarchar	36
envolver	302	escabullar	36	escardar	36

escardillar	36	escopetear	36	esguardamillar	36
escarearse	36	escoplear	36	esguazar	36
escariar	36	escorar	36	esguilar	36
escarificar	36	escorchar	36	eslabonar	36
escarizar	36	escoriar	36	esmaltar	36
escarmenar	36	escorzar	36	esmerar	36
escarmentar	32	escosar	36	esmerilar	36
escarnar	36	escoscar	36	esmuciarse	36
escarnecer	40	escotar	36	esmuñir	144
escarolar	36	escotorrar	36	espaciar	36
escarpar	36	escozarse	36	espadañar	36
escarzar	36	escribir	122	espadar	36
escasear	36	escriturar	36	espadillar	36
escatimar	36	escrupulizar	36	espalar	36
escavanar	36	escrutar	36	espaldear	36
escavar	36	escuadrar	36	espantar	36
escayolar	36	escuadronar	36	españolizar	36
escenificar	36	escuchar	36	esparcir	200
escindir	200	escudar	36	esparragar	36
esclafar	36	escuderear	36	esparrancarse	36
esclarecer	40	escudillar	36	espartar	36
esclavizar	36	escudriñar	36	especializar	36
esclerosar	36	escueznar	36	especificar	36
escobar	36	esculcar	36	especular	36
escobazar	36	esculpir	286	espejear	36
escobillar	36	escullir	188	espeluznar	36
escocar	36	escupir	200	esperanzar	36
escocer	60	escurar	36	esperar	36
escodar	36	escurrir	286	esperezarse	36
escofiar	36	esdrujulizar	36	espergurar	36
escofinar	36	esenciarse	36	espernancarse	36
escoger	276	esfacelarse	36	espesar	36
escolar	300	esfolar	36	espetar	36
escoliar	36	esfornecinar	36	espiar	36
escoltar	36	esforrocinar	36	espichar	36
escollar	36	esforzar	96	espigar	36
escomar	36	esfoyar	36	espillar	36
escombrar	36	esfumar	36	espinar	36
escomerse	276	esfuminar	36	espinochar	36
esconder	276	esgarrar	36	espinzar	36
esconzar	36	esgrafiar	36	espirar	36
escopetar	36	esgrimir	200	espiritar	36

E

espiritualizar	36	estar	124	estriar	36
espitar	36	estarcir	200	estribar	36
espolear	36	estatificar	36	estropajear	36
espolinar	36	estatuar	36	estropear	36
espolvorear	36	estatuir	152	estructurar	36
espolvorizar	36	estebar	36	estrujar	36
esponjar	36	estenografiar	36	estrumpir	200
espontanearse	36	estepar	36	estucar	36
esportear	36	esterar	36	estuchar	36
esposar	36	estercolar	36	estudiar	36
espulgar	36	estereotipar	36	estuprar	36
espumajear	36	esterilizar	36	esturar	36
espumar	36	estezar	36	esturdir	200
espurrear	36	estibar	36	esturgar	36
espurriar	36	estigmatizar	36	esturrear	36
espurrir	286	estilar	36	esvarar	36
esputar	36	estilizar	36	eterizar	36
esquebrajar	36	estimar	36	eternizar	36
esquejar	36	estimular	36	etimologizar	36
esquematizar	36	estiomenar	36	europeizar	36
esquiar	36	estipendiar	36	evacuar	36
esquiciar	36	estipticar	36	evadir	200
esquifar	36	estipular	36	evaluar	36
esquilar	36	estirajar	36	evangelizar	36
esquilmar	36	estirar	36	evaporar	36
esquinar	36	estirazar	36	evaporizar	36
esquivar	36	estofar	36	evidenciar	36
estabilizar	36	estoquear	36	eviscerar	36
establear	36	estorbar	36	evitar	36
establecer	40	estornudar	36	evocar	36
estacar	36	estovar	36	evolucionar	36
estacionar	36	estozar	36	exacerbar	36
estafar	36	estozolar	36	exagerar	36
estallar	36	estragar	36	exaltar	36
estambrar	36	estrangular	36	examinar	36
estampar	36	estratificar	36	exasperar	36
estampillar	36	estrechar	36	excandecer	40
estancar	36	estregar	192	excarcelar	36
estandarizar	36	estrellar	36	excavar	36
estantalar	36	estremecer	40	exceder	292
estañar	36	estrenar	36	exceptuar	36
estaquillar	36	estreñir	54	excitar	36

exclamar	36	explicotearse	36	fachendear	36
exclaustrar	36	explorar	36	fadigar	36
excluir	126	explosionar	36	faenar	36
excogitar	36	explotar	36	fajar	36
excomulgar	36	expoliar	36	falcar	36
excoriar	36	exponer	206	faldear	36
excrementar	36	exportar	36	falsar	36
excretar	36	expresar	132	falsear	36
exculpar	36	exprimir	200	falsificar	36
excusar	36	expropiar	36	faltar	36
execrar	36	expugnar	36	fallar	36
exentar	36	expulsar	134	fallecer	40
exfoliar	36	expurgar	36	fallir	200
exhalar	36	extasiarse	36	fanatizar	36
exhibir	200	extender	136	fanfarrear	36
exhortar	36	extenuar	36	fanfarronear	36
exhumar	36	exteriorizar	36	fantasear	36
exigir	200	exterminar	36	farabustear	36
exiliar	36	extinguir	138	farachar	36
eximir	128	extirpar	36	fardar	36
existimar	36	extorsionar	36	farfullar	36
existir	200	extractar	36	farolear	36
exonerar	36	extraer	284	farrear	36
exorar	36	extralimitarse	36	farsantear	36
exorcizar	36	extranjerizar	36	fascinar	36
exornar	36	extrañar	36	fastidiar	36
expandir	200	extrapolar	36	fatigar	36
expansionarse	36	extravasarse	36	favorecer	40
expatriarse	36	extravenar	36	fecundar	36
expectorar	36	extraviar	36	fecundizar	36
expedientar	36	extremar	36	fechar	36
expedir	260	extrudir	200	fedegar	36
expeler	130	exudar	36	federar	36
expender	292	exulcerar	36	felicitar	36
expensar	36	exultar	36	felpar	36
experimentar	36	eyacular	36	felpear	36
expiar	36			femar	36
expilar	36	fabricar	36	fenecer	40
expirar	36	facilitar	36	fenicar	36
explanar	36	facturar	36	feriar	36
explayar	36	facultar	36	fermentar	36
explicar	36	fachear	36	ferrar	192

F

ferretear	36	florear	36	frangollar	36
ferrificarse	36	florecer	40	franjar	36
fertilizar	36	flotar	36	franjear	36
fervorar	36	fluctuar	36	franquear	36
fervorizar	36	fluidificar	36	frasear	36
festejar	36	fluir	152	fratasar	36
festinar	36	fogarear	36	fraternizar	36
festonear	36	fogarizar	36	frecuentar	36
fiambrar	36	foguear	36	fregar	192
fiar	36	foliar	36	fregotear	36
fichar	36	follar	300	freír	142
fieltrar	36	(soplar)		frenillar	36
figurar	36	fomentar	36	fresar	36
fijar	140	fondear	36	fretar	36
filetear	36	forcejar	36	frezar	36
filiar	36	forcejear	36	fricar	36
filmar	36	forestar	36	friccionar	36
filosofar	36	forigar	36	frisar	36
filtrar	36	forjar	36	fritar	36
finalizar	36	formalizar	36	frotar	36
financiar	36	formar	36	fructificar	36
finar	36	formular	36	fruir	152
fingir	200	fornicar	36	fruncir	286
finiquitar	36	forrajear	36	frustrar	36
firmar	36	forrar	36	frutar	36
fiscalizar	36	fortalecer	40	frutecer	40
fisgar	36	fortificar	36	frutillar	36
fisgonear	36	forzar	96	fucilar	36
fistular	36	fosar	36	fufar	36
fizar	36	fosforecer	40	fugar	36
flagelar	36	fosilizarse	36	fulgurar	36
flagrar	36	fotocopiar	36	fulminar	36
flamear	36	fotograbar	36	fumar	36
flanquear	36	fotografiar	36	fumigar	36
flaquear	36	fotolitografiar	36	funcionar	36
flechar	36	fracasar	36	fundamentar	36
fletar	36	fraccionar	36	fundar	36
fletear	36	fracturar	36	fundir	286
flirtear	36	fragmentar	36	funestar	36
flojear	36	fraguar	36	fungir	286
florar	36	frailear	36	fuñar	36
flordelisar	36	frangir	200	fuñicar	36

fusilar	36	garramar	36	golletear	36
fusionar	36	garrapatear	36	gongorizar	36
fustigar	36	garrapiñar	36	gorgojarse	36
		garrar	36	gorgoritear	36
gafar	36	garrochar	36	gorjear	36
gaguear	36	garrotear	36	gormar	36
galantear	36	garsinar	36	gorrear	36
galardonar	36	garuar	36	gorronear	36
galguear	36	gasear	36	gotear	36
galibar	36	gasificar	36	gozar	36
galonear	36	gastar	36	grabar	36
galopar	36	gatear	36	gracejar	36
galvanizar	36	gavillar	36	gradar	36
gallar	36	gayar	36	graduar	36
gallardear	36	gazmiar	36	grajear	36
gallear	36	gemelar	36	gramar	36
gallofear	36	gemiquear	36	gramatiquear	36
gambetear	36	gemir	298	granar	36
gamitar	36	generalizar	36	grandisonar	36
ganar	36	generar	36	granear	36
gandujar	36	gentilizar	36	granizar	36
gandulear	36	germanizar	36	granjear	36
ganguear	36	germinar	36	granular	36
gansear	36	gestar	36	grapar	36
gañir	144	gestear	36	gratar	36
garabatear	36	gesticular	36	gratificar	36
garandar	36	gestionar	36	gratular	36
garantir	16	gibar	36	gravar	36
garantizar	36	gimotear	36	gravear	36
garapiñar	36	girar	36	gravitar	36
garbar	36	gitanear	36	graznar	36
garbear	36	glasear	36	grecizar	36
garbillar	36	glorificar	36	grifarse	36
garfear	36	glosar	36	grillarse	36
garfiñar	36	glotonear	36	grisear	36
gargajear	36	gobernar	32	gritar	36
gargantear	36	golear	36	gruir	152
gargarear	36	golfear	36	grujir	286
gargarizar	36	golmajear	36	gruñir	144
garlar	36	golosinear	36	guachapear	36
garlear	36	golpear	36	guachinear	36
garrafiñar	36	golpetear	36	guadañar	36

H

guadrapear	36	hallar	36	hijuelar	36
gualdrapear	36	hamaquear	36	hilar	36
guantear	36	hambrear	36	hilvanar	36
guañir	144	haraganear	36	himplar	36
guapear	36	harbar	36	hincar	36
guardar	36	harinear	36	hinchar	36
guarecer	40	harnear	36	hipar	36
guarnecer	40	haronear	36	hiperbolizar	36
guarnicionar	36	hartar	150	hiperestesiar	36
guasearse	36	hastiar	36	hipertrofiarse	36
guerrear	36	hatear	36	hipnotizar	36
guerrillear	36	hebraizar	36	hipotecar	36
guiar	36	hechizar	36	hirmar	36
guillarse	36	heder	116	hisopar	36
guillotinar	36	helar	36	hisopear	36
guinchar	36	helear	36	hispanizar	36
guiñar	36	helenizar	36	hispir	200
guipar	36	hembrear	36	historiar	36
guisar	36	henchir	260	hitar	36
guitar	36	hender	116	hocicar	36
guitonear	36	hendir	102	hojaldrar	36
guizgar	36	heñir	54	hojear	36
gulusmear	36	herbajar	36	holear	36
gurruñar	36	herbajear	36	holgar	300
gusanear	36	herbar	192	holgazanear	36
gustar	36	herbecer	40	hollar	300
		herbolar	36	hombrear	36
haber	146	herborizar	36	homenajear	36
habilitar	36	heredar	36	homogeneizar	36
habitar	36	herir	254	homologar	36
habituar	36	hermanar	36	hondear	36
hablar	36	hermanear	36	honestar	36
hacendar	32	hermanecer	40	honorar	36
hacer	148	hermosear	36	honrar	36
hacinar	36	herrar	192	hoparse	36
hachar	36	herrenar	36	hopear	36
hachear	36	herretear	36	horadar	36
hadar	36	herrumbrar	36	hormiguear	36
halagar	36	herventar	32	hormiguillar	36
halar	36	hervir	254	hornaguear	36
halconear	36	hibernar	36	hornear	36
haldear	36	hidratar	36	horripilar	36

horrorizar	36	imbuir	152	inclinar	36
hospedar	36	imbursar	36	incluir	234
hospitalizar	36	imitar	36	incoar	36
hostigar	36	impacientar	36	incomodar	36
hostilizar	36	impartir	200	incomunicar	36
hozar	36	impedir	254	incordiar	36
huachar	36	impeler	276	incorporar	36
huaquear	36	impender	290	incrementar	36
huchear	36	imperar	36	increpar	36
huevar	36	impermeabilizar	36	incriminar	36
huir	152	impersonalizar	36	incrustar	36
humanar	36	impetrar	36	incubar	36
humanizar	36	implantar	36	inculcar	36
humar	36	implar	36	inculpar	36
humear	36	implicar	36	incumbir	286
humectar	36	implorar	36	incumplir	286
humedecer	40	imponer	206	incurrir	156
humillar	36	importar	36	indagar	36
hundir	286	importunar	36	indemnizar	36
huracanarse	36	imposibilitar	36	independizar	36
hurgar	36	impostar	36	indicar	36
hurgonear	36	imprecar	36	indiciar	36
hurguetear	36	impregnar	36	indigestarse	36
huronear	36	impresionar	36	indignar	36
hurtar	36	imprimar	36	indisciplinarse	36
husmear	36	imprimir	154	indisponer	206
		improbar	300	individualizar	36
idealizar	36	improperar	36	individuar	36
idear	36	improvisar	36	inducir	236
identificar	36	impugnar	36	indultar	36
idolatrar	36	impulsar	36	industrializar	36
ignorar	36	impurificar	36	industriar	36
igualar	36	imputar	36	inebriar	36
ijadear	36	inaugurar	36	infamar	36
ilegitimar	36	incapacitar	36	infartar	36
iludir	286	incardinar	36	infatuar	36
iluminar	36	incautarse	36	infeccionar	36
ilusionar	36	incendiar	36	infectar	36
ilustrar	36	incensar	32	inferir	254
imaginar	36	incidir	200	infernar	32
imanar	36	incinerar	36	infestar	36
imantar	36	incitar	36	infibular	36

infiltrar	36	insolar	36	interpretar	36
infirmar	36	insolentar	36	interrogar	36
inflamar	36	inspeccionar	36	interrumpir	200
inflar	36	inspirar	36	intersecarse	36
infligir	200	instalar	36	intervenir	294
influir	152	instar	36	intestar	36
informar	36	instaurar	36	intimar	36
infringir	200	instigar	36	intimidar	36
infundir	158	instilar	36	intitular	36
ingeniar	36	instituir	152	intoxicar	36
ingerir	106	instruir	152	intranquilizar	36
ingletear	36	instrumentar	36	intricar	36
ingresar	36	insubordinar	36	intrigar	36
ingurgitar	36	insudar	36	intrincar	36
inhabilitar	36	insuflar	36	introducir	236
inhalar	36	insultar	36	intrusarse	36
inhibir	200	insumir	286	intubar	36
inhumar	36	insurgir	200	intuir	152
iniciar	36	insurreccionar	36	inundar	36
injerir	106	integrar	36	inutilizar	36
injertar	160	intensar	36	invadir	200
injuriar	36	intensificar	36	invaginar	36
inmigrar	36	intentar	36	invalidar	36
inmiscuir	162	intercalar	36	inventar	36
inmolar	36	intercambiar	36	inventariar	36
inmortalizar	36	interceder	292	invernar	32
inmovilizar	36	interceptar	36	invertir	170
inmunizar	36	interdecir	210	investigar	36
inmutar	36	interesar	36	investir	298
innovar	36	interferir	200	inveterarse	36
inocular	36	interfoliar	36	invigilar	36
inquietar	36	interinar	36	invitar	36
inquinar	36	interlinear	36	invocar	36
inquirir	26	intermediar	36	involucrar	36
insacular	36	intermitir	200	inyectar	36
insalivar	36	internacionalizar	36	ionizar	36
inscribir	164	internar	36	ir	172
inserir	166	interpaginar	36	irisar	36
insertar	168	interpelar	36	ironizar	36
insidiar	36	interpolar	36	irradiar	36
insinuar	36	interponer	206	irreverenciar	36
insistir	200	interprender	292	irrigar	36

irritar	36	jerarquizar	36	ladrar	36
irrogar	36	jeremiquear	36	ladrillar	36
irruir	152	jeringar	36	ladronear	36
irrumpir	286	jesusear	36	lagarearse	36
islamizar	36	jijear	36	lagartear	36
iterar	36	jimenzar	32	lagotear	36
izar	36	jinetear	36	lagrimacer	64
izquierdear	36	jinglar	36	lagrimar	36
		jipiar	36	lagrimear	36
jabalconar	36	jirpear	36	laicizar	36
jabardear	36	jonjabar	36	lambiscar	36
jabonar	36	joparse	36	lambisquear	36
jabrir	200	jopear	36	lambrucear	36
jacarear	36	jorobar	36	lambucear	36
jactar	36	jubilar	36	lamentar	36
jadear	36	judaizar	36	lamer	36
jaezar	36	juerguearse	36	laminar	36
jaharrar	36	jugar	174	lamiscar	36
jalar	36	juguetear	36	lampacear	36
jalbegar	36	jujear	36	lampar	36
jalear	36	julepear	36	lampear	36
jalonar	36	juncar	36	lamprear	36
jamar	36	juntar	176	lancear	36
jambrar	36	juñir	286	lancinar	36
jamerdar	32	juramentar	36	languidecer	40
jamurar	36	jurar	36	lanzar	36
jaquear	36	juriarse	36	lañar	36
jar	36	jusmeterse	276	lapidar	36
jarabear	36	justar	36	lapidificar	36
jaranear	36	justificar	36	lapizar	36
jarapotear	36	justipreciar	36	laquear	36
jarbar	36	juzgar	36	lardear	36
jarciar	36			largar	36
jaricar	36	labializar	36	lascar	36
jaropar	36	laborar	36	lastar	36
jaropear	36	laborear	36	lastimar	36
jarrar	36	labrar	36	lastrar	36
jarrear	36	lacear	36	lateralizar	36
jasar	36	lacerar	36	latiguear	36
jaspear	36	lacrar	36	latinar	36
jebrar	36	lactar	36	latinear	36
jedar	36	ladear	36	latinizar	36

L

M

latir	36	lincear	36	llamar	36
laurear	36	linchar	36	llamear	36
lavar	36	lindar	36	llapar	36
lavotear	36	linear	36	llegar	36
laxar	36	liofilizar	36	llenar	36
layar	36	liquidar	36	llevar	36
lazar	36	lisiar	36	llorar	36
leer	178	lisonjear	36	lloriquear	36
legalizar	36	listar	36	llover	186
legar	36	listonar	36	lloviznar	36
legislar	36	litar	36		
legitimar	36	litigar	36	macadamizar	36
legrar	36	litografiar	36	macear	36
lenificar	36	lividecer	40	macerar	36
lentecer	40	lixiviar	36	macizar	36
lentificar	36	loar	36	macollar	36
leñar	36	lobear	36	macular	36
lepar	36	lobreguecer	40	machacar	36
lesionar	36	localizar	36	machar	36
letificar	36	lograr	36	machear	36
leudar	36	logrear	36	machetear	36
levantar	36	lomar	36	machihembrar	36
levigar	36	lombardear	36	machucar	36
liar	36	lomear	36	madrearse	36
libar	36	loquear	36	madrugar	36
liberalizar	36	lotear	36	madurar	36
liberar	36	lozanear	36	maestralizar	36
libertar	36	lubricar	36	maestrear	36
librar	36	lubrificar	36	magancear	36
librear	36	lucir	240	magnetizar	36
licenciar	36	lucrar	36	magnificar	36
licitar	36	lucubrar	36	magrear	36
licuar	36	luchar	36	magullar	36
licuefacer	232	ludiar	36	maherir	106
lidiar	36	ludir	286	mahometizar	36
ligar	36	luir	152	majadear	36
lignificar	36	lujar	36	majaderear	36
lijar	36	lujuriar	36	majar	36
limar	36	lustrar	36	malbaratar	36
limitar	36	luxar	36	malcasar	36
limosnear	36			malcomer	276
limpiar	36	llagar	36	malcriar	36

maldecir	48	manferir	106	maridar	36
malear	36	manganear	36	marinar	36
maleficiar	36	mangar	36	marinear	36
malentender	116	mangonear	36	mariposear	36
malgastar	36	manguear	36	mariscar	36
malherir	106	maniatar	36	marizarse	36
malhumorar	36	manifestar	180	marmotear	36
maliciar	36	maniobrar	36	marmullar	36
malignar	36	panipular	36	marramizar	36
malmeter	276	manir	16	marrar	36
malograr	36	manjolar	36	marrear	36
maloquear	36	manojear	36	martillar	36
malparar	36	manosear	36	martillear	36
malparir	200	manotear	36	martirizar	36
malquerer	228	manquear	36	mascar	36
malquistar	36	mantear	36	mascujar	36
malrotar	36	mantener	278	mascullar	36
maltraer	284	mantornar	36	masticar	36
maltratar	36	manufacturar	36	mastigar	36
malvar	36	manumitir	182	masturbarse	36
malvender	292	manuscribir	122	matar	36
malversar	36	manutener	278	matear	36
malvezar	36	mañanear	36	materializar	36
malvivir	200	mañear	36	matizar	36
mallar	36	mañerear	36	matraquear	36
mamar	36	maquear	36	matricular	36
mampostear	36	maquilar	36	matrimoniar	36
mampresar	36	maquillar	36	matutear	36
mamujar	36	maquinar	36	maullar	36
mamullar	36	maquinizar	36	maximizar	36
manar	36	marañar	36	mayar	36
mancar	36	maravillar	36	mayear	36
mancillar	36	marcar	36	mayordomear	36
mancipar	36	marcear	36	mazar	36
mancomunar	36	marcenar	36	maznar	36
mancornar	300	marchamar	36	mear	36
manchar	36	marchar	36	mecanizar	36
mandar	36	marchitar	36	mecanografiar	36
mandilar	36	marear	36	mecer	276
manducar	36	margar	36	mechar	36
manear	36	margenar	36	mediar	36
manejar	36	marginar	36	mediatizar	36

M

medicar	36	metalizar	36	modificar	36
medicinar	36	metamorfosear	36	modorrar	36
medir	260	metatizar	36	modular	36
meditar	36	meteorizar	36	mofar	36
medrar	36	meter	276	moflearse	36
mejer	276	metodizar	36	mohatrar	36
mejorar	36	metrificar	36	mohecer	40
melancolizar	36	mezclar	36	mojar	36
melar	192	miagar	36	moldar	36
melgar	36	miañar	36	moldear	36
melificar	36	migar	36	moldurar	36
melindrear	36	milagrear	36	moler	186
melindrizar	36	militarizar	36	molestar	36
mellar	36	mimar	36	molificar	36
memorar	36	mimbrar	36	molturar	36
memorizar	36	mimbrear	36	mollear	36
menar	36	mimeografiar	36	mollificar	36
mencionar	36	minar	36	mollinear	36
mendigar	36	mindanguear	36	molliznar	36
menear	36	mineralizar	36	molliznear	36
menguar	36	miniar	36	momear	36
menoscabar	36	minimizar	36	momificar	36
menospreciar	36	ministrar	36	mondar	36
menstruar	36	minorar	36	monear	36
mensurar	36	minutar	36	monedear	36
mentar	192	miñarse	36	monetizar	36
mentir	254	mirar	36	monologar	36
menudear	36	misar	36	monopolizar	36
meollar	36	miserear	36	monoptongar	36
merar	36	misionar	36	montanear	36
mercadear	36	mistar	36	montantear	36
mercantilizar	36	mistificar	36	montar	36
mercar	36	mitigar	36	montazgar	36
mercerizar	36	mitrar	36	montear	36
merecer	40	mixturar	36	monumentalizar	36
merendar	32	moblar	300	moquear	36
merendillar	36	mocar	36	moquetear	36
mermar	36	mocear	36	moquitear	36
merodear	36	mochar	36	moralizar	36
mesar	36	modelar	36	morar	36
mestizar	36	moderar	36	morcar	36
mesurar	36	modernizar	36	morder	186

O

mordicar	36	murar	36	nivelar	36
mordiscar	36	murciar	36	nombrar	36
mordisquear	36	murmujear	36	nominar	36
morigerar	36	murmullar	36	nordestear	36
morir	184	murmurar	36	normalizar	36
mortificar	36	musirse	286	noroestear	36
moscar	36	musitar	36	nortear	36
moscardear	36	mustiarse	36	noruestear	36
mosconear	36	mutilar	36	notar	36
mosquear	36			noticiar	36
mostear	36	nacer	190	notificar	36
mostrar	300	nacionalizar	36	novar	36
motar	36	nadar	36	novelar	36
motear	36	nafrar	36	novelizar	36
motejar	36	nalguear	36	nublar	36
motilar	36	nancear	36	numerar	36
motivar	36	nanear	36	nutrir	286
motorizar	36	nantar	36		
mover	186	narcotizar	36	ñafrar	36
movilizar	36	narrar	36		
muchachear	36	nasalizar	36	obcecar	36
mudar	36	naturalizar	36	obedecer	40
mueblar	36	naufragar	36	obispar	36
muescar	36	nausear	36	objetar	36
muflir	200	navegar	36	objetivar	36
mugar	36	neblinear	36	oblicuar	36
mugir	286	nebulizar	36	obligar	36
muir	152	necear	36	obliterar	36
mulatear	36	necesitar	36	obnubilar	36
mulatizar	36	negar	192	obrar	36
multar	36	negociar	36	obscurecer	40
multicopiar	36	negrear	36	obsequiar	36
multiplicar	36	negrecer	40	observar	36
mullicar	36	nesgar	36	obsesionar	36
mullir	188	neutralizar	36	obstar	36
mundanear	36	nevar	192	obstinarse	36
mundificar	36	neviscar	36	obstruir	152
municionar	36	nidificar	36	obtemperar	39
municipalizar	36	nielar	36	obtener	278
muñequear	36	nimbar	36	obturar	36
muñir	144	niñear	36	obviar	36
muquir	200	niquelar	36	ocalear	36

P

ocasionar	36	optar	36	padecer	40
ocluir	152	optimar	36	padrear	36
octavar	36	opugnar	36	paganizar	36
ocular	36	orar	36	pagar	36
ocultar	36	ordenar	36	paginar	36
ocupar	36	ordeñar	36	pairar	36
ocurrir	200	orear	36	pajarear	36
ochavar	36	orejear	36	pajear	36
odiar	36	organizar	36	paladear	36
ofender	292	orgullecer	40	palanganear	36
oficializar	36	orientar	40	palatalizar	36
oficiar	36	orificar	36	palear	36
ofrecer	40	originar	36	paletear	36
ofrendar	36	orillar	36	paliar	36
ofuscar	36	orinar	36	palidecer	40
oír	194	orlar	36	paliquear	36
ojalar	36	ornamentar	36	palmar	36
ojear	36	ornear	36	palmear	36
ojetear	36	orquestar	36	palmotear	36
olear	36	orvallar	36	palomear	36
oler	186	orzar	36	palotear	36
olfatear	36	osar	36	palpar	36
oliscar	36	oscilar	36	palpitar	36
olismear	36	oscurecer	40	pallar	36
olisquear	36	osificarse	36	pampear	36
olivarse	36	ostentar	36	panadear	36
olorizar	36	otear	36	pandar	36
olvidar	36	otilar	36	pandear	36
ominar	36	otoñar	36	panderetear	36
omitir	196	otorgar	36	panificar	36
oncear	36	ovacionar	36	pantallear	36
ondear	36	ovalar	36	papachar	36
ondular	36	ovar	36	papar	36
onecer	40	ovillar	36	papear	36
opacar	36	oxear	36	papelear	36
opalizar	36	oxidar	36	papeletear	36
operar	36	oxigenar	36	papelonear	36
opinar	36			paporrear	36
oponer	206	pablar	36	paquear	36
opositar	36	pacer	64	parabolizar	36
oprimir	198	pacificar	36	parafrasear	36
oprobiar	36	pactar	36	paragonar	36

parahusar	36	patear	36	penitenciar	36
paralelar	36	patentar	36	pensar	192
paralizar	36	patentizar	36	pensionar	36
paralogizar	36	patinar	36	peñarse	36
paramentar	36	patiquebrar	32	peñerar	36
parangonar	36	patrocinar	36	peraltar	36
parapetarse	36	patronear	36	percatar	36
parar	36	patrullar	36	percibir	200
parcelar	36	patullar	36	percollar	300
parchear	36	pausar	36	percontear	36
pardear	36	pautar	36	percudir	286
parear	36	pavimentar	36	percutir	286
parecer	40	pavonar	36	perchar	36
parificar	36	pavonear	36	perchonar	36
parir	200	pavordear	36	perder	116
parlamentar	36	payar	36	perdigar	36
parlar	36	pecar	36	perdonar	36
parlotear	36	pecorear	36	perdurar	36
parodiar	36	pechar	36	perecear	36
parpadear	36	pechear	36	perecer	40
parpar	36	pedalear	36	peregrinar	36
parquear	36	pedantear	36	perfeccionar	36
parrafear	36	pedir	260	perfilar	36
parrandear	36	pedorrear	36	perforar	36
parrar	36	peer	276	perfumar	36
partear	36	pegar	36	perfumear	36
participar	36	pegotear	36	pergeñar	36
particularizar	36	peguntar	36	periclitar	36
partir	200	peinar	36	perifrasear	36
parvificar	36	pelambrar	36	periquear	36
pasamanar	36	pelar	36	perjudicar	36
pasaportar	36	pelear	36	perjurar	36
pasar	36	pelechar	36	perlongar	36
pasear	36	peligrar	36	permanecer	40
pasmar	36	pelotear	36	permitir	200
pasquinar	36	peluquear	36	permutar	36
pastar	36	pellizcar	36	pernear	36
pastear	36	penar	36	perniquebrar	32
pastelear	36	pencar	36	pernoctar	36
pasteurizar	36	pendenciar	36	pernotar	36
pastorear	36	pender	290	perorar	36
patalear	36	penetrar	36	perpetrar	36

P

perpetuar	36	pillar	36	plantificar	36
perquirir	26	pillear	36	plantillar	36
perseguir	260	pimplar	36	plañir	144
perseverar	36	pimpollecer	40	plasmar	36
persignar	36	pincelar	36	plastecer	40
persistir	200	pinchar	36	platear	36
personalizar	36	pindonguear	36	platicar	36
personarse	36	pingar	36	platinar	36
personificar	36	pintar	36	plegar	192
persuadir	200	pintarrajear	36	pleitear	36
pertenecer	40	pintear	36	plisar	36
pertrechar	36	pintiparar	36	plomar	36
perturbar	36	pintonear	36	plomear	36
pervertir	106	pintorrear	36	plumear	36
pervivir	200	piñonear	36	pluralizar	36
pervulgar	36	piolar	36	poblar	300
pesar	36	pipar	36	pobretear	36
pescar	36	pipetear	36	podar	36
pesgar	36	pipiar	36	poder	204
pesiar	36	pirar	36	podrecer	40
pespuntar	36	piratear	36	podrir	226
pespuntear	36	pircar	36	poetizar	36
pesquirir	200	piropear	36	polarizar	36
pesquisar	36	pirquinear	36	polcar	36
pestañear	36	pirrarse	36	polemizar	36
petar	36	pisar	36	politiquear	36
petardear	36	pisonear	36	pololear	36
petrificar	36	pisotear	36	poltronizarse	36
petrolear	36	pistar	36	polvificar	36
piafar	36	pitar	36	polvorear	36
pialar	36	pitorrearse	36	polvorizar	36
piar	36	piular	36	pollear	36
picanear	36	placear	36	pompear	36
picar	36	placer	202	pomponearse	36
picardear	36	plagar	36	ponderar	36
picarizar	36	plagiar	36	poner	206
picotear	36	planchar	36	pontear	36
pifar	36	planchear	36	pontificar	36
pifiar	36	planear	36	popar	36
pignorar	36	planificar	36	popularizar	36
pilar	36	plantar	36	pordiosear	36
pilotar	36	plantear	36	porfiar	36

porfirizar	36	predominar	36	presumir	214
porgar	36	preelegir	260	presuponer	206
pormenorizar	36	preexistir	200	presupuestar	36
porracear	36	preferir	254	pretender	216
porrear	36	prefigurar	36	preterir	106
portar	36	prefijar	36	pretermitir	200
portazgar	36	prefinir	286	preternaturalizar	36
portear	36	pregonar	36	pretextar	36
posar	36	preguntar	36	prevalecer	40
poseer	208	pregustar	36	prevaler	290
posesionar	36	prejuzgar	36	prevaricar	36
posibilitar	36	prelucir	240	prevenir	294
posponer	206	preludiar	36	prever	296
postergar	36	premeditar	36	primearse	36
postilar	36	premiar	36	primorear	36
postrar	36	premorir	184	principiar	36
postular	36	premostrar	300	pringar	36
potabilizar	36	prendar	36	privar	36
potar	36	prender	212	privilegiar	36
potenciar	36	prenotar	36	probar	300
potrear	36	prensar	36	proceder	276
poyar	36	prenunciar	36	procesar	36
practicar	36	preñar	36	proclamar	36
prear	36	preocupar	36	procrear	36
prebendar	36	preordinar	36	procurar	36
precautelar	36	preparar	36	prodigar	36
precaver	276	preponderar	36	producir	236
preceder	276	preponer	206	proejar	36
preceptuar	36	preposterar	36	profanar	36
preciar	36	presagiar	36	profazar	36
precintar	36	prescindir	200	proferir	254
precipitar	36	prescribir	122	profesar	36
precisar	36	presenciar	36	profesionalizar	36
preconcebir	200	presentar	36	profetizar	36
preconizar	36	presentir	254	profundar	36
preconocer	74	preservar	36	profundizar	36
predecir	92	presidiar	36	programar	36
predefinir	200	presidir	36	progresar	36
predestinar	36	presionar	36	prohibir	200
predeterminar	36	prestar	36	prohijar	36
predicar	36	prestigiar	36	prologar	36
predisponer	206	prestir	200	prolongar	36

P

R

promanar	36	pudrir	226	quimificar	36
promediar	36	puentear	36	quinchar	36
prometer	276	pugnar	36	quinolear	36
promiscuar	36	pujar	36	quintaesenciar	36
promover	186	pulimentar	36	quintar	36
promulgar	36	pulir	286	quintuplicar	36
pronosticar	36	pulsar	36	quistarse	36
pronunciar	36	pulsear	36	quitar	36
propagar	36	pulular	36		
propalar	36	pulverizar	36	rabear	36
propasar	36	puncionar	36	rabiar	36
propender	218	punchar	36	rabiatar	36
propiciar	36	pungir	286	rabosear	36
propinar	36	punir	286	rabotear	36
proponer	206	puntar	36	racimar	36
proporcionar	36	puntear	36	raciocinar	36
propugnar	36	puntisecar	36	racionalizar	36
propulsar	36	puntualizar	36	racionar	36
prorratear	36	puntuar	36	rachar	36
prorrogar	36	punzar	36	radiar	36
prorrumpir	200	purear	36	radicar	36
proscribir	220	purgar	36	radiodifundir	286
prosear	36	purificar	36	radiografiar	36
proseguir	260	purpurar	36	raer	230
prosificar	36	purpurear	36	rafear	36
prospectar	36	putañear	36	rajar	36
prosperar	36	putear	36	ralbar	36
prostituir	222			ralear	36
protagonizar	36	quebrantar	36	rallar	36
protejer	276	quebrar	192	ramalear	36
protestar	36	quedar	36	ramificarse	36
protocolizar	36	quejar	36	ramonear	36
proveer	224	quejumbrar	36	ranciar	36
provenir	294	quemar	36	ranchear	36
proverbiar	36	querellarse	36	rapar	36
providenciar	36	querer	228	rapiñar	36
provocar	36	querochar	36	raposear	36
proyectar	36	quesear	36	raptar	36
puar	36	quietar	36	rapuzar	36
pubescer	276	quilificar	36	raquear	36
publicar	36	quillotrar	36	rarefacer	232
pudelar	36	quimerizar	36	rarificar	36

rasar	36	reatar	36	recamar	36
rascar	36	reaventar	32	recambiar	36
rascuñar	36	reavivar	36	recapacitar	36
rasgar	36	rebajar	36	recapitular	36
rasguear	36	rebalgar	36	recargar	36
rasguñar	36	rebalsar	36	recatar	36
rasmillar	36	rebanar	36	recatear	36
raspahilar	36	rebañar	36	recatonear	36
raspar	36	rebasar	36	recauchar	36
raspear	36	rebatir	200	recauchutar	36
rasquetear	36	rebautizar	36	recaudar	36
rastrear	36	rebelarse	36	recavar	36
rastrillar	36	rebinar	36	recebar	36
rastrojar	36	rebitar	36	recechar	36
rasurar	36	reblandecer	40	recejar	36
ratear	36	reblar	36	recelar	36
ratificar	36	rebombar	36	recentar	32
ratigar	36	reboñar	36	receñir	54
ratonar	36	rebordear	36	receptar	36
rayar	36	rebosar	36	recercar	36
razonar	36	rebotar	36	recesar	36
reabrir	18	rebozar	36	recetar	36
reaccionar	36	rebramar	36	recibir	200
reactivar	36	rebrincar	36	recidivar	36
reacuñar	36	rebrotar	36	recinchar	36
readmitir	200	rebudiar	36	reciprocar	36
reafirmar	36	rebufar	36	recitar	36
reagravar	36	rebujar	36	reclamar	36
reagrupar	36	rebullir	188	reclinar	36
reajustar	36	rebumbar	36	recluir	234
realegrarse	36	reburujar	36	reclutar	36
realizar	36	rebuscar	36	recobrar	36
realzar	36	rebutir	286	recocer	60
reamar	36	rebuznar	36	recodar	36
reanimar	36	recabar	36	recoger	276
reanudar	36	recadar	36	recolar	300
reaparecer	40	recaer	52	recolectar	36
reapretar	32	recalar	36	recolegir	260
rearar	36	recalcar	36	recomendar	32
reargüir	152	recalcitrar	36	recomenzar	32
rearmar	36	recalentar	32	recomerse	276
reasumir	286	recalzar	36	recompensar	36

R

recomponer	206	rechazar	36	refigurar	36
reconcentrar	36	rechiflar	36	refinar	36
reconciliar	36	rechinar	36	refirmar	36
reconcomerse	276	rechistar	36	refitolear	36
recondenar	36	rechizar	36	reflectar	36
reconducir	236	redactar	36	reflejar	36
reconfortar	36	redar	36	reflexionar	36
reconocer	74	redargüir	152	reflorecer	40
reconquistar	36	redecir	210	refluir	152
reconsiderar	36	redhibir	200	refocilar	36
reconstituir	152	rediezmar	36	reforestar	36
reconstruir	152	redilar	36	reformar	36
recontar	300	redimir	200	reforzar	96
reconvalecer	40	redituar	36	refractar	36
reconvenir	294	redoblar	36	refregar	192
recopilar	36	redolar	36	refreír	142
recordar	300	redondear	36	refrenar	36
recorrer	276	redorar	36	refrendar	36
recortar	36	redrojar	36	refrescar	36
recorvar	36	reducir	236	refrigerar	36
recoser	290	redundar	36	refringir	200
recostar	300	reduplicar	36	refugiar	36
recovar	36	reedificar	36	refulgir	286
recrear	36	reeditar	36	refundir	286
recrecer	40	reeducar	36	refunfuñar	36
recriar	36	reelegir	260	refutar	36
recriminar	36	reembarcar	36	regabinar	36
recrudecer	40	reembolsar	36	regacear	36
recrujir	200	remplazar	36	regalar	36
recruzar	36	reencarnar	36	regañar	36
rectificar	36	reencauchar	36	regañir	144
rectorar	36	reencuadernar	36	regar	192
recuadrar	36	reenganchar	36	regatear	36
recubrir	286	reengendrar	36	regatonear	36
recudir	286	reensayar	36	regazar	36
recuestar	36	reenviar	36	regenerar	36
recular	36	reenvidar	36	regentar	36
recuñar	36	reestructurar	36	regimentar	32
recuperar	36	reexaminar	36	regir	260
recurar	36	reexpedir	260	registrar	36
recurrir	286	reexportar	36	reglamentar	36
recusar	36	referir	254	reglar	36

regletear	36	rejuntar	36	remellar	36
regocijar	36	rejuvenecer	40	remembrar	36
regodearse	36	relabrar	36	rememorar	36
regoldar	300	relacionar	36	remendar	32
regolfar	36	relajar	36	remesar	36
regraciar	36	relamer	276	remeter	276
regresar	36	relampaguear	36	remilgarse	36
regruñir	144	relanzar	36	remirar	36
reguilar	36	relatar	36	remitir	200
regular	36	relavar	36	remojar	36
regularizar	36	relazar	36	remolar	300
regurgitar	36	releer	178	remolcar	36
rehabilitar	36	relegar	36	remoldar	36
rehacer	148	relejar	36	remoler	186
rehartar	36	relentecer	40	remolinar	36
rehelear	36	relevar	36	remolinear	36
rehenchir	260	religar	36	remolonear	36
reherir	254	relimar	36	remollar	36
reherrar	192	relimpiar	36	remondar	36
rehervir	254	relinchar	36	remontar	36
rehilar	36	relingar	36	remorder	186
rehogar	36	relucir	240	remosquearse	36
rehollar	300	reluchar	36	remostar	36
rehoyar	36	relumbrar	36	remostecerse	40
rehuir	152	relvar	36	remover	186
rehumedecer	40	rellanar	36	remozar	36
rehundir	286	rellenar	36	rempujar	36
rehurtarse	36	remachar	36	remudar	36
rehusar	36	remallar	36	remudiar	36
reimportar	36	remanar	36	remugar	36
reimprimir	154	remandar	36	remullir	188
reinar	36	remanecer	40	remunerar	36
reincidir	200	remangar	36	remusgar	36
reincorporar	36	remansarse	36	renacer	64
reingresar	36	remar	36	rendar	36
reinstalar	36	remarcar	36	rendir	260
reintegrar	36	rematar	36	renegar	192
reír	238	remecer	40	renegrear	36
reiterar	36	remedar	36	rengar	36
reivindicar	36	remediar	36	renguear	36
rejitar	36	remedir	260	renombrar	36
rejonear	36	remejer	276	renovar	300

R

R

renquear	36	repollar	36	rescatar	36
rentar	36	reponer	206	rescindir	200
renunciar	36	reportar	36	rescoldar	36
renvalsar	36	reposar	36	rescontrar	300
reñir	54	repostar	36	resecar	36
reoctavar	36	repoyar	36	resegar	192
reorganizar	36	repreguntar	36	reseguir	260
repacer	64	reprender	276	resellar	36
repagar	36	represar	36	resembrar	32
repanchigarse	36	representar	36	resentirse	254
repantigarse	36	reprimir	200	reseñar	36
repapilarse	36	reprobar	300	reservar	36
reparar	36	reprochar	36	resfriar	36
repartir	200	reproducir	236	resguardar	36
repasar	36	repropiarse	36	residenciar	36
repastar	36	reptar	36	residir	200
repatriar	36	repuchar	36	resignar	36
repechar	36	repudiar	36	resinar	36
repeinar	36	repudrir	226	resisar	36
repelar	36	repugnar	36	resistir	200
repeler	276	repujar	36	resobrar	36
repellar	36	repulgar	36	resolver	302
repensar	192	repulir	200	resollar	300
repentizar	36	repulsar	36	resonar	300
repercutir	200	repuntar	36	resoplar	36
repesar	36	repurgar	36	resorber	276
repetir	260	reputar	36	respahilar	36
repicar	36	requebrar	32	respaldar	36
repicotear	36	requemar	36	respectar	36
repinarse	36	requerir	106	respeluzar	36
repintar	36	requintar	36	respetar	36
repiquetear	36	requisar	36	respigar	36
repisar	36	resaber	244	respingar	36
repizcar	36	resabiar	36	respirar	36
replantar	36	resalir	246	resplandecer	40
replantear	36	resaltar	36	responder	292
replegar	192	resaludar	36	responsar	36
repletar	36	resallar	36	resquebrajar	36
replicar	36	resanar	36	resquebrar	32
repoblar	300	resarcir	200	resquemar	36
repodar	36	resbalar	36	resquilar	36
repodrir	226	rescaldar	36	restablecer	40

restallar	36	retortijar	36	revestir	298
restañar	36	retostar	300	revezar	36 **R**
restar	36	retozar	36	revindicar	36
restaurar	36	retractar	36	revirar	36
restituir	152	retraducir	286	revisar	36
restregar	192	retraer	284	revistar	36
restribar	36	retrancar	36	revivificar	36
restringir	200	retranquear	36	revivir	200
restriñir	144	retransmitir	200	revocar	36
resucitar	36	retrasar	36	revolar	300
resudar	36	retratar	36	revolcar	300
resultar	36	retrechar	36	revolear	36
resumir	286	retreparse	36	revolotear	36
resurgir	286	retribuir	152	revolucionar	36
resurtir	286	retrillar	36	revolver	302
retacar	36	retroceder	290	revotarse	36
retajar	36	retrogradar	36	rezagar	36
retallar	36	retronar	300	rezar	36
retallecer	40	retrotraer	284	rezongar	36
retar	36	retrovender	290	rezumar	36
retardar	36	retrucar	36	rezurcir	200
retasar	36	retumbar	36	ribetear	36
retazar	36	retundir	286	ridiculizar	36
retejar	36	reunir	286	rielar	36
retejer	276	reuntar	36	rifar	36
retemblar	32	revacunar	36	rilar	36
retener	278	revalidar	36	rimar	36
retentar	32	revalorizar	36	rimbombar	36
reteñir	280	revejecer	40	ringar	36
retesar	36	revelar	36	riostrar	36
retestinar	36	reveler	276	riscar	36
retinar	36	revenar	36	risotear	36
retinglar	36	revender	290	ritmar	36
retiñir	144	revenir	294	rivalizar	36
retirar	36	reventar	32	rizar	36
retobar	36	rever	296	robar	36
retocar	36	reverberar	36	roblar	36
retoñar	36	reverdecer	40	roblonar	36
retoñecer	40	reverenciar	36	roborar	36
retorcer	282	reverter	116	robustecer	40
retoricar	36	revertir	106	rociar	36
retornar	36	revesar	36	rochar	36

S

rodar	300	rular	36	salir	246
rodear	36	rumbar	36	salivar	36
rodrigar	36	rumbear	36	salmar	36
roer	242	rumiar	36	salmear	36
rogar	300	rumorearse	36	salmodiar	36
rojear	36	runflar	36	salmuerarse	36
rolar	36	runrunearse	36	salomar	36
roldar	36	ruñar	36	salpicar	36
rollar	36	rusentar	36	salpimentar	32
romanar	36	rusificar	36	salpresar	248
romancear	36	rusticar	36	salpullir	188
romanear	36	rustrir	200	salsear	36
romanizar	36	rutar	36	saltar	36
romanzar	36	rutilar	36	saltear	36
romper	276			saludar	36
roncar	36	sabanear	36	salvaguardar	36
roncear	36	sabatizar	36	salvar	250
ronchar	36	saber	244	sallar	36
rondar	36	sablear	36	sambenitar	36
ronquear	36	saborear	36	samurrar	36
ronronear	36	sabotear	36	sanar	36
ronzar	36	sacar	36	sancionar	36
roñar	36	sacarificar	36	sancochar	36
rosar	36	saciar	36	sanear	36
roscar	36	sacramentar	36	sangrar	36
rosear	36	sacrificar	36	sanguificar	36
rosigar	36	sacudir	286	sanjar	36
rostir	200	sachar	36	santificar	36
rotar	36	sahornarse	36	santiguar	36
rotular	36	sahumar	36	saquear	36
roturar	36	sainar	36	sargentear	36
rozar	36	sainetear	36	sarmentar	32
roznar	36	sajar	36	sarpullir	188
ruar	36	salabardear	36	satinar	36
rubificar	36	salar	36	satirizar	36
ruborizar	36	salariar	36	satisfacer	252
rubricar	36	salcochar	36	saturar	36
rucar	36	saldar	36	sazonar	36
ruchar	36	salearse	36	secar	36
rufianear	36	salegar	36	seccionar	36
rugir	286	salgar	36	secretar	36
rujiar	36	salificar	36	secuestrar	36

secularizar	36	sestear	36	sobradar	36
secundar	36	setenar	36	sobrar	36
sedar	36	sextaferiar	36	sobrasar	36
sedear	36	sextavar	36	sobreabundar	36
sedimentar	36	sextuplicar	36	sobreaguar	36
seducir	236	sigilar	36	sobrealimentar	36
segar	192	signar	36	sobrealzar	36
segregar	36	significar	36	sobreañadir	200
seguetear	36	silabear	36	sobrearar	36
seguir	260	silbar	36	sobreasar	36
segundar	36	silenciar	36	sobrebarrer	276
seisavar	36	silgar	36	sobrebeber	292
seleccionar	36	silogizar	36	sobrecargar	36
sellar	36	simbolizar	36	sobrecenar	36
sembrar	192	simpatizar	36	sobrecoger	276
semejar	36	simplificar	36	sobrecrecer	40
sementar	32	simular	36	sobrecurar	36
senderear	36	simultanear	36	sobredorar	36
sensibilizar	36	sinalefar	36	sobreedificar	36
sentar	192	sincerar	36	sobreexcitar	36
sentenciar	36	sincopar	36	sobreganar	36
sentir	254	sincopizar	36	sobregirar	36
señalar	36	sincronizar	36	sobrehilar	36
señalizar	36	sindicar	36	sobrellavar	36
señolear	36	singar	36	sobrellenar	36
señorear	36	singlar	36	sobrellevar	36
separar	36	singularizar	36	sobrenadar	36
septuplicar	36	sinterizar	36	sobrentender	116
sepultar	256	sintetizar	36	sobrepasar	36
ser	258	sintonizar	36	sobrepintarse	36
seranear	36	sirgar	36	sobreponer	206
serenar	36	sisar	36	sobrepujar	36
seriar	36	sisear	36	sobresalir	246
sermonear	36	sistematizar	36	sobresaltar	36
serpear	36	sitiar	36	sobresanar	36
serpentear	36	situar	36	sobrescribir	122
serpollar	36	soasar	36	sobreseer	276
serrar	192	sobajear	36	sobresembrar	32
serviciar	36	sobar	36	sobresolar	300
servir	260	sobarcar	36	sobrestimar	36
sesear	36	soberanear	36	sobrevenir	294
sesgar	36	sobornar	36	sobreverterse	116

S

sobrevestir	298	solucionar	36	sospechar	36
sobrevivir	200	solventar	36	sospesar	36
sobrevolar	300	sollamar	36	sostener	278
sobrexceder	276	sollisparse	36	sotanear	36
sobrexcitar	36	sollozar	36	sotaventarse	36
socaliñar	36	somarrar	36	soterrar	32
socalzar	36	sombrar	36	sovietizar	36
socapar	36	sombrear	36	suavizar	36
socarrar	36	someter	276	subalternar	36
socavar	36	somorgujar	36	subarrendar	32
socializar	36	sonajear	36	subastar	36
socolar	36	sonar	300	subdelegar	36
socorrer	276	sondar	36	subdistinguir	200
sofaldar	36	sondear	36	subdividir	200
sofisticar	36	sonetear	36	subentender	116
soflamar	36	sonetizar	36	subestimar	36
sofocar	36	sonochar	36	subintrar	36
sofreír	142	sonorizar	36	subir	286
sofrenar	36	sonreír	238	sublevar	36
soguear	36	sonrodarse	300	sublimar	36
sojuzgar	36	sonrojar	36	subordinar	36
solapar	36	sonrosar	36	subrayar	36
solapear	36	sonsacar	36	subrogar	36
solar	300	soñar	300	subsanar	36
solazar	36	sopalancar	36	subscribir	122
soldar	300	sopapear	36	subseguir	260
solear	36	sopar	36	subsistir	200
solemnizar	36	sopear	36	subsolar	300
soler	262	sopesar	36	substanciar	36
soletear	36	sopetear	36	substantivar	36
solevantar	36	soplar	36	substituir	266
solevar	36	soplonear	36	substraer	284
solfear	36	soportar	36	subtender	116
solicitar	36	sopuntar	36	subtitular	36
solidar	36	sorber	276	subvencionar	36
solidarizar	36	sornar	36	subvenir	294
solidificar	36	sorprender	292	subvertir	106
soliloquiar	36	sorrapear	36	subyugar	36
soliviantar	36	sorregar	192	suceder	290
soliviar	36	sortear	36	sucintarse	36
solmenar	36	sosegar	192	sucumbir	286
soltar	264	soslayar	36	sudar	36

T

sufragar	36	tabletear	36	tartamudear	36
sufrir	200	tacañear	36	tartarizar	36
sugerir	106	tacar	36	tasar	36
sugestionar	36	taconear	36	tascar	36
suicidarse	36	tachar	36	tatarear	36
sujetar	268	tachonar	36	tatuar	36
sulfatar	36	tafiletear	36	teatralizar	36
sulfurar	36	tagarotear	36	teclear	36
sumar	36	tajar	36	techar	36
sumariar	36	taladrar	36	tediar	36
sumergir	200	talar	36	tejar	36
suministrar	36	talionar	36	tejer	276
sumir	286	talonear	36	telefonear	36
supeditar	36	tallar	36	telegrafiar	36
superabundar	36	tallecer	40	televisar	36
superar	36	tambalear	36	temblar	192
superentender	116	tamborear	36	temblequear	36
superponer	206	tamborilear	36	temer	276
supervenir	294	tamizar	36	tempanar	36
supervisar	36	tantear	36	temperar	36
suplantar	36	tañer	274	tempestear	36
suplicar	36	tapar	36	templar	36
suplir	286	taperujarse	36	temporalizar	36
suponer	206	tapiar	36	temporejar	36
suprimir	270	tapiscar	36	temporizar	36
supurar	36	tapizar	36	tenacear	36
suputar	36	taponar	36	tender	116
surcar	36	tapujarse	36	tener	278
surdir	286	taquigrafiar	36	tensar	36
surgir	286	taracear	36	tentalear	36
surtir	286	tarar	36	tentar	192
suscitar	36	tararear	36	teñir	280
suspender	272	tarascar	36	teologizar	36
suspirar	36	tarazar	36	teorizar	36
sustentar	36	tardar	36	terciar	36
susurrar	36	tardear	36	tergiversar	36
sutilizar	36	tardecer	40	terminar	36
		tarifar	36	terquear	36
tabalear	36	tarjar	36	terraplenar	36
tabellar	36	tarrascar	36	terrear	36
tabicar	36	tartajear	36	terrecer	40
tablear	36	tartalear	36	tersar	36

T

tertuliar	36	topetar	36	transcurrir	286
tesar	36	toquetear	36	transferir	106
tesaurizar	36	torcer	282	transfigurar	36
testar	36	torear	36	transflorar	36
testificar	36	tornar	36	transflorear	36
testimoniar	36	tornasolar	36	transformar	36
tetar	36	tornear	36	transfregar	192
tijeretear	36	torpedear	36	transfretar	36
tildar	36	torrar	36	transfundir	286
tillar	36	torrear	36	transgredir	16
timar	36	torturar	36	transigir	200
timbrar	36	toser	36	transir	200
timonear	36	tosigar	36	transitar	36
timpanizarse	36	tostar	300	translimitar	36
tindalizar	36	totalizar	36	translinear	36
tintar	36	toxicar	36	transmigrar	36
tintinar	36	tozar	36	transmitir	200
tinturar	36	trabajar	36	transmontar	36
tipificar	36	trabar	36	transmudar	36
tiramollar	36	trabucar	36	transmutar	36
tiranizar	36	traducir	236	transparentarse	36
tirar	36	traer	284	transpirar	36
tiritar	36	trafagar	36	transpolar	36
tironear	36	traficar	36	transponer	206
tirotear	36	trafulcar	36	transportar	36
titar	36	tragar	36	transterminar	36
titear	36	tragonear	36	transubstanciar	36
titilar	36	traicionar	36	transvasar	36
titiritar	36	trajear	36	tranzar	36
titubear	36	trajelar	36	trapacear	36
titular	36	trajinar	36	trapalear	36
tiznar	36	tramar	36	trapear	36
tizonear	36	tramitar	36	trapichear	36
tocar	36	tramontar	36	trapisondear	36
toldar	36	trampear	36	traquetear	36
tolerar	36	trancar	36	trasbocar	36
tomar	36	tranquear	36	trascartarse	36
tonar	300	tranquilar	36	trascender	116
tonificar	36	tranquilizar	36	trascolar	300
tonsurar	36	transar	36	trasconejarse	36
tontear	36	transbordar	36	trascordarse	300
topar	36	transcribir	122	trasdoblar	36

trasdosar	36	trasver	296	trompetear	36
trasdosear	36	trasverter	116	trompicar	36
trasechar	36	trasvinarse	36	tronar	300
trasegar	192	trasvolar	300	tronchar	36
traseñalar	36	tratar	36	tronerar	36
trasgredir	16	travesear	36	tronquear	36
trasguear	36	travestir	298	tronzar	36
trashojar	36	trazar	36	tropezar	32
trashumar	36	trazumar	36	troquelar	36
trasladar	36	trebejar	36	trotar	36
traslapar	36	trechear	36	trovar	36
traslucirse	240	trefilar	36	trucar	36
traslumbrar	36	tremolar	276	trufar	36
trasmañanar	36	trencillar	36	truhanear	36
trasmatar	36	trenzar	36	trujamanear	36
trasminar	36	trepanar	36	trujar	36
trasnochar	36	trepar	36	trullar	36
trasnombrar	36	trepidar	36	truncar	36
trasoír	194	tresdoblar	36	tullecer	40
trasoñar	300	triangular	36	tullir	188
traspalar	36	triar	36	tumbar	36
traspapelarse	36	tributar	36	tumultuar	36
trasparecer	40	trifurcarse	36	tunantear	36
traspasar	36	trillar	36	tunar	36
traspeinar	36	trinar	36	tundear	36
traspellar	36	trincar	36	tundir	286
traspintar	36	trinchar	36	tunear	36
trasplantar	36	tripartir	200	tupir	286
trasponer	206	triplicar	36	turbar	36
trasquilar	36	tripudiar	36	turibular	36
trasroscarse	36	tripular	36	turificar	36
trastabillar	36	trisar	36	turnar	36
trastear	36	triscar	36	turrar	36
trastejar	36	trisecar	36	tusturrar	36
trastesar	36	triturar	36	tutear	36
trastocar	300	triunfar	36		
trastornar	36	trizar	36	ubicar	36
trastrabarse	36	trocar	300	ufanarse	36
trastumbar	36	trocear	36	ulcerar	36
trasudar	36	trociscar	36	ultimar	36
trasuntar	36	trompear	36	ultrajar	36
trasvenarse	36			ulular	36

U

umbralar	36	vaporizar	36	verter	116
V uncir	286	vapulear	36	vestir	298
ungir	286	vaquear	36	vetar	36
unificar	36	varear	36	vetear	36
uniformar	36	varetear	36	viajar	36
unir	286	variar	36	viaticar	36
unisonar	36	varraquear	36	vibrar	36
universalizar	36	vaticinar	36	viciar	36
univocarse	36	vedar	36	vidriar	36
untar	36	vegetar	36	vigiar	36
urajear	36	vejar	36	vigilar	36
urbanizar	36	velar	36	vigorar	36
urdir	286	velarizar	36	vigorizar	36
urgir	286	velejar	36	vilipendiar	36
usar	36	velicar	36	viltrotear	36
usucapir	288	vencer	292	vincular	36
usufructuar	36	vendar	36	vindicar	36
usurar	36	vender	292	violar	36
usurear	36	vendimiar	36	violentar	36
usurpar	36	venerar	36	virar	36
utilizar	36	vengar	36	visar	36
		venir	294	visitar	36
vacar	36	ventanear	36	vislumbrar	36
vaciar	36	ventar	32	visualizar	36
vacilar	36	ventear	36	vitorear	36
vacunar	36	ventilar	36	vitrificar	36
vadear	36	ventiscar	36	vituallar	36
vagabundear	36	ventosear	36	vituperar	36
vagar	36	ver	296	vivaquear	36
vahar	36	veranear	36	vivar	36
vahear	36	verbenear	36	vivificar	36
valer	290	verberar	36	vivir	286
validar	36	verdear	36	vocalizar	36
valorar	36	verdecer	40	vocear	36
valorizar	36	verguear	36	vociferar	36
valsar	36	verificar	36	volar	300
valuar	36	verilear	36	volatilizar	36
valladear	36	verraquear	36	volcar	300
vallar	36	verruguetar	36	volear	36
vanear	36	versar	36	volitar	36
vaporar	36	versear	36	volquearse	36
vaporear	36	versificar	36	voltear	36

voltejear	36	zangolotear	36
volver	302	zanjar	36
vomitar	36	zanquear	36
vosear	36	zapar	36
votar	36	zaparrastrar	36
voznar	36	zapatear	36
vulcanizar	36	zapear	36
vulgarizar	36	zapuzar	36
vulnerar	36	zaquear	36
		zarabutear	36
xerocopiar	36	zaracear	36
xerografiar	36	zaragatear	36
		zaragutear	36
yacer	304	zarandar	36
yaguar	36	zarandear	36
yapar	36	zarcear	36
yermar	36	zarpar	36
yodurar	36	zarpear	36
yugular	36	zascandilear	36
yuxtaponer	206	zigzaguear	36
		zocatearse	36
zabordar	36	zollipar	36
zaboyar	36	zonificar	36
zabucar	36	zorrear	36
zabullir	188	zozobrar	36
zacear	36	zulacar	36
zafar	36	zulaquear	36
zaherir	106	zullarse	36
zahondar	36	zumacar	36
zajarrar	36	zumbar	36
zalear	36	zunchar	36
zallar	36	zuñir	286
zamarrear	36	zurarse	36
zambucar	36	zurcir	286
zambullir	188	zurear	36
zaminar	36	zurrar	36
zampar	36	zurriagar	36
zampear	36	zurriar	36
zampuzar	36	zurrir	286
zancajear	36	zurruscarse	36
zanganear	36		
zangarrear	36		

INDICE GENERAL

Prólogo 5
Indice de cuadros de conjugaciones 9
Cuadros de conjugaciones 13
Indice alfabético de los verbos 307